D1198757

La vie, sucrée de Juliette Gagnon

De la même auteure

La Vie épicée de Charlotte Lavigne, tome 4, *Foie gras au torchon et popsicle aux cerises*, Éditions Libre Expression, 2013.

La Vie épicée de Charlotte Lavigne, tome 3, *Cabernet sauvignon et shortcake aux fraises*, Éditions Libre Expression, 2012.

La Vie épicée de Charlotte Lavigne, tome 2, *Bulles de champagne et sucre à la crème*, Éditions Libre Expression, 2012.

La Vie épicée de Charlotte Lavigne, tome 1, *Piment de Cayenne et pouding chômeur,* Éditions Libre Expression, 2011.

Nathalie Roy

La vie sucrée de Juliette Gagnon

TOME 1

Skinny jeans et crème glacée
à la gomme balloune

Une société de Québecor Média

Catalogage avant publication de Bibliothèque et Archives nationales du Québec et Bibliothèque et Archives Canada

Roy, Nathalie, 1967-
La vie sucrée de Juliette Gagnon
Sommaire : t. 1. Skinny jeans et crème glacée à la gomme balloune.
ISBN 978-2-7648-0989-1 (vol. 1)
I. Roy, Nathalie, 1967-. Skinny jeans et crème glacée à la gomme balloune. II. Titre. III. Titre : Skinny jeans et crème glacée à la gomme balloune.

PS8635.O911V537 2014 C843'.6 C2014-940382-8
PS9635.O911V537 2014

Édition : Nadine Lauzon
Révision linguistique : Sophie Sainte-Marie
Correction d'épreuves : Julie Lalancette
Couverture, grille graphique et mise en pages : Chantal Boyer
Photo de l'auteure : Sarah Scott

Remerciements
Nous reconnaissons l'aide financière du gouvernement du Canada par l'entremise du Fonds du livre du Canada pour nos activités d'édition.
Nous remercions le Conseil des Arts du Canada et la Société de développement des entreprises culturelles du Québec (SODEC) du soutien accordé à notre programme de publication.
Gouvernement du Québec – Programme de crédit d'impôt pour l'édition de livres – gestion SODEC.

Les Éditions Libre Expression
Groupe Librex inc.
Une société de Québecor Média
La Tourelle
1055, boul. René-Lévesque Est
Bureau 300
Montréal (Québec) H2L 4S5
Tél. : 514 849-5259
Téléc. : 514 849-1388
www.edlibreexpression.com

Dépôt légal – Bibliothèque et Archives nationales du Québec et Bibliothèque et Archives Canada, 2014

ISBN : 978-2-7648-0989-1

Distribution au Canada
Messageries ADP
2315, rue de la Province
Longueuil (Québec) J4G 1G4
Tél. : 450 640-1234
Sans frais : 1 800 771-3022
www.messageries-adp.com

Diffusion hors Canada
Interforum
Immeuble Paryseine
3, allée de la Seine
F-94854 Ivry-sur-Seine Cedex
Tél. : 33 (0) 1 49 59 10 10
www.interforum.fr

À tous ceux et celles qui ont aimé Charlotte Lavigne,
merci d'ouvrir votre cœur à Juliette.

1

STATUT FB DE **JULIETTE GAGNON**

Il y a 5 minutes, près de Montréal

Super journée avec mes deux Best!
Ongles et mousseux au programme ☺

Mes douze vernis à ongles sont alignés sur la couette fuchsia de ma chambre. Assise à l'indienne sur mon lit, je les fixe depuis quelques minutes. J'hésite entre *Coral Kiss* et *Sapphire*. Pas facile comme choix. Aujourd'hui, est-ce que je me sens légère et lumineuse comme le premier? Ou bien si je suis plutôt sombre et froide comme le deuxième? Hummm… Un peu des deux, peut-être?

À moins, justement, que j'opte pour les deux. Une couleur pour les mains et une autre pour les pieds. Génial! Eh bien, voilà! Tout est si simple dans la vie quand on se donne la peine de réfléchir.

J'allonge le bras pour saisir les flacons quand une autre main me devance.

— Si tu te décides pas, moi, je vais le faire. Je prends ceux-là !

Marie-Pier s'empare des vernis *Espresso* et... *Sapphire.*

— Non, je le voulais, celui-là, dis-je en montrant le vernis bleuté.

— Trop tard, Juliette. T'avais juste à te déniaiser avant.

Ça, c'est mon gros problème dans la vie. Je souffre d'indécision chronique. Ce qui permet aux autres de choisir avant moi, exactement comme vient de le faire mon amie. Impossible maintenant de m'en tenir à ma première idée : Marie-Pier déteste qu'on copie sur elle. Tout comme moi, d'ailleurs.

— *Anyway*, depuis quand t'aimes le bleu foncé sur les ongles, Juliette ? Normalement, t'es toujours dans les roses pétants.

— Je sais pas trop. Ça va avec mon humeur d'aujourd'hui, je suppose.

— Qu'est-ce qu'il y a ? T'es *down* ?

— Un peu, ouais.

Ding, dong !

La sonnette de l'appartement interrompt notre conversation. Je me précipite pour aller ouvrir.

— Salut, Clem !

— Salut.

L'air mécontent, Clémence entre sans même m'embrasser chaleureusement comme elle le fait d'habitude.

— La prochaine fois, on fait ça chez moi. Pus capable de tourner en rond pendant une demi-heure pour trouver du stationnement.

— Ben là... Tu me vois-tu aller à Saint-Hilaire en scooter ?

— C'est possible.

— Je saurais même pas par où passer !

— De toute façon, lance Marie-Pier en venant nous rejoindre dans le hall, on est deux dans le Mile End contre une sur la Rive-Sud, fait que...

— C'est ça. Pis vous êtes célibataires, sans enfants, contre moi qui est mariée avec deux flos... Je commence à me demander ce que je fais ici.

Les paroles et le ton agressifs de Clémence me surprennent et me bouleversent. D'ordinaire, c'est moi qui joue la *reject* au sein de notre trio de filles, pas elle.

J'ai connu Clémence il y a quatre ans et je l'ai présentée à Marie-Pier, ma meilleure amie d'enfance. Elles ont tout de suite sympathisé, à un point tel que je me suis sentie un peu écartée au départ. Mes deux copines partagent plusieurs passions communes, comme les séries télé fantastiques, la bouffe bio et la course à pied. Phénomène que je ne comprends pas, que je ne comprendrai jamais et que je ne chercherai pas à comprendre.

J'ai ensuite pris sur moi et j'ai mis de côté ma jalousie « pas rapport ». Je me suis investie comme pas une dans cette relation à trois. L'heureux résultat est qu'aujourd'hui nous sommes les meilleures amies du monde. On s'entend parfaitement bien... Enfin, presque toujours parfaitement bien. Mes copines, c'est ma famille. Je lui demande doucement :

— Pourquoi tu dis ça, Clem ? Tu sais bien que t'as ta place ici.

— C'est quoi ? T'es dans ton SPM ? ajoute Marie-Pier, qui ne fait pas toujours dans la subtilité.

Clémence pousse un long soupir et toute sa colère s'évanouit d'un coup.

— *Sorry, girls*. C'est pas votre faute.

— La faute à qui, alors ? l'interroge Marie-Pier.

— Bof, c'est pas important.

— Ben oui, c'est important, dis-je, en les enjoignant de me suivre.

Clémence et Marie-Pier marchent derrière moi jusqu'à la cuisine et me regardent sortir une bouteille de prosecco du frigo. Dimanche matin, 11 h 38, c'est l'heure du mimosa.

Et puisque j'ai encore oublié d'acheter des flûtes à champagne et que mes coupes à vin sont toutes dans le lave-vaisselle, je verse le mousseux dans trois petits verres à eau et j'y ajoute un soupçon de jus d'orange. Ma mère aurait tellement honte de me voir être une siiiiii mauvaise hôtesse !

— *Salute !*

— *Cheers !*

— Santé !

J'adore notre rituel quand on trinque toutes les trois. J'ouvre le bal en italien, Marie-Pier me suit en anglais ou en espagnol, selon son inspiration du moment, et Clémence ferme la marche en français. Chaque fois, ça me confirme que nous sommes des filles universelles, ouvertes à découvrir les cultures du monde et à profiter au max de la diversité ethnique qu'offre Montréal... Ou plutôt qu'offrent les jeunes Montréalais. Enfin, ce dernier point vaut surtout pour moi.

— Bon, tu vas nous dire ce qui se passe ? demande Marie-Pier à Clémence.

— Y se passe que c'est la fête des Mères aujourd'hui.

— Ah non ! J'ai encore oublié d'envoyer une carte à maman, dis-je.

— T'es pas toute seule à avoir oublié, Juju. Chez moi, personne n'y a pensé !

— Personne ?

— Non. Ni Arnaud ni mes gars.

Je dois avouer que je ne suis pas surprise. Je n'ai jamais aimé le mari de Clémence, un gars au début de la quarantaine qui passe le plus clair de son temps à essayer d'écrire des scénarios de films pour ados. Et c'est mon amie qui travaille comme une folle pour les faire vivre, lui et leurs jumeaux de cinq ans. Habituellement, je garde mes réflexions pour moi, mais cette fois-ci j'éclate.

— Y sont ben pas fins ! Avec tout ce que tu fais pour eux.

— C'est exactement ce que je me disais.

Je m'approche de Clémence et je fais signe à Marie-Pier de m'imiter. Toutes les deux, on enlace tendrement notre amie.

— Bonne fête des Mères, Clémence, lui souhaite-t-on en chœur.

— T'es la meilleure, dis-je. Nous autres, on le sait.

Notre élan de tendresse envers l'aînée de notre groupe semble la réconforter. Du revers de la main, elle essuie une larme avant de secouer la tête pour chasser sa tristesse. Elle nous annonce d'un ton décidé qu'elle est prête à passer à autre chose.

— Bon, on les fait-tu, ces ongles-là, avant d'être trop soûles pis de mettre du vernis partout?

*

— Comment ça t'es *down*, Juliette?

Tout en appliquant le vernis *Coral Kiss* sur mon gros orteil, Marie-Pier revient sur ce que je lui ai confié avant l'arrivée de Clémence. Nous sommes dans ma petite chambre, assises sur mon lit.

— Bof, à cause d'hier.

— Hieeeer? Qu'est-ce qui s'est passé hier?

— Je suis sortie.

— Seule? Tu nous l'as pas dit? s'offusque-t-elle.

— Voyons, Marie! Juliette est pas toujours obligée de nous inviter.

— Ouin, mais j'aurais aimé ça, sortir, moi. J'ai passé une soirée super plate devant des épisodes de *Game of Thrones*.

— De toute façon, j'étais pas toute seule, dis-je.

— Ah non? T'étais avec qui? s'intéresse Marie-Pier, un peu trop vivement à mon goût.

— Avec… euh… avec Samuel.

— C'est qui, lui? Je le connais pas.

— Moi non plus, renchérit Clémence.

— Ben oui, je vous en ai parlé. C'est lui qui a une gueule à la James Franco.

Le silence se fait quelques instants dans la pièce. Visiblement, mes amies ne se souvenaient pas qu'un gars aussi *hot* s'était intéressé à moi. Il faut dire que je n'avais pas eu de nouvelles de Samuel depuis plusieurs semaines, avant qu'il refasse surface hier après-midi, en m'envoyant un texto. Message auquel j'ai immédiatement répondu, trop contente de savoir qu'il ne m'avait pas oubliée.

— Vous avez fait quoi ? me demande Marie-Pier.

— On est allés à la Commission des liqueurs. Y avait un super D. J.

— On s'en fout, de la musique. Ce qui nous intéresse, c'est ce qui s'est passé après.

Avant de poursuivre mon récit, j'avale une gorgée de mimosa, qui ne contient maintenant que du mousseux. Pourquoi s'encombrer de jus d'orange, après tout ?

— On est venus ici.

— Ah, ouache !

Clémence se lève précipitamment de mon lit, qu'elle observe avec dédain.

— T'as lavé tes draps, j'espère ?

— Inquiète-toi pas, on a fait ça dans le salon.

Mon amie se rassoit sur ma couette et reprend le vernis, d'un rose un peu trop fade… Mais bon, Clem, c'est Clem, la plus sage de nous trois.

— Fait que, si je me fie à ton air déçu, c'était pas terrible ?

— C'est pas tout à fait ça.

Mon regard s'éloigne vers le grand canapé du salon double, où j'ai passé une partie de la nuit dernière… à pleurer en silence. Pourtant, tout avait si bien commencé. Samuel a été adorable. Il n'a cessé de s'extasier sur mes longs cheveux blonds « si doux » et sur mon sourire qu'il a qualifié de « dévastateur ».

Mon compagnon m'a traitée comme une princesse, en m'offrant des vodkas à la canneberge, en venant sur la piste de danse chaque fois que je le lui demandais et en m'écoutant attentivement quand je lui racontais mes mésaventures au boulot. La soirée a été parfaite.

Je l'ai trouvé charmant et intéressant avec ses histoires de parachutisme, un loisir dont il parle avec passion, les yeux brillants. Plus les heures filaient, plus je me disais que ça y était. Qu'avec lui j'y arriverais. Mais non. Je me trompais.

Je sens les larmes me monter encore aux yeux et je détourne le regard pour éviter que mes amies me voient de nouveau vulnérable. Je fixe mes mains, tout en jouant machinalement avec mon petit bracelet brésilien orange et noir. J'entends Clémence qui s'approche de moi.

— Qu'est-ce qui s'est passé ? me demande-t-elle doucement.

— Pas comme la dernière fois, j'espère ! s'exclame Marie-Pier.

Elle a vu juste. Mais si elle voulait être plus précise, elle aurait dit : « Pas comme *les* dernières fois. »

— Ben oui… Mais c'est pas ma faute ! Je suis tout simplement PAS capable de l'oublier.

— Ah, pauvre pitchounette ! me réconforte Clémence tout en me caressant les cheveux.

Marie-Pier, pour sa part, m'observe avec ce mélange de compassion et d'exaspération que je lui connais bien.

— Juliette, il serait vraiment temps que tu passes à autre chose. Ça fait six mois que c'est fini avec Seb.

— Ça fait quatre mois, trois semaines, deux jours et quinze heures. Pis je fais pas exprès.

Sébastien Lortie-Tessier, le gars le plus extraordinaire que j'aie jamais rencontré, a été mon amoureux pendant un an. Douze mois intenses, remplis d'amour, de passion, de fous rires et de tendresse. Une année complète de pur bonheur. La plus *nice* de toute ma vie. Jusqu'à ce soir de décembre, à peine quelques jours avant Noël, où il m'a brisé le cœur en m'annonçant qu'il rompait. « On est trop jeunes pour s'engager. On a trop de choses à vivre », s'est-il justifié.

Ce avec quoi je n'étais pas du tout d'accord. À vingt-six ans, j'estime qu'il est temps de vivre une vraie relation, et non plus des amourettes à la sauvette. Et cette relation-là, je l'avais… mais je l'ai perdue. Oui, c'est moi qui suis responsable de la fin de notre couple, j'en suis convaincue. Jamais je n'aurais dû dire à Sébastien qu'il n'y avait rien de plus romantique que de se fiancer à Noël. Surtout pas devant la vitrine de Birks.

Il a eu peur et a préféré fuir. Dès le soir même. Depuis, ma vie amoureuse est en suspens. Et je suis incapable de coucher avec un autre gars sans que mon corps tout entier réclame celui de Sébastien.

C'est ce qui est arrivé hier avec Samuel. Et ça m'a rendue d'autant plus triste qu'avec lui j'étais certaine de tourner la page. Mais quand j'ai réalisé que ça ne servait à rien, j'ai fait comme toujours. Je me suis organisée pour mettre un terme le plus rapidement à la séance de baise. Et j'ai renvoyé Samuel chez lui tout de suite après, prétextant une horrible migraine. C'est là que j'ai pu laisser la place à toute la peine que je ressens encore et à la rage que j'éprouve envers moi-même d'avoir parlé d'engagement. Je m'en veux aussi de ne pas être assez forte pour surmonter mon chagrin d'amour.

— Je le sais, je suis *fucking* nulle !

— Mais non, voyons ! Donne-toi du temps. Ça va venir.

Clémence me serre dans ses bras, en répétant que je dois cesser de me rabaisser tout le temps. De six ans mon aînée, mon amie fait un peu office de deuxième maman dans mon cœur puisque la mienne habite à quatre mille kilomètres d'ici et que je ne la vois que trois ou quatre fois par année.

Marie-Pier, elle, c'est autre chose. Nous avons le même âge, et de temps en temps je me demande si ce n'est pas la seule chose que nous ayons en commun.

Autant j'ai la sensibilité à fleur de peau, autant Marie encaisse les coups de la vie avec détachement, voire presque avec arrogance. Autant elle est forte et bagarreuse, autant il m'arrive de me trouver bien faible et peu confiante en mes moyens.

Marie me dit toujours qu'elle a eu la chance de grandir entourée de garçons – elle est la seule fille d'une famille de trois enfants – et qu'elle n'a pas eu le choix de se défendre. Tout ça l'a bien préparée à la vie... Tandis que moi, qui ai été couvée par des parents hyperprotecteurs, je me sens parfois bien mal outillée pour faire face aux défis de la vingtaine. Enfin... passons.

Mais au-delà des différences avec mon amie, je l'aime profondément. Nous avons vécu toute notre enfance ensemble, partagé nos angoisses d'adolescentes et nous sommes entrées dans le monde adulte main dans la main. Marie connaît tout de ma vie.

Et j'avoue que ça me fait souvent un bien immense quand elle me *challenge* avec ses considérations très terre à terre. On peut pas toutes être intenses comme moi !

Je dirais que nous formons un trio équilibré, avec nos personnalités qui nous distinguent l'une de l'autre et nos modes de vies différents. Même nos cheveux se complètent. Clem est la brunette sage, Marie-Pier, la rousse mordante, et je suis la blonde romantique. Même chose pour la couleur de nos yeux. Ceux de Clémence sont d'un vert presque kaki, le regard de Marie-Pier est d'un beau brun foncé et, moi, j'ai les yeux bleu-gris. Parfois, je me dis qu'à nous trois on comble tous les fantasmes des hommes.

Nous achevons de nous vernir les ongles dans un doux silence quand le bip de mon iPhone résonne dans la pièce, annonçant l'arrivée d'un texto. Je me précipite sur mon appareil en espérant que le message viendra confirmer la nouvelle que j'attends depuis des jours.

Je parcours rapidement mon écran des yeux et mon visage s'illumine d'un grand sourire.

— *Yes, yes, yesssssss!*

— C'est qui? s'enquiert Marie-Pier.

— Ma *boss*!

— Ouin, c'est rare que t'es contente d'avoir des nouvelles d'elle!

Il est vrai que je ne suis habituellement guère enchantée d'échanger avec Danicka Malenfant, la propriétaire du studio de photo pour qui je suis pigiste. Mme Malenfant a nommé son entreprise Studio 54, en l'honneur d'une discothèque qui a fait fureur dans les années 1970 et 1980 à New York et qui attirait bon nombre de vedettes. Et parce que nous nous spécialisons dans le *showbiz*. Photographier des artistes, c'est mon métier.

Bon, il nous arrive de prendre quelques contrats de photos de mariage, de baptême, d'anniversaire de naissance ou même de… funérailles, mais la plupart du temps Studio 54 donne dans les défilés de mode et dans le culturel. Nos clients sont des acteurs de théâtre, des chanteurs rock, des auteurs célèbres, des danseurs contemporains, etc. Et nous venons d'ajouter des humoristes à notre liste.

— On a le contrat pour le Festival Juste pour rire!

— Trop *cool*!

— Ohhh, tu dois être contente! Ton été est assuré.

— Yep! Pas de problèmes d'argent cet été! On va trop faire la fête…

Depuis que j'ai commencé à exercer mon métier, j'ai une peur bleue de manquer d'ouvrage. Chaque fois qu'un contrat se termine et que je me retrouve devant rien, j'angoisse. Et quand j'angoisse, je dépense. Ce qui, je l'avoue, n'est franchement pas une bonne idée quand on ne sait pas à quel moment le prochain chèque de paie va rentrer. Mais je ne peux m'empêcher d'aller faire un tour chez H & M, Aldo et MAC.

Je préfère couper dans mon épicerie plutôt que de me priver d'une nouvelle tenue, de la dernière paire de sandales compensées à la mode et d'un *gloss* inédit qui rehaussera mes lèvres. Après tout, il s'agit d'un investissement dans ma carrière. Nous vivons dans un monde d'images... Qui de mieux qu'une photographe pour formuler pareille affirmation, n'est-ce pas ?

Je me dois de préserver mon image publique. Ça, ça compte. Tandis que ce que je fais à la maison toute seule, comme manger des spaghettis au jus de tomate trois soirs de suite, personne ne le sait.

Et quand je me sens en manque de protéines, je me précipite à la boucherie Saint-Amand, où Ugo, mon oncle adoré, est ravi de m'offrir des plats cuisinés. Mon préféré : son lapin à la moutarde. En raison de la crème, bien sûr ! Je suis une crème *addict*, il m'arrive même d'en verser dans mes céréales le matin.

Un deuxième message apparaît sur l'écran de mon téléphone. Encore ma patronne.

« On va aller à l'extérieur de Montréal, chez certains humoristes. Va te falloir une auto. »

Ah non ! Je vais encore devoir demander un service à mon amie. Je referme le flacon de vernis à ongles *Diva*, que j'ai finalement choisi pour mes mains, et je souffle sur mes doigts de longues secondes en pensant à la stratégie à adopter.

— Mariiiiiiiiiiie ?

— Toi, quand tu prends ce ton-là...

— Ben là, laisse faire, d'abord !

— Ouin, t'es susceptible aujourd'hui !

— Aujourd'hui ? en remet Clémence.

— Ahhhhh, vous m'énervez des fois !

Clémence et Marie-Pier éclatent de rire, ce qui me met encore plus hors de moi. Je saute du lit et je tire sur mon short en jeans pour le replacer. Je m'apprête à enfiler mes Toms aux motifs marocains quand un cri retentit.

— Noooooon ! Tes ongles ! lance Clémence.

Me sentant comme une petite fille prise en défaut, j'attrape mon téléphone sur le lit et je quitte la chambre pour me rendre à la cuisine. J'ouvre le frigo et je bois à même la bouteille ce qui reste de mousseux.

Je regarde l'écran de mon cellulaire, hésitant à faire ce dont j'ai terriblement envie. Je sais très bien que c'est malsain et que ça entretient mon chagrin d'amour. Mais en cet instant précis, j'en ai besoin.

J'ouvre l'application qui contient mes photos et je choisis celle tant désirée. L'image de Sébastien apparaît devant moi. Debout, dans une pose digne d'un calendrier de pompiers et me souriant à pleines dents. Mais contrairement aux sapeurs qui me font tant fantasmer, Seb n'est pas vêtu d'une quelconque pièce du traditionnel uniforme jaune. En fait, il ne porte rien du tout. Il est complètement nu… Et bandé!

Chaque fois, je me fais la même réflexion: y en a pas un qui l'accote! Comme toujours, je zoome sur la partie du corps de mon ex-amoureux dont je m'ennuie le plus.

Tout absorbée que je suis dans ma contemplation, je sursaute quand on m'arrache le téléphone des mains.

— Eille, lâche ça!

Marie-Pier, que je n'ai pas vue entrer, regarde le iPhone qu'elle vient de me chiper. Son visage exprime la surprise, puis l'envie.

— Ayoye!

Clémence, qui surgit à son tour dans la pièce, s'approche et reluque la photo qu'on pourrait qualifier de pornographique.

— Heiiiiin? C'est qui, ça?

Je m'élance pour récupérer mon appareil avant que Marie-Pier fasse un *zoom out* sur l'image. Mais mon amie est plus rapide que moi.

— C'est Seb! s'exclame-t-elle.

— Donne-moi ça!

— Je comprends, astheure, pourquoi tu le pleures autant.

— J'aimerais-tu ça qu'Arnaud soit aussi *big* que ça ! avoue Clémence en parlant de l'homme avec qui elle partage sa vie depuis sept ans.

— En plus, t'as vu comment y est bien clippé, ajoute Marie-Pier.

— Arrêtez, les filles, ça vous regarde pas !

C'est à mon tour d'enlever sauvagement le téléphone des mains de Marie-Pier.

— C'est à moi, ça. À moi toute seule !

Devant mon ton légèrement agressif et quelque peu désespéré, mes amies mettent fin à cette conversation frivole. Elles se taisent et m'observent d'un air inquiet. Clémence est la première à rompre la glace.

— Juju, faut que tu détruises ça, cette photo-là.

— Non.

— Ça te fait plus de mal qu'autre chose.

— Non.

— Imagine si quelqu'un de malveillant tombait là-dessus.

— Ouin, pis qu'il mette ça sur Facebook, complète Marie-Pier.

À l'éventualité de voir mon ancien amoureux ridiculisé sur les médias sociaux, j'éprouve une vive angoisse.

— Vous avez raison, les filles.

Je prends une grande respiration avant d'envoyer à la corbeille l'image compromettante, ainsi que les quatre autres dans le même style. Clémence et Marie-Pier me félicitent et viennent m'enlacer pour me manifester leur soutien.

— Je suis fière de toi, me dit Clémence avec toute la sincérité et l'admiration dont elle est capable.

Et moi, je me sens un peu honteuse de cacher à mes copines que j'ai exactement les mêmes photos dans mon ordi. Et que, n'eût été cette copie de secours, je n'aurais jamais effacé les images de celui que j'aime encore un peu trop.

2

STATUT FB DE **JULIETTE GAGNON**

À l'instant, près de Montréal

Chez Honda Laverdière. Devinez ce que j'achète pour la 1re fois de ma vie?

Cette fois-ci, Marie-Pier a refusé de me prêter une voiture.

« Je peux pas toujours te dépanner. C'est pas à moi, les démos du garage! »

Pas à elle, pas à elle… Le garage appartient à son père, c'est un peu à elle aussi, non?

Quoi qu'il en soit, ma bonne amie qui vend des Honda pour l'entreprise familiale m'a convaincue de laisser de côté Poutine, ma fidèle Vespa. J'ai décidé de l'écouter et d'acheter une auto, puisque j'en ai un peu marre de traîner mon équipement photo dans un immense sac à dos. Mais je garde Poutine pour les soirs où je n'aurais pas envie de jouer à la grande personne en voiture.

Je pousse la porte du concessionnaire où travaille Marie-Pier, emballée à l'idée que, d'ici quelques jours, j'aurai ma première auto. Et surtout très excitée d'en choisir la couleur.

J'observe les rutilants véhicules, tous plus invitants les uns que les autres. Je ne suis pas ce qu'on pourrait appeler « une fille de chars », mais parfois j'aime bien m'imaginer au volant d'une décapotable, le vent dans les cheveux et tous les yeux qui se tournent vers moi. Ça, j'aimerais bien le vivre un jour. Mais d'ici là, contentons-nous de regarder les petites compactes et de choisir le modèle de base.

— Salut, Juliette !

Je dévisage le jeune homme qui se tient devant moi. Cravate au cou, vêtu d'un beau costume noir légèrement lustré, il a l'air tout heureux de me voir. Le problème, c'est que je ne le reconnais pas. Son visage m'est familier, mais je n'arrive pas à le replacer.

— C'est moi, Vincent !

— Vince ?

Oh my God ! Une chance qu'il s'est nommé parce que je n'aurais jamais reconnu le frère aîné de Marie-Pier. Il ne ressemble plus du tout à ce grand adolescent boutonneux, les dents un peu croches et d'une timidité presque maladive que j'apercevais furtivement quand je *chillais* chez les parents de mon amie. Celui qui ne sortait pratiquement jamais de sa chambre, sauf pour aller chercher un bol de Sugar Crisp dans la cuisine.

Aujourd'hui, avec son look BCBG et son sourire à la dentition parfaite, il semble avoir acquis une belle confiance en lui. Comme en témoignent aussi la solide poignée de main qu'il me tend et le bisou qu'il dépose sur ma joue, sans aucune gêne.

— T'habitais pas à Québec, Vince ?

— Oui, mais je suis de retour à Montréal. Marie t'a pas dit ça ?

— Non. Je savais que Jean-Nick travaillait ici, mais pas toi.

Le jeune frère de Marie-Pier, Jean-Nicolas, est mécanicien pour l'entreprise de leur père. Lui et ma bonne amie ne s'entendent pas du tout. Entre les deux, c'est la guerre ouverte. Je n'ai jamais trop compris pourquoi, sinon que Marie-Pier trouve son cadet immature, irresponsable et imbu de lui-même. Moi, j'estime qu'il est plutôt charmant et drôle. Mais ça, je le garde pour moi.

— T'es venue voir Marie?

— Oui. Elle est où?

— Sur la route avec un client. Ça devrait pas être long.

— OK, je vais faire le tour en attendant.

— Tu veux t'acheter une auto?

— Yep! Mon premier char.

— Génial! J'ai une Civic qui serait parfaite pour toi. Pas chère en plus. Viens voir.

L'offre de Vincent est alléchante et je suis bien tentée de l'accepter, mais ce ne serait pas très équitable pour Marie-Pier. Je ne veux pas la priver de sa commission. Il profite de mon hésitation et m'attrape par la main pour m'emmener tout près d'une belle petite voiture.

— C'est trop toi, hein?

— Ouiiiiiiii!

Je ne peux m'empêcher d'exprimer mon excitation devant le coupé sport d'un rouge étincelant, avec un toit ouvrant et des jantes d'un bel argenté brillant.

— Tiens, assieds-toi, me propose-t-il.

Après avoir jeté un coup d'œil dans les environs pour m'assurer que Marie-Pier n'est pas revenue, je m'installe au volant de mon-peut-être-futur-trop-*nice*-bolide. J'examine le tableau de bord pendant que Vincent me parle de conception écoénergétique, de fougueux moteur de 1,8 litre, de phares halogènes… Non mais on s'en fout!

Je veux juste savoir si j'ai les moyens de me l'acheter et si je peux partir d'ici, aujourd'hui même, avec ma nouvelle amie. J'ai beaucoup trop attendu avant de me procurer une voiture, c'est évident !

Vince continue son blabla, m'inondant d'informations inutiles telles que système de freins A.B.S., roues de dix-sept pouces et fonction de messagerie texte.

— Hein ? C'est quoi, ça ?

— C'est un système qui lit tes textos à voix haute pendant que tu conduis.

Il n'en faut pas plus pour me convaincre que cette voiture, c'est la mienne.

— OK, je la prends. Elle est combien ?

Vince éclate de rire devant mon enthousiasme débordant.

— T'as pas changé, toi, hein ? Toujours aussi vite sur le piton.

Ne sachant pas trop s'il s'agit d'un compliment ou s'il se moque de moi, je me renfrogne et je me mets en mode défensif. Je sors de la voiture, sans attraper la main qu'il me tend.

— Je vois pas pourquoi j'aurais changé !

— T'as raison, lance Vince, pas démonté le moins du monde par mes humeurs. La vie est trop courte, on n'a pas de temps à perdre.

C'est fou comme la réflexion du frère de mon amie sonne faux. On dirait un texte appris par cœur pour mettre de la pression sur l'acheteur. Et puis il se trompe royalement en croyant que je suis toujours « vite sur le piton ». Oui, il m'arrive parfois de me décider d'un claquement de doigts, mais je suis aussi du genre à tergiverser pendant des heures avant de faire tel ou tel choix.

Mais là, ce n'est pas le cas. Je me sens sûre de moi.

— T'es certaine que tu veux pas en essayer une avant ? me relance Vincent.

Oups… Pas une mauvaise idée, n'est-ce pas ? Je réalise soudainement que je suis beaucoup trop vite en affaires aujourd'hui. Et que je me suis laissé embobiner par le frère de mon amie, devenu un peu trop vendeur à mon goût.

— Euh… Sais-tu quoi ? Je vais attendre Marie, finalement.

— Comme tu veux… Mais on peut quand même aller l'essayer. Ça t'engage à rien.

— Ouin, mais j'aimerais ça que ce soit elle qui me la vende, tu comprends ?

— Oui, oui, pas de trouble. On va faire un tour, puis tu feras affaire avec elle en revenant.

— OK !

— T'as un permis de conduire ?

— Ben oui ! Franchement, pour qui tu me prends ?

Même si je n'ai pas de voiture, il y a belle lurette que je possède mon permis de conduire. Pas tête folle au point d'aller m'en acheter une sans avoir le droit de la conduire.

— Et puis, dis-je, je vous aurais jamais emprunté des autos sans permis.

— Ah oui, c'est vrai. Marie m'a dit ça, qu'elle te dépannait parfois.

— Ouais, elle a été super *sweet*.

Vince me demande de l'attendre devant l'immeuble, le temps qu'il aille chercher le véhicule en question. J'y vais et je patiente en vérifiant sur mon iPhone si j'ai de nouveaux messages. Rien ! Quelle platitude ! Je survole le fil d'actualité de mon Facebook, et là non plus rien d'excitant. Sauf peut-être cette vidéo de chat que vient de publier une de mes amies et que je m'empresse de regarder. Je m'esclaffe toute seule devant ce petit minou noir et blanc qui joue à l'acrobate dans son salon.

— Je peux voir ce qui te fait rire comme ça ?

Je lève les yeux de mon appareil et j'aperçois le papa de Marie-Pier qui marche dans ma direction. Un homme que j'ai toujours apprécié pour sa bonne humeur contagieuse et son ouverture d'esprit. M. Laverdière a bien souvent passé l'éponge sur nos frasques d'adolescentes.

Je me souviens du soir du treizième anniversaire de Marie-Pier, où il nous a surprises en pleine beuverie, dans le garage familial, avec notre ami F-X. Celui avec qui nous avons formé un trio d'enfer pendant toute notre enfance et notre adolescence, mais que nous avons malheureusement perdu de vue à la fin du secondaire. Ce soir-là, M. Laverdière a accepté d'échanger son silence contre le reste de la bouteille de Jack Daniel's que nous étions bien déterminés à vider. « *Cool*, le bonhomme Laverdière », avais-je pensé.

— Bonjour, monsieur Laverdière.

— Juliette, depuis le temps que je te le demande, fais-moi plaisir et appelle-moi David, insiste-t-il en s'approchant pour m'embrasser sur les joues.

Une autre chose que j'ai toujours aimée chez lui, c'est son parfum. J'ignore ce qu'il porte, mais il sent teeeellement bon !

— C'est une vidéo de chat, dis-je en la lui montrant.

Il rigole avec moi des pirouettes du petit félin, jusqu'à ce que Vince stationne devant nous l'automobile que je vais tester.

— Ah ! Mon carrosse est arrivé !

Vince descend de la voiture et tient la porte toute grande ouverte, en m'indiquant de le rejoindre.

— T'es ici pour acheter une voiture ? me demande David.

— Ouais, votre fille m'a convaincue.

— Et la Civic t'intéresse ? Bon choix !

— Tu viens, Juliette ? me presse le frère de mon amie.

— J'arrive ! Bye, monsi… euh, David.

Je me dirige vers Vincent quand j'entends M. Laverdière marcher tout juste derrière moi et me dépasser subitement. D'un geste de la main, il fait signe à son fils de s'écarter. Il prend sa place et me prie de monter à bord du véhicule. Interloqué, Vince ne semble pas savoir comment réagir. Moi non plus, d'ailleurs.

— Ici, c'est moi qui connais le mieux ce modèle ! Et aux amis de mes enfants, j'offre toujours le meilleur.

Déçu, Vincent laisse la place à son paternel. Je lui dis une gentille phrase pour essayer de le faire sourire.

— Merci, Vince ! T'as été super *cool.*

— De rien, Juliette. *Have fun !* dit-il sans même se retourner.

Je grimpe à bord du véhicule, David referme la porte derrière moi et va s'asseoir sur le siège du passager.

— Prête pour l'aventure ?

— Euh, oui, oui.

Je suis un peu déconcertée par sa réplique. À ce que je sache, un tour de voiture dans la rue Sherbrooke n'est pas précisément une aventure.

Je démarre tranquillement en me concentrant sur la route. Les rues du centre-ville sont envahies par les piétons qui font du *shopping* en ce jeudi après-midi, jour de la paie, et je dois redoubler de vigilance pour ne pas en écraser un.

Mon copilote me propose de conduire dans les petites rues, tout en montant vers le nord.

— Je l'adore, cette voiture ! C'est la plus *nice* que j'ai conduite. *Ever !*

David sourit devant mon enthousiasme. Quelques minutes plus tard, il me suggère d'accéder à la bretelle de l'autoroute métropolitaine, question d'essayer la voiture à plus grande vitesse. Je m'engage dans cette direction, mais la patience est de mise puisqu'il y a une énooooorme file de voitures qui attendent pour gagner la voie d'accès à l'autoroute. On en profite pour faire un peu de conversation.

— Tu t'ennuies pas trop de tes parents, Juliette ?

— Pas mal, oui.

Il y a quelques années, ma Charlotte Lavigne de mère a décidé d'aller vivre ses rêves au Costa Rica, en compagnie de mon père, Pierre-Olivier Gagnon, chef et restaurateur de métier. Ils se sont donc installés dans la péninsule de Nicoya, où ils cuisinent pour des adeptes de yoga, dans un centre luxueux. Et même si maman m'écrit des courriels trois fois par semaine et que nous *skypons* régulièrement, elle me manque terriblement. Tout comme papa, d'ailleurs.

— Tu te sens pas trop seule?

— Ça va, j'ai mes copines.

— Et tu as aussi un petit ami, j'espère?

— Pas vraiment, non.

— Ah bon? Comment ça? Une belle fille comme toi.

— Bof… *Long story*.

Le père de Marie-Pier comprend que je ne désire pas m'étendre sur le sujet et il s'emploie plutôt à m'expliquer le fonctionnement de la chaîne stéréo. Et à m'en vanter la puissance.

— Tu vas voir, ça torche en sale!

— Pouahahah!

— Quoi? Qu'est-ce qu'il y a de drôle?

— Vous!

— Tu peux me tutoyer, tu sais. Je suis pas si vieux que ça.

— OK… Comme tu veux.

— Et puis j'essaie de me garder jeune. C'est pas correct?

— Ouin, mais là, y a jeune pis jeune, David. Ça torche, c'est les ados qui disent ça.

— Oups… Je savais pas.

— Pas grave. C'est *full cute*! On sent l'effort.

David me sourit, allume la radio et syntonise CHOM FM. Une vieille toune rock résonne dans le tapis et je suis en mesure d'apprécier la qualité des haut-parleurs.

— Pas pire, hein? crie presque David.

Je lui réponds par un signe de tête. Il baisse ensuite le volume et, puisque nous sommes toujours immobilisés dans le trafic, il en profite pour me faire une démonstration de la fonction de la messagerie texte, en utilisant son propre cellulaire. Une voix mécanique nous lit le texte suivant : « Message d'Alice Lamontagne. Je rentre seulement lundi. Oublie pas la réunion des proprios de condos demain soir et parle-leur du tapis dans le couloir. »

— Tu vois comme le son est clair ?

— Mets-en ! Vot… ta femme va bien ?

D'aussi loin que je me souvienne, la mère de Marie-Pier m'a toujours paru froide et inabordable. Une femme pincée qui prenait peu de plaisir aux fêtes de voisins organisées dans la ruelle verte que nous partagions tous. Et qui se plaignait constamment de sa vie, de son travail, de ses enfants turbulents. Une malcommode, quoi !

— Oui, oui. Toujours aussi occupée. Elle est à Toronto en ce moment.

— Pour son travail ?

— Je suis pas sûr. En théorie, oui, mais avec elle… on sait jamais.

Soudainement, je trouve cette conversation étrange et je me demande si David tente de me passer un message. Un léger malaise s'installe dans l'habitacle et je ne sais plus trop quoi dire.

— Au moins, tu t'ennuieras pas ce soir, avec la réunion de condos.

— C'était hier. Puis je suis pas allé. J'ai-tu l'air d'un gars qui a du temps à perdre avec des niaiseries de tapis ?

Cette fois-ci, je ne peux pas m'empêcher d'éclater de rire. Est-ce que le père de Marie-Pier essaie de me séduire ? Je ferais peut-être bien de garder mes distances. Mais bon, c'était dit de façon tellement spontanée.

Et puis je dois avouer que David a beaucoup de charme pour un homme qui pourrait être mon père. D'ailleurs, quel âge peut-il avoir ? À mon avis, il est moins vieux que papa, puisqu'il a eu ses enfants plus tôt. Je gagerais sur la mi-cinquantaine, mais il paraît beaucoup plus jeune. Ses cheveux sont hyper fournis et à peine grisonnants, ses grands yeux noisette pétillent de plaisir et il a vraiment un sourire d'enfer.

De plus, les boutons de sa chemise mauve ne risquent pas de céder sous la pression d'une bedaine de bière, comme c'est malheureusement trop souvent le cas des « monsieurs ». Et avec son look chic décontracté, il ne fait pas du tout « vendeur de chars », mais plutôt homme d'affaires à la mode.

Tout en observant les mains de David qui effleurent le tableau de bord pour enlever un peu de poussière, je me surprends à me demander ce qu'on ressent sous les caresses d'un homme plus expérimenté. Est-ce que c'est bien différent de tout ce que j'ai vécu jusqu'à présent avec des gars de mon âge ? Est-ce qu'ils savent mieux s'y prendre ? Est-ce qu'ils sont moins pressés et font moins passer *leur* plaisir en premier ?

Ahhh ! Mais c'est quoi, ces idées de fous, tout à coup ? Arrête ça, Juliette ! Tout de suite ! Cet homme a trente ans de plus que toi… *End of the story.*

Je m'efforce de me concentrer sur la route, mais ça n'avance toujours pas et je commence à m'impatienter.

— On peut essayer un autre chemin ?

— Euh… Attends, laisse-moi voir.

David pitonne sur le GPS de son téléphone, tandis que je tire sur ma petite jupe moulante noire pour tenter de cacher mes cuisses. Peine perdue, elle est trop courte.

— OK, j'ai trouvé un raccourci. Tourne à droite dès que tu peux et on va passer dans le stationnement d'un centre commercial.

Je m'exécute dès que possible et je suis ses indications pour atteindre l'endroit dont il parle. David est toujours d'aussi bonne humeur et il me raconte maintenant sa dernière randonnée à moto pour amasser des fonds pour les enfants malades.

— Moi, j'ai un scooter ! J'adore ça !

— La liberté sur deux roues, hein ?

— Oui, je suis jamais pognée dans le trafic comme tantôt. Je passe sur la voie de service. Ou parfois sur le trottoir, si y a personne.

— Ohhh ! On est désobéissante, à ce que je vois, me taquine-t-il.

Je souris comme une petite fille qui vient de faire un mauvais coup.

— Ça dépend dans quel domaine.

— J'ai toujours aimé les gens qui prennent des risques dans la vie, qui ne font pas les choses comme tout le monde.

Je sens le regard de David s'attarder sur mon visage, puis descendre lentement jusqu'à mes cuisses nues. J'essaie de garder les yeux rivés sur la route, mais j'avoue que j'y arrive difficilement. Tout cela me trouble… beaucoup plus que je ne l'aurais imaginé.

— C'est ici. Tourne à gauche.

J'entre dans le stationnement à étages et je roule tout droit, comme me l'indique mon copilote. Plus j'avance, plus il fait noir et plus je suis inquiète. Qu'est-ce qu'on fait ici ? Quelles sont les intentions de David ? Me sauter dessus dès qu'on sera à l'abri des regards indiscrets ? Un mélange de peur et d'excitation s'empare de moi et je dois prendre de grandes respirations pour me contrôler. Focalise-toi sur ta conduite, Juliette !

D'un coup d'œil, je m'assure que les mains de David sont où elles doivent être. Tout est beau, il semble bien relax et consulte à nouveau son GPS pour vérifier le chemin.

Crichhhhhhhhhhh !

— *Fuck !* C'est quoi ça ?

— Arrête, arrête, m'ordonne David.

J'éteins le moteur et je sors en toute hâte de la voiture pour voir quelle gaffe je viens de commettre. Et là, j'hallucine.

Les roues avant pendent dans le vide et le dessous de l'auto est appuyé contre un muret de béton d'une hauteur d'environ trente centimètres. David observe lui aussi la scène, éberlué.

— *Oh my God!* Comment ça se fait que je suis passée par-dessus ça?

— C'est clair que tu l'as pas vu!

— Je suis donc ben conne!

— Mais non. Ça arrive, c'est tout.

Si David semble prendre la chose à la légère, ce n'est pas du tout mon cas. Est-ce que j'ai abîmé le silencieux? Perforé le réservoir d'essence? S'il fallait… J'angoisse en pensant aux dommages que j'ai pu causer à une voiture flambant neuve. Tout ça à cause de ma distraction… et de mes maudites hormones!

Je m'accroupis pour vérifier, mais la voiture est trop basse pour que je puisse distinguer quoi que ce soit. Il faudrait que je me mette à quatre pattes, mais là, avec ma jupe et mon *string* rose en dentelle… pas certaine que ce soit l'idée du siècle.

— Laisse tomber, Juliette. On va appeler une remorqueuse.

— OK, mais je vais tout payer!

Je me précipite à l'intérieur de la voiture pour récupérer mon sac à main. Je sors ma carte de crédit que je tends à David.

— Ah, puis tiens, mon permis de conduire aussi. Au cas où!

Il ne prend ni l'une ni l'autre de mes cartes et me fait un grand sourire sincère.

— Voyons, Juliette, oublie ça, on a des assurances.

— Ouin, mais je peux quand même payer pour le remorquage si tu veux.

— Mais non, voyons!

— Ah, merci!

J'entends tout à coup la sonnerie de mon téléphone, qui tinte depuis l'intérieur de la voiture. Je m'y précipite, laissant du coup tomber mes cartes au sol. David s'empresse de les ramasser. Au moment où je mets la main sur mon cellulaire, la sonnerie s'arrête.

L'afficheur indique que l'appel vient d'un numéro inconnu. Bon, je verrai ça plus tard. Je retourne auprès de David, qui examine mes cartes, perplexe.

— C'est ton permis, ça ?

— Oui.

— C'est le seul permis de conduire que t'as ?

— Ben oui. Pourquoi ?

— Juliette, Juliette, Juliette. T'es incroyable, toi !

Bon là, il me fait carrément *freaker* ! Je m'interroge sérieusement sur ce qui peut provoquer ce drôle d'air qu'il affiche. À la fois découragé et amusé.

— Quoiiiiiiiiii ?

— Ton permis est échu, ma belle… Depuis plus de six mois.

— Meuhhhhh ! C'est n'importe quoi !

J'arrache le document des mains de David pour vérifier moi-même. La date d'expiration me saute aux yeux. Le jour de mes vingt-six ans, le 15 décembre… de l'année dernière. Oups !

Je lève le regard sur David, plus honteuse que jamais. J'ai vraiment l'air d'une n00b. Et je ne suis pas du tout rassurée quant à la suite des événements. Est-ce qu'on va me donner une amende gigantesque ? Saisir mon scooter stationné au concessionnaire Laverdière ? M'obliger à faire un nouveau test de conduite ? Oh là là, j'entrevois déjà le bordel !

— Qu'est-ce qui va arriver maintenant ?

Mon ton paniqué n'échappe pas à David, qui pose une main sur mon épaule.

— Je veux pas que tu t'inquiètes, d'accord ?

— Facile à dire…

— C'est pas compliqué. Si quelqu'un nous demande qui conduisait, on va dire que c'est moi.

— Ahhh ! T'es fin !

Prise d'un élan de reconnaissance envers le père de mon amie et totalement soulagée, je me réfugie dans ses bras, qu'il ouvre bien grand. Toute la tension que j'éprouve disparaît d'un coup. David m'enlace et je reste là quelques secondes à puiser du réconfort dans l'odeur de son parfum et la chaleur de sa peau. Jusqu'à ce que je me rappelle le regard qu'il a porté un peu plus tôt sur mes jambes. Pas tout à fait celui d'un père. Je m'écarte rapidement.

— Euh… Excuse-moi, dis-je, n'osant pas trop le regarder. Je sais pas ce qui m'a pris.

— C'est pas grave.

Sa voix trahit l'effet que je lui fais. David est troublé, c'est clair. Je garde les yeux fixés au sol, moi-même surprise par mon comportement et par les émotions que je ressens. J'ai peine à me l'avouer, mais je veux retourner là où j'étais il y a quelques secondes. Blottie contre lui. Mais qu'est-ce qui m'arrive ? Est-ce que je cherche la tendresse paternelle dont je suis privée ou si c'est autre chose qui m'allume ? Non, non, impossible ! David est le père de Marie-Pier. Rien d'autre.

Je l'entends s'éclaircir la gorge pour se donner une contenance.

— Écoute, Juliette, je pense que tu devrais rentrer en taxi au garage. Moi, je vais m'occuper du véhicule.

J'éprouve à la fois une vive déception et un profond soulagement. Comme moi, David a compris que nous nous aventurions sur un terrain glissant.

— OK. Je vais aller voir Marie pour conclure la transaction. J'ai pas besoin de l'essayer plus longtemps, l'auto me convient parfaitement.

Il hoche la tête et empoigne son téléphone pour appeler le remorqueur. Je marche tranquillement vers le centre commercial dans le but d'y trouver un taxi. Une immense lassitude m'envahit.

— Juliette ?

Je me retourne vivement, espérant je ne sais trop quoi. Tout en l'appréhendant.

— Oui, David ?

— On va te faire un prix, mais t'oublieras pas de renouveler ton permis, hein ? Pas de permis, pas de voiture !

— Promis, chef!

Et je lui fais un petit salut militaire avant de m'éloigner pour de bon, le cœur légèrement tourmenté.

3

STATUT FB DE **CLÉMENCE LEBEL-RIVARD**

Il y a deux heures, près de Montréal

Mon nouveau plat de poisson à l'indienne
passe le test haut la main.
Hâte de l'ajouter à mon menu prêt-à-emporter #fière
#nutrition

— Jure-moi que tu le diras pas à Marie !

— Juliette, je peux rien te promettre tant que j'aurai pas entendu ton histoire.

— Clem, *come on* !

Je suis venue au bureau de ma sage amie Clémence en cette fin d'après-midi dans le but de lui parler de ce que j'ai ressenti dans les bras de David et que je garde pour moi depuis maintenant une semaine. Mais là, je n'en peux plus. J'ai besoin de me confier à quelqu'un, pour y voir clair. D'autant plus que je risque de le croiser, puisque j'ai rendez-vous avec Marie-Pier au garage tout à l'heure pour prendre possession du véhicule qu'elle m'a vendu.

— OK, OK, promis. Je t'écoute.

Je raconte à Clémence, dans les moindres détails, la balade en voiture que je me suis tapée avec David. J'en arrive au moment où je me suis jetée dans ses bras quand elle m'interrompt, l'air très inquiet.

— Ah non, Juju ! T'as pas fait la gaffe de coucher avec lui ?

— Ben non, j'aurais jamais fait ça !

En le disant, je me rends compte qu'au fond je n'en suis pas du tout certaine. Surtout que, ces derniers jours, j'ai joué avec Schmidt – c'est mon vibrateur et je lui ai donné le nom d'un personnage *hot* dans *New Girl* – en pensant à David.

Au départ, Schmidt m'aidait à ne plus rêver à Sébastien. Et puis, petit à petit, j'ai imaginé des scénarios romantiques avec d'autres hommes. Comme celui où David me prend tout en douceur sur une plage déserte d'une île du Sud.

D'une quétainerie pas possible, mais ç'a fait la job. J'ai réussi à oublier Seb, sa fougue et ses bras musclés, et j'ai plutôt fantasmé sur un moment tendre, rempli d'affection et de réconfort, avec un homme qui me protégeait de tout. Et cet homme, c'était David. Le père de mon amie… Ayoye !

— Fiou ! Et finalement, il s'est passé quoi ? me relance Clémence.

— Rien. Je suis partie, c'est tout.

— Pourquoi tu t'inquiètes, alors ?

— J'ai pas aimé ce que j'ai ressenti.

— C'est pas très grave de ressentir des trucs, Juliette. L'important, c'est que tu ne passes pas à l'acte.

— Ouin, t'as sûrement raison.

La porte du bureau s'ouvre sur l'adjointe de Clémence, qui transporte un plateau de nourriture. Elle nous rejoint et pose le tout devant nous, avec un grand sourire.

— Tiens, notre dernier essai ! J'espère que tu vas aimer ça.

Clémence hume le plat fumant, dont les odeurs me rappellent le resto indien au coin de chez moi. Ou le curry d'agneau que préparait parfois maman à la maison. Et dont mon congélateur regorge.

— Ça sent bon, en tout cas. Tu veux goûter, Juliette ?

— Non merci ! Mais si t'avais un dessert à tester, je dirais pas non.

Clémence lève les yeux au ciel, découragée.

— Toi, ma bibitte à sucre. Marlène, dit-elle en s'adressant à son assistante, tu peux aller lui chercher un brownie, s'il te plaît ?

— Ouiiiiiii !

Que je suis contente ! Marlène s'exécute pendant que Clémence déguste ce qui semble un poisson blanc à l'indienne, servi sur du quinoa aux légumes. Mon amie est nutritionniste et offre une gamme de repas prêts-à-manger minceur, en plus d'écrire des livres de recettes et de faire des chroniques à la télé. C'est d'ailleurs de cette façon que je l'ai connue, sur le plateau de l'émission à laquelle elle collabore.

J'en étais à mes premières armes comme photographe professionnelle et c'est maman, alors directrice de la programmation à la station de télé, qui m'avait eu ce contrat de stagiaire. J'étais hyper nerveuse à l'idée de photographier des vedettes, soit les membres de l'équipe de l'émission du matin, dont Clémence fait partie. Elle avait senti mon malaise et m'avait rassurée du regard pendant toute la durée de la séance, en plus de prendre ma défense devant un animateur imbu de lui-même et particulièrement déplaisant.

S'est ensuivie une première rencontre dans un café, puis un 5 à 7 au centre-ville et un souper à la maison, où je lui ai présenté Marie-Pier. En Clémence, j'ai trouvé un complément à ma relation avec mon amie d'enfance. Une oreille plus compréhensive, plus maternelle et qui me juge beaucoup moins. Depuis quatre ans, mon petit cœur est parfaitement comblé… côté amical, on s'entend.

Clémence déguste son plat en prenant des notes, pendant que j'observe son bureau. L'endroit est moderne, spacieux et décoré dans les tons orangés, ce qui le rend très chaleureux. J'éprouve une véritable fierté pour mon amie entrepreneure et un brin de jalousie quant à son sens de l'organisation que je suis trèèèèèès loin de posséder. Incapable de régler ma vie au quart de tour comme la sienne. J'ai essayé, je n'y arrive tout simplement pas!

Et quand je supplie Clémence de me donner des trucs pour faire autant d'argent qu'elle, elle me répond que je devrais exploiter mon talent artistique plutôt que de jouer à la femme d'affaires. Elle croit que, dans mon cas, c'est perdu d'avance. Décourageant...

Marlène est de retour dans la pièce avec ma petite douceur, qui a une bien drôle de couleur pour un brownie.

— Pourquoi il est bourgogne?

— Essaie-le, tu vas voir.

Je suis sceptique devant cet étrange dessert, mais j'accepte quand même d'y goûter, en laissant la fourchette de côté pour mordre directement dans le brownie. Wow! Quel délice! Encore meilleur quand on le déguste avec les doigts.

— C'est donc ben bon! C'est à quoi?

Clémence jette un coup d'œil complice à son assistante qui retient un fou rire.

— Ben coudonc! Qu'est-ce que vous avez mis là-dedans?

— Je sais pas si on devrait te le dire, me nargue Clémence.

— Ouin... C'est mieux que tu le saches pas, ajoute Marlène.

Dans un geste précipité, je lance mon brownie sur le bureau, tout à coup inquiète de ce qu'il peut contenir. Les miettes du dessert revolent partout, jusque dans l'assiette de poisson de Clémence. Mes deux compagnes éclatent de rire, ce qui me fait encore plus angoisser.

— Arrêtez de me niaiser ! Qu'est-ce que je viens de manger ?

— Ben voyons, Juliette ! Penses-tu sincèrement que je t'aurais donné un truc pas comestible ?

Clémence a raison et je m'aperçois que j'ai *over-reacté* une fois de plus. Ce qui, ces temps-ci, m'arrive de plus en plus souvent. Maintenant un peu honteuse de mon comportement, je nettoie mon dégât, en léchant le bout de mon index pour ramasser les miettes sur la table de travail.

— Franchement, Juliette ! C'est pas hygiénique, ton affaire, commente mon amie.

— Bon, bon, occupe-toi-z'en, d'abord !

Pendant que Marlène prend elle-même l'initiative de faire le ménage, je questionne une fois de plus Clémence sur le contenu du brownie.

— C'est juste de la betterave, nounoune !

— Hein ? C'est bizarre, ça !

— C'est bon, non ?

— Euh, oui, oui, dis-je, désormais moins certaine d'avoir envie de le terminer.

— Alors c'est ça, l'important.

— Ouin… Si tu le dis.

Marlène finit de débarrasser le bureau, replace le brownie devant moi sur une serviette de papier jaune et nous quitte. J'observe le petit gâteau sans y toucher, pendant que Clémence entreprend de relire les notes qu'elle vient d'écrire. Le silence règne quelques secondes dans la pièce.

— Clemmmmmmmmm ?

— Oui, Juliette ? répond-elle sans lever les yeux.

— C'est que… j'aurais besoin d'un vrai dessert.

— Hum, hum…

— Pour me donner du courage, tu comprends ?

Clémence daigne finalement m'accorder de l'attention et laisse de côté ses foutues notes.

— Te donner du courage?

— Ben oui! Je suis hyper stressée, là.

— Pourquoi?

— *Hello?* Parce qu'il faut que je retourne au garage! Pis que je vais peut-être voir David.

Clémence dépose son stylo et me regarde dans les yeux.

— Qu'est-ce qui te fait tant peur?

— Ben… Euh… J'ai peur de…

— De quoi?

— D'éprouver encore du désir pour lui.

— Pour un homme qui a plus que le double de ton âge? s'étonne mon amie.

— Il est teeeellement fin!

— Fin?

— Ben oui. Pis doux, pis enveloppant.

— Là, c'est un père que tu cherches, pas un amant.

— Non. Je pensais ça aussi. Mais avec mononcle Ugo, j'ai un père présent. C'est autre chose, mais je sais pas quoi exactement.

En fait, Ugo n'est pas mon vrai oncle. C'est le meilleur ami de ma mère, qui l'a toujours considéré comme son frère. C'est pourquoi il est devenu mononcle Ugo. Aujourd'hui, il veille sur moi, comme maman le lui a demandé. Avec lui, je suis à l'abri. Jamais il ne me laissera tomber.

Clémence me sourit tendrement, se lève et vient me rejoindre. Elle s'appuie contre son bureau, face à moi, et me caresse doucement les cheveux.

— Pauvre chouette, t'es mêlée depuis Sébastien, hein?

— Mêlée, tu dis?

— Mais c'est pas une raison pour faire n'importe quoi avec n'importe qui pour l'oublier.

— Qu'est-ce qu'il faut que je fasse, d'abord?

— Je sais pas. Mais pas coucher avec un bonhomme. Qui est le père de Marie, en plus.

— Ouin, c'est vrai.

— Pis imagine si ça venait à ses oreilles.

— *Oh my God!* Je serais *dead.*

— Tu vois ! Ça vaut pas le coup.

J'acquiesce en me levant pour prendre congé. Puisqu'elle semble peu encline à me fournir la vraie dose de sucre dont j'ai besoin, je trouverai bien de quoi me rassasier en chemin. Je fais la bise à Clémence, en lui promettant de me tenir tranquille. Alors que je m'éloigne vers la sortie, elle m'interpelle une dernière fois.

— Juju ?

— Oui ?

— Je sais ce que tu t'imagines. Qu'un homme plus vieux est peut-être un meilleur amant, plus attentif à tes désirs.

— Y a des chances, non ?

— Tu te fais des illusions. Crois-moi sur parole, ils sont tous pareils. Y a que leur plaisir qui compte.

Je referme doucement la porte du bureau de Clémence en me disant qu'elle traverse vraiment une mauvaise passe avec son mari pour tenir un langage de femme frustrée. Ça ne lui ressemble pas du tout et j'ai bien l'intention d'en savoir plus sur sa vie amoureuse. Mais ce sera pour plus tard. Pour l'instant, j'ai ma nouvelle voiture à récupérer.

*

Elle est trop *cute* ! Je l'adore tout simplement. Voilà maintenant trois heures que je suis sortie de chez Honda Laverdière et je suis toujours sur la route, au volant de ma petite auto rouge.

La prise de possession de mon véhicule s'est déroulée comme un charme, même si j'ai trouvé qu'on en faisait tout un plat. Marie-Pier et ses deux frères ont pratiquement organisé une cérémonie officielle pour me remettre les clés. Tous les trois étaient très heureux de mon acquisition et ont dit espérer me garder longtemps comme cliente. Aucune trace de leur père, ce qui m'a grandement soulagée.

Je stationne ma voiture en double dans la petite rue que j'habite. Juste pour sortir les mille et un achats que j'ai faits ce soir, avant d'aller la garer à l'autre bout du monde, faute de place près de chez moi.

Je descends et j'ouvre le coffre quand une forte odeur de savon me monte au nez. Oh là là, ils ont beaucoup trop lavé l'intérieur. Espérons que cet arôme artificiel s'amenuisera avec le temps. J'empoigne quelques sacs pour aller les déposer devant ma porte. Ce faisant, je sens un liquide visqueux couler le long de mon mollet et sur mes pieds.

— Ouache ! C'est quoi, ça ?

Je ne peux m'empêcher d'exprimer tout haut ma surprise et je jette mes provisions avec précipitation sur le trottoir. J'examine les paquets, mais je ne vois rien qui se soit renversé. À moins que…

Je cours jusqu'à mon auto et, dans le fond du coffre, j'aperçois le fautif. Mon détergent à lessive liquide s'est renversé sur le côté et le bouchon s'est ouvert, déversant ainsi son contenu sur le beau tapis noir de mon coffre d'auto. Neuf !

— *Fucking* savon !

Je m'empresse de sortir le reste de mes sacs, que je laisse en pleine rue, et je cours à l'appartement chercher un seau rempli d'eau chaude et une éponge. Je frotte vigoureusement l'intérieur de mon coffre, espérant faire disparaître toute trace de détergent. Le problème, c'est que plus je frotte, plus je nettoie, plus le savon mousse, ce qui crée encore plus de dégâts.

— Ah non ! *Help !*

Il faut que j'appelle quelqu'un à la rescousse. Ma vendeuse saura bien me dire quoi faire. Je sors mon téléphone de la poche de ma veste et je compose le numéro de Marie-Pier. Ça sonne. Une fois, deux fois… Allez, réponds ! Trois fois, quatre fois… Je raccroche au moment où je tombe sur sa boîte vocale. Pas question de laisser un message, j'ai besoin de parler à un être humain *now*!

Je m'apprête à tenter de joindre mononcle Ugo – maniaque de la propreté comme il est, il doit certainement avoir un truc de grand-mère dans son sac – quand je réalise que j'ai reçu un texto. Et ça provient d'un numéro de téléphone que je ne connais pas.

« Désolé de ne pas avoir été présent pour ta prise de possession. J'espère que tu seras heureuse avec ta Honda. N'hésite pas à faire appel à nos services, on est là pour toi. David »

Ahhh, c'est trop *cute*, comme message ! Et il tombe à point ! Je lui réponds en décrivant la mésaventure qui m'arrive et je termine avec cette interrogation : « Je fais quoi, là ? »

Réponse instantanée de David :

« Ha ! Ha ! Tu viens nous voir. Jean-Nick est encore ici, il va t'arranger ça en dix minutes. »

C'est avec une véritable délivrance que j'écris : « Cool ! J'arrive. »

Vingt minutes plus tard, j'observe Jean-Nick qui, d'une main habile, nettoie le coffre de ma voiture à l'aide d'un aspirateur à eau.

— Y a plus rien qui va paraître, promis.

Il me fait un clin d'œil complice avant de retourner à son ouvrage. Jean-Nick est un petit *bum* qui, heureusement, a bien tourné. Adolescent, il en a fait voir de toutes les couleurs à ses parents : mauvaises fréquentations, abandon de l'école, consommation de drogues dures et petits larcins ici et là… Et puis, miracle, il est tombé amoureux d'une fille bien, qui l'a aidé à s'en sortir. Aujourd'hui, il est sobre et exerce le métier honorable de mécanicien. Et même si l'amour de sa vie l'a quitté depuis peu (on dit d'elle qu'elle aime jouer les sauveuses et qu'une fois son but atteint elle perd tout intérêt dans la relation), il se porte très bien.

Mis à part sa période noire, pendant laquelle Jean-Nick ne communiquait qu'avec les gens qui avaient consommé les mêmes substances que lui, j'ai toujours aimé jaser avec le frère de Marie-Pier. En réalité, je l'écoutais surtout me parler de sa passion : la musique émergente. Il me faisait découvrir ses groupes préférés, en m'expliquant leur parcours.

Pour moi qui ne connaissais que des *hits* populaires, c'était rafraîchissant d'entendre des airs différents. La complicité que nous avions développée déplaisait à mon amie. C'est pourquoi, un jour, j'ai dû cesser de me pointer chez les Laverdière une quinzaine de minutes avant le retour de Marie-Pier, partie comme toujours à un entraînement de soccer ou de natation, mettant ainsi fin aux tête-à-tête avec Jean-Nick, qui, de toute façon, commençait à s'enfoncer un peu trop profondément dans la drogue.

Il n'en demeure pas moins que je garde un bon souvenir de ces moments pendant lesquels nous avons aussi beaucoup ri en parlant de nos familles respectives. Et par-dessus tout, j'ai toujours aimé que notre relation reste amicale. Jamais rien d'autre.

Il faut admettre que Jean-Nick était beaucoup moins séduisant qu'aujourd'hui. À vingt-cinq ans, il ne ressemble plus à l'ado délinquant qu'il était, mais à un jeune homme. Un gars *cool*, qui porte la barbe, des lunettes noires carrées et un jeans *slim*. Un peu le look *hipster*, mais sans la tuque qui pend ni la chemise à carreaux.

Jean-Nick éteint le petit aspirateur. J'apprécie le silence dans l'atelier maintenant désert. Tous les autres mécaniciens ont terminé leur quart de travail, et le concessionnaire vient de fermer ses portes au public. Nous sommes seuls avec une tonne de voitures.

— T'aimes ça, être mécanicien, Jean-Nick ?

Ça, c'est la chose qui me surprend le plus chez lui. Son choix de carrière. J'étais certaine qu'il s'intéresserait à un métier artistique. Ou intellectuel. Ou les deux.

— C'est en attendant. J'ai d'autres projets, répond-il en rangeant ses outils.

— Me semblait aussi. Qu'est-ce que tu veux faire ?

Il me regarde d'un air narquois.

— Ah ! C'est un secret.

— Pff… T'es ben plate !

Je fais la baboune un instant, espérant qu'il finira par m'en dire un peu plus. Mais ma technique ne l'impressionne guère et il préfère changer de sujet.

— Juliette, as-tu un garage pour ta voiture ?

— Ben non, je la stationne dans la rue.

— Dommage !

— Pourquoi ?

— Parce que ça sécherait plus vite si tu pouvais laisser la porte du coffre ouverte.

— Ouin, ben, là…

— À moins qu'on la garde ici pour la nuit ? Je pourrais mettre un ventilateur.

— Ah oui, bonne idée. Je reviendrai demain matin.

Jean-Nick se dirige vers le fond de la pièce et je l'attends patiemment afin de lui demander s'il peut venir me reconduire. La porte qui mène à la salle d'exposition s'ouvre derrière moi. Je me retourne et j'aperçois David qui entre dans l'atelier.

— Bonsoir, Juliette.

— Bonsoir, David.

— T'es contente de ta voiture ?

— Très.

Le ton est formel, la conversation, banale, et nous nous trouvons à une bonne distance l'un de l'autre. En plein ce qu'il faut pour oublier mes démons.

— Il est où, Jean-Nick ?

— Ici, répond son fils en revenant vers nous, un ventilateur à la main.

— T'as eu le temps de vérifier mon auto ?

— Yep ! Elle avait juste besoin d'un alignement. Tout est beau.

— Parfait, merci ! Elle est où ?

— Dehors, dans le A-12. Et tes clés sont accrochées au mur.

David se dirige vers le mur en question, sans m'accorder plus d'attention. J'éprouve un léger pincement au cœur devant ce changement d'attitude. À défaut d'être aussi gentil que d'habitude, il pourrait tout au moins s'intéresser un peu plus à moi. Tout ça me déçoit et j'ai soudainement très envie de me retrouver chez moi pour manger des guimauves à la barbe à papa et boire des rhum punch en faisant défiler des photos de Seb sur mon ordinateur. Puisque personne ne veut de moi…

— Jean-Nick, tu peux me déposer dans le Mile End, s'il te plaît?

Il regarde sa montre avant de me répondre.

— Désolée, Juliette, je peux pas. Je suis déjà en retard pour ma répétition.

— Ah! Ah! C'est ça, l'affaire! Tu t'es remis à la musique.

Quand il était ado, avant sa déchéance, le frère de mon amie grattait de la guitare de temps à autre. Tout le monde lui disait qu'il avait beaucoup de talent et qu'il aurait pu aller loin si seulement il était discipliné.

— Chut! Je veux pas en parler.

— Pourquoi? C'est *cool*!

D'un coup d'œil, il s'assure que son père est trop loin pour nous entendre. Il baisse le ton, par précaution.

— J'ai pas envie qu'on me mette de la pression.

— OK, d'abord.

David repasse devant nous pour retourner vers la salle d'exposition, où se trouve son bureau.

— Bye, les jeunes! Bonne soirée!

— *Dad?* l'interpelle Jean-Nick.

— Oui? demande-t-il tout en continuant de marcher d'un pas vif.

— Veux-tu aller reconduire Juliette chez elle? Son auto reste ici.

David se fige sur place et le silence s'installe quelques secondes. Visiblement, il cherche une échappatoire.

— Tu peux pas y aller, toi ? demande-t-il à son fils sans même prendre la peine de se retourner.

— Pas le temps.

— Euh… Ça m'adonne pas vraiment non plus.

Le refus de David me vexe profondément. Je me sens rejetée. Comme si j'avais la lèpre ! Qu'est-ce que je lui ai tant fait pour qu'il m'évite de la sorte ?

— C'est correct ! Je vais me débrouiller toute seule, ce sera pas la première fois.

Mon ton froid, culpabilisateur et outré n'échappe pas aux deux hommes. David décide finalement de me faire face. Son visage est impassible et je n'arrive vraiment pas à déchiffrer ses émotions.

— T'habites où ?

— Dans le Mile End.

— Bon, d'accord, je vais m'organiser. Attends-moi ici, j'en ai pour cinq ou dix minutes.

Et le voilà qui disparaît de ma vue. Jean-Nick fait de même et je me retrouve seule dans l'immense atelier éclairé aux néons.

Je marche de long en large pour passer le temps, touchant à tout ce qui est à portée de main, comme ces outils laissés sur un établi. J'aperçois une petite bouteille d'eau Eska, à moitié entamée. Sur le bouchon, on a écrit les lettres JN au feutre. La bouteille de Jean-Nick. Je la lui emprunte et je cherche un endroit pour la boire tranquillement. Aucune chaise en vue.

J'ouvre la porte arrière d'une minifourgonnette et je m'assois sur le rebord, les pieds pendant dans le vide. Un jour, c'est ce véhicule que j'achèterai pour moi et ma marmaille. Si jamais je réussis à rencontrer un homme qui m'aimera assez pour faire des enfants !

La première gorgée que j'avale me décoiffe. Ce n'est pas de l'eau, ça ! J'y goûte à nouveau pour être certaine. C'est de la vodka pure! Pas du tout sobre, le Jean-Nick! Il nous a tous bien eus.

Et puis comment fait-il pour boire un truc aussi fort? J'y retrempe mes lèvres et je grimace une nouvelle fois. Je préfère nettement quand on y mélange un jus de fruits. L'alcool *straight*, ce n'est pas pour moi.

À moins de l'avaler cul sec. Essayons une petite gorgée pour voir… Hop! Dans le gosier! Oh là là, c'est fou, la chaleur que ça procure à l'intérieur. Et le sentiment de détente.

J'ai juste envie de m'allonger un peu pour m'adonner à une de mes activités favorites: rêvasser. Eh oui, je suis une rêveuse. J'aime être dans ma tête, inventer des histoires et les vivre à travers des personnages. Celui que je préfère incarner, c'est Alice. Celle au pays des merveilles. Je suis cette jeune femme qui atterrit dans un univers loufoque que je recrée chaque fois.

Quand on me blesse, qu'on m'attaque ou qu'on m'ignore, je me réfugie dans mon imaginaire. Tout y est parfait, il n'y a que des bons, pas de méchants. Tout le monde m'adore et je me gave de sucreries. Ça me réconforte et ça ne fait de mal à personne. C'est mon petit jardin secret, que je garde pour moi seule. De toute façon, les autres ne comprendraient pas. Et ils me jugeraient.

Je regarde l'heure sur mon iPhone et je soupire d'ennui. Qu'est-ce que c'est long! Je quitte mon siège de fortune pour aller m'étendre sur la banquette arrière.

J'avale rapidos une nouvelle gorgée de vodka, je ferme les yeux et je prends la fuite dans mes rêves. Mais cette fois-ci, mes pensées ne m'amènent pas dans mon pays des merveilles à moi, mais directement dans les bras de Sébastien.

Je revois la dernière nuit que nous avons passée ensemble, dans son appart du Plateau, à étouffer nos cris de plaisir pour ne pas réveiller son coloc. Tout était si harmonieux, si sublime, si extraordinaire cette nuit-là, alors que nous célébrions notre première année de fréquentation. Je vibrais avec la même intensité qu'à nos débuts et je croyais que c'était pareil pour lui. J'étais si heureuse. J'avais finalement réussi à garder un chum plus longtemps que deux ou trois mois et, comble du bonheur, Sébastien était fidèle. Ça ne m'était jamais arrivé.

Le lendemain, Sébastien avait eu la gentillesse de courir au dépanneur acheter du Nutella pour mon déjeuner. À son retour, j'avais ébouriffé ses beaux cheveux bruns pour faire tomber les flocons de neige.

Et je lui avais glissé, comme ça en passant, que si nous vivions ensemble il n'aurait pas besoin d'affronter la tempête hivernale pour satisfaire mes désirs sucrés, car j'ai toujours une bonne réserve de Nutella dans mon garde-manger. En lui donnant un bisou, je l'avais senti se raidir et je l'avais vu se forcer à sourire. Mais je n'y avais pas prêté attention. Rien ne pouvait ternir l'image parfaite que j'avais de notre union. Ni même la moue qu'il m'avait faite, quelques heures plus tard, quand j'avais parlé de fiançailles devant la vitrine d'un grand bijoutier.

Ce même soir, Sébastien m'avait annoncé que notre histoire était terminée. Sans gants blancs, sans préambule, sans aucune autre explication que celle qu'il voulait vivre sa *fucking* vie avant de s'engager. Que ce n'était pas le bon moment! Depuis quand deux personnes qui s'aiment doivent-elles se quitter pour une question de *timing*?

Quand j'y pense, ça me rend furieuse. Sébastien ne mérite pas toutes les larmes que je verse pour lui depuis des mois! Ni le pathétique *pattern* dans lequel je m'enfonce avec mes conquêtes.

Il faut que ça change! Je n'ai plus une seconde à perdre à me morfondre comme je le fais depuis trop longtemps. Ç'a assez duré. Je dois passer à autre chose, comme me l'a rappelé Marie-Pier l'autre jour. Et je sais exactement ce qu'il me faut pour entamer ma nouvelle vie. Ou plutôt *qui* il me faut !

— Juliette, t'es là ?

Et le voilà justement, l'homme qui fera le pont entre ma peine d'amour et ma prochaine relation avec un gars. David fera un excellent *rebound*. Avec lui, je pourrais connaître quelque chose de tellement différent que je perdrais tous mes repères. Et je cesserai enfin de comparer mes amants à Seb. Oui, c'est un bon plan, j'en suis convaincue !

— Je suis ici.

Je me rassois, dos à la fenêtre de la minifourgonnette, j'envoie valser mes ballerines au fond du véhicule et j'allonge mes jambes sur la banquette. Je déboutonne ma blouse en mousseline légèrement transparente pour laisser entrevoir la naissance de ma poitrine, je relève ma jupe de quelques centimètres et j'attends.

David ne semble pas surpris le moins du monde de me trouver dans cette position et il affiche même un air amusé… Qu'il s'empresse toutefois de cacher en penchant la tête vers le sol.

— T'es prête ?

— Oui.

David s'éloigne du véhicule, mais je ne bouge pas d'un poil. Il revient sur ses pas et me parle tout en restant à l'extérieur de la minifourgonnette.

— Juliette, sors de là, s'il te plaît.

— Non.

David soupire d'exaspération, mais je ne me démonte pas pour autant. Je suis convaincue qu'il me veut. Je l'ai trop senti dans son regard, dans sa voix, dans sa façon d'être avec moi pendant notre essai routier. Et je ne sais pas quel cas de conscience lui est tombé dessus pour qu'il ignore son désir, mais ce n'est pas mon problème. Tout ce dont j'ai besoin, c'est une toute petite heure avec lui. Maintenant.

— Viens me chercher.

David garde le silence et je l'imagine pesant le pour et le contre de la situation. Je décide de l'aider à choisir.

— Tu sais, je suis assez grande pour savoir ce que je veux. Et ce que je veux ce soir, c'est toi.

J'attends encore quelques instants, puis je réalise qu'il est parti. Ce n'est pas vrai ! Même pas capable de séduire un homme plus âgé ! T'es vraiment nulle, Juliette Gagnon ! Trop nulle !

Je replace ma jupe et j'attrape mes souliers décorés de petites étoiles, que je chausse subito presto. Je ne suis pas du tout prête à faire face à l'humiliation, mais je ne peux pas rester éternellement ici.

Je m'apprête à sortir quand un clic résonne dans l'atelier. David vient d'éteindre les lumières. Je retiens mon souffle, et c'est avec une immense satisfaction que je l'entends s'approcher de moi.

4

STATUT FB DE **MARIE-PIER LAVERDIÈRE**

Il y a quatre heures, près de Montréal

La trahison en amitié, c'est pas juste dans les films. #triste

« Juliette Gââagnon ! Vas-tu finir par me rappeler ? Ça fait dix mille textos que je t'envoie. »

Le message vocal de Marie-Pier me terrorise. J'ignore comment elle a su pour son père et moi, mais elle est furieuse. Depuis ce matin, elle ne cesse de m'inonder de messages textes presque injurieux.

« J'en reviens pas que t'aies fait ça. »

« T'as pensé juste à ta petite personne, encore une fois. »

« Tu vas détruire notre amitié. »

« Rappelle-moi. NOW. »

Je suis une fois de plus perplexe devant la découverte de mon amie. QUI lui a raconté notre aventure ? C'est carrément impossible que ça vienne de son père.

Alors QUI est au courant ? Une chose est certaine, les nouvelles vont vite : il y a à peine douze heures que je suis sortie des bras de David.

Nous avons passé un super beau moment, tous les deux dans cette minifourgonnette somme toute assez spacieuse. David s'est extasié sur mon corps qu'il a trouvé « absolument splendide ». C'est bien la première fois qu'un de mes amants utilise un tel qualificatif ; ils sont plutôt du genre à me dire que je suis *hot*… Pas splendide ! Un peu quétaine, mais très flatteur.

Je n'ai pas non plus l'habitude de voir un homme se pâmer devant mon petit tatouage de tortue, au creux de ma hanche gauche. Il date de quelques années et il ne me fait plus *tripper* du tout. Trop banal, trop commun.

David a pris soin de moi comme aucun homme auparavant, en me caressant longuement sans rien me demander en retour. À un point tel que je me suis dit : « *Move* un peu, Juliette. Sinon il va penser que t'es juste bonne à te laisser faire. »

J'ai donc voulu lui rendre la pareille, mais il a insisté pour continuer à me donner du plaisir. « C'est ce qui me rend le plus heureux », m'a-t-il confié. Je n'ai donc pas argumenté et je l'ai laissé m'emmener au paradis deux ou trois fois avant qu'il entre lui-même en scène.

Bon, l'épisode du condom a un peu compliqué les choses. Peu habitué à en porter, David s'est essayé à quelques reprises avant de réussir à le mettre, refusant encore une fois que j'intervienne. Mais une fois cette préoccupation passée, il m'a pénétrée tout doucement et s'est à nouveau recentré sur moi… jusqu'à la toute fin de notre étreinte.

Et le plus merveilleux dans cette histoire, c'est que je n'ai pas pensé à Seb. Pas une seconde. Ni à David. En fait, j'ai vécu ce moment avec moi-même. Et pour moi-même. Pour une rare fois, je ne me suis pas oubliée pour l'autre.

Ce matin, je me sens épanouie et… libérée d'un poids que je portais sur mes épaules depuis trop longtemps. J'ai l'impression d'être redevenue Juliette Gagnon. Celle d'avant sa peine d'amour.

Assise dans ma cuisine ensoleillée, je savoure le reste de mon cappuccino Nespresso, après avoir englouti deux gaufres à la chantilly. Avant, je ne buvais que du café Starbucks. J'achetais un *latte* au coin de la rue, en me rendant au boulot ou en sortant faire des courses. Quand papa l'a appris, il s'est pratiquement emporté contre moi, lui dont les origines italiennes ne sont jamais bien loin.

« C'est pas vrai que ma fille va boire du café américain », a lancé celui pour qui le café est une véritable religion.

Un matin, il s'est pointé chez moi avec des grains Lavazza, un moulin et une cafetière italienne. Mais je m'en suis vite lassée. Trop longs, ces préparatifs.

Découragé, papa m'a finalement offert une machine à capsules, toute simple à faire fonctionner. Ça, c'est ce que j'appelle un vrai cadeau ! Surtout que je sais qu'il a dû marcher sur son orgueil d'Italien pour acheter un produit suisse.

Bip !

Ah non ! Pas un autre texto de Marie-Pier ! Je regarde l'écran de mon iPhone et, ô surprise, le message ne vient pas de mon amie… mais bien de son père.

« Merci pour la belle soirée. Bonne journée, Juliette. xxx »

Ohhh… Trop gentil, comme petit mot ! Je m'apprête à lui répondre quand un doute m'assaille. Quelles sont ses attentes ? Et s'il désirait plus que la baise d'hier soir ?

Je repense à ce que nous avons vécu. Certes, j'ai apprécié ses mains plus expertes, moins pressées, plus douces. Je ne le remercierai jamais assez de m'avoir fait vivre cette expérience qui m'a redonné confiance en moi et en la vie. Mais de là à recommencer… Non, non, non.

Est-ce que mon comportement lui a laissé entrevoir qu'une liaison entre nous deux était possible ? Il me semble pourtant ne lui avoir donné aucun signe. J'ai même évité de l'embrasser au moment de le quitter, me contentant d'un bisou sur la joue. Je décide de ne pas répondre à son texto. Pas tout de suite, du moins.

Je dépose ma tasse vide dans l'évier rempli de vaisselle et je soupire de découragement devant le bordel de mon appart. Non seulement il y a des traîneries partout, mais le panier à linge sale déborde et je n'ai plus une seule petite culotte propre. Allez, Juliette, au boulot. C'est l'heure du grand ménage !

Je troque mon pyjama contre mon t-shirt *Keep calm and go shopping* et un short sport en coton. Je place mes écouteurs dans mes oreilles et je choisis la musique de Louis-Jean Cormier pour m'accompagner dans mon ouvrage. Nettoyer me permettra aussi de réfléchir à la façon dont je dois aborder la situation avec mon amie d'enfance.

Pleine d'énergie, je ramasse, j'époussette et je frotte avec entrain et bonne humeur. Ce qui me semble généralement une tâche insurmontable m'apparaît aujourd'hui comme une activité agréable. Wow ! C'est fou, le bien que m'a fait la soirée d'hier.

Si on sortait de notre tanière
Bien avant le printemps
Est-ce que ça ferait plus de lumière

Les paroles d'un de mes chanteurs préférés ajoutent à mon euphorie du moment. C'est ce que je fais aujourd'hui, je sors de ma tanière. Attention, tout le monde, Juliette Gagnon *is back* !

Les tâches ménagères me permettent de réfléchir, et j'en viens à la conclusion que si Marie a su pour David et moi, je dois nier les faits jusqu'à ma mort. Je suis convaincue qu'elle le prendrait très mal, surtout qu'elle a toujours éprouvé pour sa mère un très fort sentiment de protection. Elle la considère comme une femme fragile et démunie, ce qui est loin d'être mon impression.

De plus, Marie voue une admiration sans borne à son père, qu'elle voit comme un homme parfait, sans aucun défaut, sans aucune tache à son dossier. Si ça vient à ses oreilles, elle va croire que c'est moi, la méchante. Celle qui a ensorcelé David, le forçant à agir contre ses valeurs, à tromper sa femme, à trahir ses enfants. Oui, je serai responsable de tout ça. Non, décidément, ça doit demeurer secret. Reste à trouver comment.

J'en suis maintenant à la toute fin de mon ménage. Mon vieil aspirateur fait un tel vacarme que j'ai dû hausser le volume de la musique dans mes oreilles. Je chante à tue-tête, joignant ma voix à celle des gars d'Our Lady Peace, quand une main tape dans mon dos. Je sursaute de frayeur.

Je laisse échapper le manche de mon aspirateur et je me retourne subitement pour voir qui s'est introduit dans mon appartement. Marie-Pier, l'air plus furieux que jamais, me dévisage.

Soulagée de constater qu'il ne s'agit pas d'un individu louche, j'éteins le moteur de mon appareil. Mais quand je croise à nouveau le regard de mon amie, je me demande finalement s'il n'aurait pas été moins dangereux de me retrouver face à face avec un voleur. Elle semble totalement hors d'elle.

— Avec lequel t'as couché ? vocifère-t-elle sans plus de préambule.

Interloquée autant par sa violence verbale que par le sens de sa question, je reste figée, incapable de prononcer un seul mot. Exaspérée par mon mutisme, Marie-Pier prend mon bras pour le secouer un peu trop fort à mon goût.

— Réponds-moi !

Je me dégage et je baisse les yeux, ne sachant pas du tout quoi lui raconter.

— Euh… De quoi tu parles?

— Essaie pas, Juliette. Je sais ce qui s'est passé. Je me demande juste si c'est Vincent ou Jean-Nick que t'as embobiné.

Là, je suis confuse. Marie-Pier pense que j'ai eu une aventure avec un de ses frères? J'ignore comment elle en est arrivée à cette conclusion, mais je préfère nettement cette version à la réalité.

— J'ai eu l'air d'une vraie folle ce matin, poursuit-elle.

Je relève la tête:

— Comment ça?

Marie-Pier me raconte qu'elle a emmené un client, accompagné de sa fille de sept ans, essayer la minifourgonnette – visiblement celle dans laquelle nous avons baisé. Et qu'une fois en chemin la petite a fait « une bien drôle de découverte ».

— Elle a trouvé une enveloppe de condom, coincée dans un siège.

Oups, on l'a oubliée, celle-là. Pas très chic… Mais si c'est la seule preuve qu'elle détient, je n'ai pas à m'en inquiéter. Adoptons un ton confiant.

— Je vois pas pourquoi tu penses que c'est moi.

— Pis tu me mens en plus!

— Franchement, Marie, t'es insultante! J'ai rien fait!

— Ah non?

— Je te jure que non.

Mon ton ferme et mon serment n'ont pas semé le doute chez mon amie comme je l'espérais. Au contraire, elle semble de plus en plus fâchée, ce qui fait revenir mon angoisse au quart de tour.

Marie-Pier fouille dans la poche de son blazer court noir qu'elle porte souvent au boulot et en sort un petit objet que je reconnais aussitôt. Mon bracelet brésilien orange et noir.

— Où t'as trouvé ça?

— Dans le fond du véhicule!

Je sens mon visage se décomposer et ma confiance s'envoler d'un coup.

— Fait que… t'es toujours prête à jurer qu'il s'est rien passé ?

— OK, OK, OK ! C'est beau. Je vais tout te raconter.

— Il est temps !

— Viens, on va aller s'asseoir.

Marie-Pier me suit jusqu'à la cuisine pendant que je cogite à toute vitesse. Lequel de ses deux frères j'incrimine ? Le plus vieux qui, il y a quelques jours, a fièrement annoncé à sa famille que sa conjointe est enceinte ? Ou bien le plus jeune, que Marie ne peut pas sentir, même en peinture ? Allons-y pour Jean-Nick… Pas envie de passer pour une briseuse de couple.

Marie-Pier prend place à ma table, pendant que je gagne du temps en lui proposant un café. Et un croissant. Ou une chocolatine. Ou un *cronut*. Je sais qu'elle adore cette pâtisserie hybride entre un croissant et un beigne.

— Je veux rien !

Même si mon histoire n'est pas encore prête dans ma tête, je dois vraiment affronter mon amie. Je la rejoins en traînant le pas le plus longtemps possible.

— Il me semble qu'il y a assez de gars sur la Terre pour que t'en choisisses d'autres que mes frères, me dit-elle une fois que je suis assise à ses côtés.

Je reste silencieuse. Elle me relance.

— Avec qui ?

Je prends une grande respiration avant de répondre. Et soudainement, j'ai un flash ! Vincent et Jean-Nick ne sont pas les seuls hommes qui travaillent chez Laverdière Honda. Il y a d'autres employés. Et si je me fie à la grosseur du commerce, ils doivent être au moins quelques dizaines.

Je n'ai qu'à dire qu'il s'agit de l'un d'entre eux, mais que j'ai oublié son nom. Et je le décrirai de façon tellement banale qu'il pourra ressembler à tout un chacun. Très fière de ma trouvaille, je me lance.

— C'est ni l'un ni l'autre. J'ai pas couché avec un de tes frères, Marie.

— Ben là ! C'est les seuls que tu connais au garage. À part mon père, mais lui ça compte pas.

Un silence de mort s'installe dans la cuisine. Je fuis le regard de Marie-Pier pour éviter à tout prix qu'elle s'aperçoive de mon malaise. Il faut qu'elle continue d'ignorer que sa remarque, lancée sur un ton léger et badin, reflète la réalité.

Je balaie de la main des miettes imaginaires sur la table, tout en essayant de me composer un visage neutre. Je ne veux pas qu'elle sente la panique qui m'envahit de plus en plus.

Le problème, c'est que Marie-Pier me connaît depuis trop longtemps. Et qu'elle sait lire en moi. D'autant plus que je suis plutôt du type transparent, j'ai toujours été lamentable quand vient le temps de cacher mon jeu.

Le pire, c'est que si elle n'avait pas évoqué David, il n'y aurait pas eu de problème. Elle aurait fini par gober mon histoire, mais, là, j'ai peur que mon langage corporel me trahisse. Je décide qu'il vaut mieux ne pas lui laisser l'occasion de m'observer.

— Faut que j'aille aux toilettes.

Je me précipite à la salle de bain, simulant une envie urgente, et je m'y enferme quelques minutes pour me ressaisir. Une fois de plus, je constate que, malgré moi, j'ai peur des réactions de mon amie. C'est qu'elle peut être assez tranchante parfois. Et manquer d'empathie à mon égard. Jamais elle ne comprendrait que j'avais besoin de vivre cette expérience dans les bras d'un homme mûr pour aller de l'avant. Que c'était une question de survie.

Je passe une débarbouillette d'eau froide sur mon visage, je respire un bon coup et je vais la rejoindre d'un pas assuré.

En mettant les pieds dans la cuisine, je sais que les choses ne seront plus jamais les mêmes entre nous deux. Marie-Pier tient dans sa main mon iPhone que j'avais laissé traîner sur le comptoir. Son air catastrophé m'indique qu'elle s'est permis de lire mes textos et qu'elle y a trouvé celui de son père.

J'arrête de marcher, de respirer, attendant la suite. Sans un mot, mais en me lançant un regard qui me fait sentir plus que minable, Marie-Pier jette mon cellulaire sur la table et se dirige vers la sortie.

Au moment où elle passe à côté de moi, je l'entends me dire: « Toi, je veux plus jamais te voir de ma vie. *Ever.* »

5

STATUT FB DE UGO SAINT-AMAND

Il y a 20 minutes, près de Montréal

Pas faciles les amours dans la vingtaine.
Je retournerais pas en arrière,
trop heureux avec mon chum.

— Tu comprends pas, Ugo ! Marie, c'est comme ma sœur.

— Juliette ! Attends qu'on soit dans mon bureau, s'il te plaît.

Je maugrée tout en suivant mononcle Ugo dans les allées de sa magnifique boucherie du Plateau. Je me fous des employés et des clients qui sont témoins de notre conversation. J'ai besoin de lui parler. Tout de suite.

J'ai accouru ici quand j'ai constaté que Marie-Pier était sérieuse dans ses intentions de m'effacer de sa vie. Depuis qu'elle a quitté mon appartement, plus tôt aujourd'hui, je lui ai envoyé au moins une dizaine de messages d'excuses et de détresse.

Au début, elle ne m'a pas répondu. Puis il y a eu ces quelques mots, dévastateurs : « Tu me lèves le cœur. Coucher avec MON père. WTF ? »

Puis ce deuxième message, qui m'a fait encore plus mal :

« T juste une crisse de folle. Get a life. »

Ces insultes m'ont achevée et j'ai paniqué, seule dans mon salon. J'ai versé des larmes de peur, de rage et de frustration. Pourquoi est-ce que mon amie ne me donnait pas une chance ? Une toute petite occasion de lui expliquer les raisons de mon comportement ? Allait-elle vraiment me laisser tomber ? Après vingt ans d'une solide amitié ? Elle ne peut pas me faire ça ! J'ai besoin d'elle !

Et là, mon esprit a commencé à dérailler. Je me suis imaginé que Marie-Pier finirait par convaincre Clémence que j'étais une *bitch*, et qu'elle déciderait, elle aussi, de couper les ponts avec moi. Et je me retrouverais seule avec moi-même et la culpabilité que j'éprouve d'avoir baisé avec le père de ma meilleure amie d'enfance. Qu'est-ce qui m'a pris ?

Et comme toutes les fois où je sens que ma santé mentale est fragile, je reviens vers la seule personne qui sait m'apaiser et me *grounder*. Celui qui a servi de pilier à maman pendant des années et qui, maintenant, est mon chêne à moi. Mononcle Ugo.

— Bon, raconte-moi. Qu'est-ce qui s'est passé pour que Marie-Pier ne veuille plus te voir ? me demande-t-il aussitôt la porte de son bureau fermée.

La question d'Ugo m'embarrasse. Je n'ai pas envie de lui avouer que j'ai couché avec un homme… qui a presque son âge. Ça me met terriblement mal à l'aise. Pourquoi donc n'y ai-je pas pensé avant de me pointer ici ? Me voilà devant un beau dilemme. J'ai besoin de me confier, mais je ne veux pas qu'il sache tout. *#Fail !*

— Juliette ? T'es venue ici pour parler ? Ben parle !

— Elle est dans tous ses états parce que… parce que…

— Parce que quoi ?

Ugo prend place derrière son bureau et je m'assois face à lui. Je cherche en vain une explication plausible à lui donner, mais rien ne me vient à l'esprit. Mon regard vagabonde d'un objet à l'autre, s'attardant sur un petit cadre argenté déposé sur sa table de travail, que je vois pour la première fois. Je le tourne vers moi et, devant la photo qui s'y trouve, mes yeux s'illuminent.

— C'est toi et maman ?

— Ouais, répond Ugo avec le ton attendrissant qu'il emploie dès qu'il parle de son amie Charlotte.

Celle qui lui manque beaucoup. Tout comme à moi, d'ailleurs.

— Wow ! Elle avait quel âge là-dessus ?

— C'est le soir de ses trente-cinq ans.

J'observe attentivement la photo qui montre les *BFF* du monde, comme je les ai surnommés. Tout sourire, ils s'enlacent par le cou, tenant chacun une flûte de champagne à la main. Une amitié rare et précieuse, comme celle que j'ai... ou que j'avais avec Marie-Pier.

— Juliette, qu'est-ce qui se passe ?

— Je sais pas trop comment te dire ça.

— Comme ça vient. Tu peux tout me confier, tu sais.

— Ça, je suis pas sûre.

— Ben oui. J'en ai vu de toutes les couleurs avec ta mère. Y a plus rien qui me surprend.

— Je pense pas qu'elle a déjà fait quelque chose comme ça.

— Juliette, voyons ! T'as pas tué personne, hein ? Qu'est-ce qu'il y a de siiiiiii dramatique ?

J'inspire profondément et je plonge.

— J'ai couché avec le père de Marie-Pier.

À voir son air ébahi, Ugo ne s'attendait sûrement pas à ça. Il met quelques secondes avant de réagir.

— Ohhh...

— Oh ? C'est tout ce que tu trouves à dire ! Oh ?

Vexée par sa réponse dont je n'arrive pas trop à saisir le sens, je bondis de mon siège, bien décidée à m'en aller.

— Juliette, je suis surpris, c'est tout. Laisse-moi digérer la nouvelle.

Ugo me fait signe de me rasseoir et je finis par lui obéir. Après tout, j'ai besoin de ses conseils.

— Et Marie-Pier le prend pas du tout?

— Non. Elle me déteste pour mourir.

— Elle t'a dit pourquoi ça la fâche autant?

— Non, c'est ça, le pire. Elle refuse carrément de me parler. Pis elle veut pas entendre mes explications non plus.

— Ouin, pas évident...

— Qu'est-ce qu'il faut que je fasse?

— Je pense que tu devrais laisser passer un peu de temps. Tu lui reparleras quand elle se sera calmée.

— Ah ouin? Pis si elle veut plus jamais me voir de sa vie? Pis qu'elle entraîne Clem avec elle? Tu imagines? Je n'aurais plus personne à part toi!

— Juliette, arrête de dramatiser. Si elle est vraiment ton amie, elle va revenir. Sinon c'est qu'elle n'en vaut pas la peine.

— Je suis pas capable de rester là, sans rien faire. Tu sais bien que c'est pas mon genre!

— Et tu vas faire quoi? La kidnapper pis l'attacher sur une chaise, avec un *tape* sur la bouche pour l'obliger à t'écouter?

— Meuuuuhh... Franchement!

Mononcle Ugo me prête parfois de bien drôles d'intentions. Tout ça parce que, selon lui, c'est dans mes gènes de faire des conneries. Pff... N'importe quoi!

Je dois toutefois trouver un moyen de faire fléchir Marie-Pier. Mais je ne vois vraiment pas comment! À moins que je lui écrive pour tout lui raconter? Nahhh... Même si je fais ça, elle m'en voudra encore à mort d'avoir osé détruire l'image parfaite de son sacro-saint père.

Et pourquoi je porterais seule le blâme, hein ? Je n'ai jamais obligé David à coucher avec moi. Il le désirait tout autant. Bon, d'accord, je suis celle qui a eu l'initiative. Mais ça, Marie-Pier n'a pas à le savoir. Je pourrais même lui faire croire le contraire.

— Je sais. Je vais lui dire qu'il m'a forcé la main.

— Quoi ? Tu vas lui raconter qu'il t'a violée ?

— Ahhh, les gros mots. Pas violée, non. Mais juste un peu tordu le bras.

— Et y a quelque chose de vrai dans ce que tu racontes ? me demande Ugo d'un ton à la fois inquiet et sceptique.

— Ben non, pantoute. Mais c'est la seule façon de m'en sortir.

Ugo pousse un soupir de découragement et se lève pour venir me rejoindre. Il se place derrière moi, se penche et m'enlace les épaules. Son contact et sa chaleur me détendent aussitôt.

— T'as vraiment peur de la solitude, hein ? Pour penser à incriminer quelqu'un qui t'a rien fait ?

— Je veux pas l'accuser, juste…

Ugo me coupe la parole, et sa voix devient plus autoritaire.

— Juliette, tu vas pas là. C'est clair ?

— OK, pas besoin d'être bête !

— Je suis pas bête, je te protège.

Il me donne un bisou sur la joue et s'éloigne pour reprendre sa place.

— Ce que j'aimerais comprendre, poursuit-il, c'est pourquoi t'as senti le besoin d'aller vers un homme plus vieux ? Il me semble que c'est pas les gars de ton âge qui manquent.

— Ahhh… C'est compliqué.

— Et dangereux !

— Comment ça, dangereux ?

— As-tu pensé qu'il pouvait tomber en amour avec toi ?

— Mais non. Pour lui non plus, ça voulait rien dire.

Au moment où je prononce ces paroles, je me rends compte que je suis loin d'être persuadée qu'elles sont vraies. Et Ugo, fin finaud comme il est, ne tarde pas à s'en apercevoir.

— T'es certaine ? Donc il ne t'a pas donné de nouvelles aujourd'hui ?

— Euh… Qu'est-ce que tu veux dire ?

— Si un gars te fait pas signe le lendemain, c'est qu'il veut pas que ça aille plus loin. Par contre, s'il t'écrit ou t'appelle pour te remercier, c'est qu'il veut te revoir.

Je repense au premier message de David, reçu ce matin à 10 h 32. Puis à ce deuxième texto, à 14 h 15, dans lequel il m'offrait de venir me porter ma voiture, qui traîne toujours au garage. Là aussi, j'ai opté pour le silence radio. Mais tout ça signifie simplement qu'il est un gentleman. Pas un bonhomme amoureux.

— Peut-être que dans ton temps, Ugo, ça marchait comme ça. Mais pas aujourd'hui. Ça fait trop longtemps que t'es avec Bachir, tu sais pas de quoi tu parles.

— C'est ça ! Traite-moi de vieux croûton ! répond-il d'un air faussement indigné.

C'est à mon tour de me lever pour aller lui faire la bise.

— T'es mon vieux croûton préféré. Mais là, faut que j'y aille.

— Tu travailles ce soir ?

— Non, c'est plutôt tranquille ces temps-ci. Une chance que j'ai le contrat avec le Festival Juste pour rire dans quelques semaines.

— Ah oui, c'est génial, ça ! Bravo encore !

— Merciiiiiii ! Je suis super contente. J'ai trop hâte.

— Tu veux pas rester un peu ? Je finis bientôt.

— J'aimerais ça, mais faut que j'aille chercher mon auto avant que le concessionnaire ferme.

— Celui du père de Marie-Pier ?

— Ben oui.

— Tu vas te jeter dans la gueule du loup ? s'amuse Ugo à mes dépens.

— J'ai pas le choix. J'ai besoin de ma voiture demain… pour la job.

— Me semble, oui… Tu viens de me dire que c'était tranquille.

— Ahhh, tu m'énerves, des fois ! Donne-moi donc de la bouffe, au lieu de me chercher des poux !

Après avoir rempli mon sac à dos de lapin à la moutarde, mais aussi d'agneau confit aux abricots, de porc effiloché à la bière rousse et de pigeonneau farci aux cerises, je quitte la boucherie sans vraiment avoir eu de réponse à mes questions, mais heureuse d'avoir trouvé une oreille attentive. J'aurais tout de même souhaité qu'Ugo ne vienne pas renforcer ma crainte. Celle d'avoir fait la gaffe de laisser un homme qui pourrait être mon père tomber amoureux de moi.

*

Me voilà donc devant le concessionnaire où se trouve ma voiture. Je surveille l'endroit depuis l'autre côté de la rue, cachée dans un abribus dont le sol est jonché de déchets. Sur le banc de bois, j'ai posé mon sac à dos, alourdi par mes provisions et les *ice packs* qu'Ugo m'a obligée à traîner.

Je cherche à savoir si David est présent ou pas. J'utilise le zoom de l'appareil photo de mon iPhone pour scruter les lieux d'un peu plus près, mais c'est un peu nul, mon truc de détective.

Je pourrais bien sortir mon Canon de mon sac, mais là j'attirerais un peu trop l'attention des usagers du transport en commun qui s'agglutinent tranquillement autour de moi.

Quand je circule dans les rues de Montréal, je traîne presque toujours mon appareil professionnel, rêvant de tomber sur LA scène qui fera de moi une photographe connue dans le monde entier.

Avec mon cellulaire, je ne distingue que des silhouettes floues à travers les vitrines du *showroom*, et aucune d'entre elles ne ressemble à celle du papa de Marie-Pier. Mais j'y pense tout à coup ! Et si j'appelais au garage pour m'informer si le patron y est, au lieu de jouer à Sherlock Holmes ? Beaucoup plus simple et efficace.

Je m'apprête à procéder quand la porte d'entrée du concessionnaire s'ouvre sur... David lui-même. Parfait ! Il s'en va ! Je vais pouvoir récupérer ma voiture en toute tranquillité. J'observe l'homme qui, hier soir, me tenait dans ses bras et je ressens une grande tendresse... Un sentiment que je devrai malheureusement garder pour moi. Dommage, j'aurais bien aimé dire à David tout le bien qu'il m'a fait. Mais c'est trop dangereux. Il pourrait mal l'interpréter.

Contrairement à mes attentes, David passe tout droit devant le stationnement et poursuit sa marche dans la rue, en direction des commerces. Ah bon ? Je devrai me dépêcher s'il va seulement faire une course. Je le suis des yeux encore un moment, quand je le vois entrer chez un fleuriste... *Oh my God !* Non, non, non... Ce n'est pas ce que je crois ? Il ne va pas m'offrir des fleurs ?

Mais non, Juliette, arrête de te faire des films ! C'est sûrement pour l'anniversaire de son adjointe administrative. Ou pour la femme de Vincent, qui est enceinte. Oui, sois logique. Et non parano.

Je m'assure une fois de plus que la voie est libre et je traverse la rue en courant à toute vitesse, jusqu'au garage. J'entre en trombe dans la salle d'exposition et je me dirige vers l'arrière, sans saluer personne. Pas trop envie non plus de croiser Marie-Pier et de me faire engueuler comme du poisson pourri.

Je pousse la porte de l'atelier, malgré les protestations d'un employé qui se tient derrière le comptoir. Je repère aussitôt ma voiture – pratique, la couleur rouge – et je m'y assois lourdement. Ouf !

Bien à l'abri, je récupère quelques instants de ma course folle. Heureusement, le seul mécanicien dans l'atelier ne semble pas m'avoir vue ni entendue, absorbé par une réparation qui fait un bruit d'enfer.

Comble de chance, les portes du garage sont grandes ouvertes. Ne reste plus qu'à démarrer et à quitter cet endroit le plus tôt possible, avant que David revienne. Je fouille dans la poche de mon blouson en jeans sans manches et mes doigts n'y rencontrent que des vieux kleenex et une sucette au melon d'eau.

Mes clés ? Elles sont où, mes clés ? Ah non ! Pas dans mon sac à dos ? Que j'ai laissé dans l'abribus à la vue de tout le monde, avec mon portefeuille, mes provisions et surtout… mon Canon EOS 70D tout équipé. Mon appareil professionnel préféré, que je viens juste de m'acheter et qui m'a coûté la peau des fesses. Quand je fais des achats pour ma passion, je ne lésine jamais sur la dépense. Mes collègues photographes qui travaillent pour des journaux ou des revues me disent sans cesse que je n'ai pas besoin de dix objectifs, de quatre flashs et de trois kits d'éclairage.

Je me rue à l'extérieur en misant sur la générosité humaine. Il y a certainement un bon samaritain qui m'a vue partir en folle, en oubliant mon sac, et qui l'a surveillé pour moi en attendant mon retour. Oui, les gens sont encore capables d'accomplir une bonne action de nos jours, n'est-ce pas ?

Mais la dure réalité me frappe en plein visage quand j'arrive devant l'abribus. Il est complètement vide, les passagers du bus 80 ont déserté les lieux, et l'un d'eux est parti avec mon précieux sac. Complètement désemparée, je m'écrase sur le banc de bois et je me mets à sangloter comme une petite fille.

*

Deux heures plus tard, je suis de nouveau sur mes pieds ! Fini les pleurnichages et les lamentations.

Je n'en menais pas large au moment où David, qui revenait du fleuriste avec un mignon bouquet de lys roses à la main, m'a aperçue dans l'abribus. Il s'est précipité à mon secours et m'a consolée. Une fois calmée, je l'ai suivi jusqu'à son bureau, où il m'a aidée à faire les démarches auprès de la police, à aviser ma compagnie d'assurances, en plus de me trouver une nouvelle clé pour ma voiture.

C'est ainsi que j'ai pu quitter le garage. Tout juste avant mon départ, David m'a gentiment mentionné que les fleurs, maintenant déposées sur son bureau, m'étaient destinées. « Pour la merveilleuse soirée d'hier », a-t-il précisé.

J'ai éprouvé un profond malaise, mais je n'ai pas eu le courage de refuser son cadeau. Après tout, il venait de se fendre en quatre pour me donner un coup de main.

J'ai donc poliment accepté le bouquet en le contemplant de longues secondes. Je n'ai pas osé le regarder dans les yeux, de peur d'y découvrir des sentiments que je ne partage pas. Et je me suis ensuite enfuie comme une voleuse, sans même lui donner un bisou pour le remercier.

6

STATUT FB DE **DANICKA MALENFANT**

Il y a neuf heures, près de Brossard

Ma conférence « De mannequin à entrepreneure » commence à l'instant.

Salle pleine comme toujours ! #TheSecretOfMySuccess

— Juliette ! Tu vas être en retard si ça continue ! Dépêche !

Je suis au Studio 54 avec ma patronne, qui, une fois de plus, me crie après. Ce n'est pas nouveau. Danicka Malenfant ne fait que ça dans la vie : m'engueuler.

Je suis passée ici pour récupérer du matériel, avant de prendre la route des Laurentides, où j'ai rendez-vous pour mon plus important contrat de l'été. Depuis la perte de mon appareil Canon, je vis avec la peur de me faire voler à nouveau. C'est pourquoi il m'arrive de laisser mon équipement tout neuf au studio de Mme Malenfant. Je sais que ça ne fait pas son affaire, mais je m'en fous.

C'est que ma patronne n'aime pas du tout qu'on surgisse au studio sans préavis. Comme les horaires sont très changeants, tous les employés doivent l'informer avant de se présenter. Et puisque j'oublie de le faire une fois sur deux, j'ai droit à une bonne réprimande à chacune de mes visites. Quand ce n'est pas pour me gronder à cause de mon arrivée impromptue, c'est pour une autre raison, qu'elle invente avec plaisir.

Pourquoi je l'endure ? Eh bien, parce que son entreprise me fait vivre, mais aussi parce que, malgré tout, j'ai de la compassion pour elle. Danicka est une femme que je suppose être à la fin de la quarantaine. Dans une autre vie, elle a été un mannequin réputé, se baladant partout dans le monde, posant fièrement sur la couverture de nombreux magazines et faisant fantasmer tous les hommes de la planète.

Avec ses magnifiques yeux verts, sa chevelure d'un beau brun profond, ses lèvres pulpeuses et son corps de déesse, ma patronne a fait la fierté de tout le Québec pendant deux décennies. Tout le monde connaissait Danicka, puisqu'elle a évolué comme mannequin avec son seul prénom… Avouez que Malenfant, ça sonne plutôt mal.

Puis, un jour, le ciel lui est tombé sur la tête. On lui a diagnostiqué un cancer de la gorge. Traitements de radio et de chimio ont suivi, ainsi que l'abandon de la carrière pour laquelle elle avait sacrifié sa vie personnelle. « Ce sont deux épreuves que j'ai à vivre. La maladie et la fin du rêve que je vis depuis des années », avait-elle raconté à un journaliste qui l'interviewait à la télé.

C'était il y a dix ans. Depuis, elle s'est réinventée et est devenue une entrepreneure accomplie. Mais il ne passe pas une semaine sans qu'elle nous rappelle qu'elle vit avec une épée de Damoclès au-dessus de la tête. « Je suis en rémission, pas guérie. »

Même si je trouve qu'elle se sert parfois de cet argument pour obtenir gain de cause, il n'en reste pas moins que je comprends ce qu'elle a dû vivre. Moi, si je ne pouvais plus être photographe, je serais terriblement malheureuse.

— Juliette ! Si tu fais attendre mon client, je ne te le pardonnerai pas !

— Oui, oui, c'est beau. J'y vais.

À toute vitesse, je finis de ranger mes cartes mémoire dans la petite pochette de mon sac qui contient mon appareil tout neuf. Mieux vaut filer avant que ma patronne me tombe dessus une fois de plus. Elle semble encore plus nerveuse que d'habitude... *because* le nouveau client.

C'est, en effet, la première fois que la direction du Festival Juste pour rire nous accorde sa confiance... et un immense contrat. Il faut dire que l'arrivée de la meilleure amie de Danicka, la productrice Louise Lauzon, au sein de l'entreprise y est pour quelque chose. Dans la vie, tout est une question de contacts, c'est bien connu !

En plus de faire les photos pour la promo, nous allons aussi immortaliser les galas d'humour qui auront lieu en juillet, pendant deux semaines. Emballant, tout ça, mais un peu stressant.

Je me rue vers la sortie quand Danicka me rejoint pour me donner ses dernières recommandations. Avec, comme toujours, la voix pincée.

— Là, Juliette, tu fais pas comme l'autre fois, OK ?

— Ben non !

— S'ils veulent prendre une pose imbécile, tu les laisses faire.

— Hum, hum.

— Et surtout, tu te la fermes.

— Ça va, j'ai compris. Je recommencerai plus jamais.

La semaine passée, j'ai agi comme photographe officielle pour un mariage dans une salle sans personnalité d'un hôtel de Brossard. Et j'ai eu un *léger conflit* avec les mariés. Moi, je croyais que c'était un *léger conflit*, mais les heureux élus ont vu la chose différemment.

Ça s'est produit au moment de couper le gâteau de noce. Le jeune couple posait devant l'immense pâtisserie, tenant la pelle ensemble, chacun d'une main. Jusque-là, ça allait. Mais ils ont alors pris leur verre de vin rouge de l'autre main, pour ensuite entrecroiser les bras pour trinquer. Finalement, ils se sont contorsionnés pour regarder la lentille.

De un, l'image était affreuse. Et de deux, je craignais que le vin rouge se déverse sur le gâteau. Ou pire, sur la robe blanche de ma cliente.

Je leur ai donc gentiment demandé de déposer leurs verres et de se concentrer sur le gâteau. C'est là qu'ils se sont mis en rogne. En réalité, c'est la mère de la mariée qui a ouvert le bal en disant: « Moi, j'ai fait cette photo à mon mariage, ma sœur aussi. Et là, je veux que ma fille fasse la même. C'est une tradition dans la famille et c'est pas vous qui allez changer ça. »

Sa fille en a remis, en me lançant que je ne « gâcherais pas sa journée parfaite ». En tant que professionnelle, je n'ai pu me retenir de leur donner mon avis. « Bon, d'accord, mais ce ne sera pas ma faute si votre photo manque d'élégance et de classe. »

Selon ma patronne, c'est cette phrase, et particulièrement le mot « classe », que je n'aurais pas dû prononcer. Sur le coup, les clients n'ont rien dit, mais, dès le lendemain, la mère de la mariée a formulé une plainte à mon égard, qu'elle a fait parvenir par courriel à Mme Malenfant, laquelle a acheté la paix en lui offrant un rabais sur le prix des photos. Pour ensuite le déduire de mon cachet. Grrrr…

Je sais, mon comportement manque de professionnalisme. Mais c'est plus fort que moi. Quand je vois des gens se ridiculiser devant mon objectif, je ne peux m'empêcher d'essayer de rectifier le tir. Mon métier, c'est de bien faire paraître tout le monde, les quétaines y compris!

Avant de partir, je me tourne vers Danicka pour la rassurer.

— Inquiétez-vous pas, madame Malenfant, je vais être sage.

— Fais-moi pas honte, Juliette. Pas cette fois-ci.

— Oui, oui, j'ai compris.

— Je mise beaucoup sur ce contrat-là. Il est très important pour moi. Et pas juste pour moi.

— Non, non, pour moi aussi.

Légèrement exaspérée, je quitte le studio de photo en me disant que j'en ai marre d'avoir une patronne qui ne me fait pas confiance. Et j'entends bien lui prouver qu'elle a tort.

*

Je roule sur la petite route de campagne par un temps splendide, quand la musique d'Arcade Fire est interrompue par mon téléphone qui sonne. Je regarde l'afficheur : c'est Clémence. Tout heureuse, je prends l'appel sur mon Bluetooth.

— Allô, mon amie.

Depuis ma chicane avec Marie-Pier, je traite Clémence comme si elle était la huitième merveille du monde. Pas question qu'elle me laisse tomber, elle aussi.

— Je voulais juste te souhaiter bonne chance, Juju, pour aujourd'hui.

— Ahhhh, t'es trop fine, merci.

— T'es où, là ?

— Je suis presque rendue, j'arrive à Tremblant.

— Pas trop nerveuse ?

— Pas mal, oui.

Plus les kilomètres défilent et plus je suis angoissée. À 11 heures, je suis attendue au chalet – à la résidence secondaire, devrais-je plutôt dire – de l'humoriste le plus populaire du Québec.

Mikaël Duval sera le porte-parole du Festival Juste pour rire cet été et c'est lui, entre autres, que je devrai photographier aujourd'hui. Jusque-là, rien de compliqué. Mais il faut savoir que mon sujet sera en pleine activité sportive au moment de la séance. Il ne fera rien de moins qu'une démonstration de surf nautique ! Tout ça pour aller avec le concept de la promo : « Cet été, surfez sur la vague de l'humour ! »

Pour réaliser les meilleures images possible, je devrai m'installer à l'arrière du bateau en marche... Ce qui veut dire bye-bye stabilité. Et c'est ça qui m'inquiète. J'ai peur de rater mon coup. Complètement.

— Ça va bien aller, tu vas voir, me rassure ma copine.

— Ouin, j'espère.

— Sois positive, voyons ! Bon, je te laisse, j'ai une réunion. On va tester nos nouvelles salades de légumineuses.

— Ouache !

— Ah, arrête donc ! J'en ai une avec du tangélo et une vinaigrette à l'érable. Je suis certaine qu'elle te plairait.

— Si t'enlèves les légumineuses, oui !

J'entends mon amie soupirer de découragement au bout du fil. Pendant un court instant, je crains de l'exaspérer, elle aussi. Ce qui m'amène à penser à Marie-Pier.

— Clem ?

— Oui ?

— T'as eu des nouvelles de Marie-Pier dernièrement ?

— Euh... Oui, oui.

Depuis que nous sommes en froid, mon amie d'enfance et moi, Clémence se sent prise entre nous deux. Et ça la met très mal à l'aise. C'est pourquoi elle a tenté par tous les moyens de nous réconcilier, mais en vain. Marie-Pier ne veut plus entendre parler de moi.

J'ai pourtant tout essayé. Je lui ai écrit un long message privé sur Facebook, dans lequel j'implorais son pardon pour l'erreur épouvantable que j'admettais avoir commise. Aucune réponse.

Je lui ai rappelé tout ce que nous avons vécu depuis vingt ans, en lui envoyant des photos de nous deux, à tout âge. J'en ai même retrouvé une où nous avions seulement sept ans. On nous voit tout sourire, main dans la main, au Carnaval de Québec, où papa nous avait emmenées pour nous montrer les sculptures de neige. C'était le premier d'une longue série de voyages que nous avons faits ensemble. De petites escapades au Québec durant l'enfance avec mes parents ou les siens, nous sommes passées aux séjours sur les plages américaines à l'adolescence, puis à la découverte de l'Europe à l'âge adulte.

C'est avec Marie-Pier que j'ai mis les pieds en Espagne pour la première fois, à vingt et un ans. J'avais déjà eu la chance de visiter la France et l'Italie avec mes parents, mais je n'avais jamais encore vu Barcelone, une ville que je rêvais de photographier depuis longtemps.

Sac à dos bien rempli et appareil photo au cou, nous nous sommes envolées un mois pour la Catalogne, où nous nous sommes rincé l'œil autant sur les œuvres de Gaudí que sur les Barcelonais, terriblement séducteurs.

Ç'a été le plus beau voyage de ma vie, surtout que la complicité avec mon amie a décuplé au cours de ces quelques semaines. J'ai d'ailleurs joint à mon dernier courriel d'excuses une photo de nous deux, sur le toit de la Pedrera. Encore là, j'ai fait chou blanc.

Je lui ai aussi promis que je me tiendrais loin de son père. Ce que j'ai réussi à faire sans trop de mal. Oui, David m'a avoué qu'il souhaitait que ça aille plus loin entre nous, mais il a fini par respecter ma décision. Nous nous sommes revus une seule fois après l'épisode du vol de mon sac. Parce qu'il insistait et que je voulais mettre les choses au clair. Au début, il ne voulait pas entendre mon refus et il a même parlé de quitter sa femme pour moi.

C'est là que j'ai perdu les pédales, devenant presque hystérique, en plein milieu du café bondé. Je lui ai dit qu'il ne pouvait pas faire ça, que notre histoire ne mènerait nulle part, que j'étais bien trop jeune pour m'attacher et qu'il était beaucoup trop vieux pour moi. Tout ça sur un ton paniqué, attirant les regards inquiets des clients du commerce. D'accord, j'en ai mis un peu, question de l'effrayer pour de bon, mais j'ai obtenu ce que je voulais : la paix.

Tout en empruntant le petit chemin du lac Tremblant, je retourne à ma conversation avec Clémence.

— Comment elle va, Marie-Pier ?

— Pas si pire.

— Pas plus que ça ? Qu'est-ce qu'elle a ?

— C'est que… euh… elle… euh…

— Ben quoi ?

— Elle a appris que ses parents…

— Quoi, ses parents ?

— Ils se séparent.

— Non ! Non ! Non ! C'est pas vrai ! C'est lui ?

— Ouais. Pis sa mère le prend pas du tout. Elle est en pleine dépression.

— Pour de vrai ? Et Marie ?

— Elle est très inquiète pour sa mère. Ç'a l'air que c'est sérieux, cette fois-ci.

Ce n'est pas la première fois qu'Alice Lamontagne dit souffrir de dépression. Depuis toujours, elle a habitué sa famille à ses humeurs en montagnes russes. Marie-Pier m'a déjà avoué qu'elle soupçonnait sa mère d'exagérer un brin son mal de vivre pour se rendre intéressante. Mais là, si c'est une vraie dépression…

Je poursuis ma route en silence quelques instants. Un sentiment de culpabilité gros comme la Terre m'envahit de plus en plus, et les larmes me montent aux yeux.

— C'est ma faute, tout ça. Elle va m'en vouloir toute sa vie.

— Juliette, écoute-moi bien. T'as rien promis à son père, t'es pas responsable de leur séparation.

— Pourquoi il la laisse, d'abord, si c'est pas à cause de moi ?

— C'est clair que c'était fini depuis longtemps. Il l'aurait quittée un jour ou l'autre de toute façon.

— Tu crois ? dis-je en essuyant une larme sur ma joue.

— J'en suis certaine... Et puis Marie va finir par te pardonner, tu vas voir.

— J'espère, Clem, j'espère.

Je raccroche et je roule encore un peu, avant de m'immobiliser devant l'entrée de la propriété de Mikaël Duval. Une immense clôture en fer forgé se dresse devant moi. Je sors de ma voiture dans le but d'aller m'annoncer à l'interphone, mais je décide de m'accorder quelques minutes pour reprendre mes esprits.

Je fais les cent pas devant mon auto pour chasser mes idées noires et me concentrer sur le travail qui m'attend, mais je suis encore sous le choc de la nouvelle. Si je m'écoutais, je laisserais libre cours à toute la peine que j'éprouve en ce moment, mais je me dois d'être forte. Oui, je me sens coupable, mais ce n'est pas uniquement ma faute, tout ça ! J'en veux aussi à David. Qu'est-ce qui lui a pris, tout à coup, de quitter sa femme ? Il sait très bien qu'il me place dans une situation intenable. Je marche de plus en plus vite et je me mets à frapper des cailloux avec mes pieds, en marmonnant des insultes envers David. « Manipulateur... égocentrique comme tous les hommes... vieux crisse de bonhomme... doit bander mou une fois sur deux. »

De petites roches heurtent le pare-chocs de ma voiture et la clôture de la résidence de l'humoriste. Mes Converse bleu pâle sont salies par la poussière que je soulève. Soudainement, une voix sortie de nulle part me fait sursauter.

— On peut savoir ce que vous faites ?

Je me tourne, je lève la tête et j'aperçois une caméra et un écran, sur lequel la productrice du Festival Juste pour rire, Louise Lauzon, et Mikaël Duval me dévisagent avec stupéfaction. *Oh my God!* Ils me regardent depuis combien de temps, eux?

— Vous êtes qui? ajoute la productrice.

— Euh... Juliette Gagnon. C'est le Studio 54 qui m'envoie.

— Vous êtes la photographe? s'étonne-t-elle sur un ton méprisant.

— Oui, oui. Désolée, j'avais besoin de décompresser.

Honteuse, je baisse les yeux au sol, préférant clore le sujet. Puis la voix grave de l'humoriste, légèrement moqueuse, brise le silence.

— En tout cas, je sais pas de qui tu parlais, mais j'aimerais pas ça être à sa place. Méchant caractère!

Le voilà qui éclate de rire, avant d'activer le système électronique qui ouvre la clôture. Et c'est en me traitant de tous les noms que je m'engouffre dans le domaine du célèbre comique.

*

— Veux-tu un *wetsuit*? me demande Mikaël, vêtu lui-même d'une combinaison sans manches qui s'arrête à mi-cuisse.

— Un *wetsuit*? Pour quoi faire?

— Au cas où tu tomberais à l'eau. On est juste à la mi-juin, elle est vraiment pas chaude.

— Pourquoi je tomberais à l'eau? Le bateau est pas stable?

— Ouais, ouais. C'est juste préventif.

Je regarde la combinaison noire et grise qu'il me tend et je la refuse d'un geste de la main. Je veux être libre de mes mouvements et non emprisonnée dans ce truc.

— Comme tu veux. Je t'aurai prévenue.

Nous en sommes aux derniers préparatifs de notre expédition et j'essaie de me focaliser sur le réglage de mon appareil photo. Mais ce n'est pas chose facile, je l'avoue. Mikaël Duval me déconcentre. Complètement.

Je connais l'humoriste de trente-deux ans pour l'avoir vu à la télé à quelques reprises, mais je ne l'avais jamais encore rencontré. Je le savais *cute* et charismatique, mais j'ignorais qu'il exerçait un si puissant magnétisme. Et ce n'est pas parce qu'il me fait rire. Depuis que je lui ai serré la main, Mikaël n'a pas, comme je m'y attendais, lancé des tonnes de blagues à la ronde.

Certes, il y en a eu quelques-unes, mais c'est surtout son incroyable charme qui m'attire comme un aimant. À commencer par son sourire d'un million de dollars et l'étincelle de plaisir que je vois briller au fond de ses yeux d'un brun immensément profond, presque noir. Ce gars-là est amoureux de la vie, et ça paraît dans tout son corps.

— Allez, on se dépêche! On est pas en avance sur notre horaire, nous rappelle la productrice.

C'est vrai que nous avons une journée plutôt chargée. Tout d'abord, les photos de Mikaël en surf. Ensuite, une deuxième mise en scène avec lui, mais cette fois sur la terre ferme. Et puis, après le lunch, une dizaine d'autres humoristes se joindront à nous pour des photos individuelles et de groupe. Méchante liste! Respire par le nez, Juliette. Une image à la fois, point final.

Assise par terre, je vérifie mon équipement pour une quatrième et inutile fois quand Mikaël se pointe à nouveau devant moi. Il a revêtu un t-shirt rouge du festival ainsi qu'un short noir par-dessus son *wetsuit* et me demande si son habillement convient. Je l'examine un court instant, essayant de cacher le trouble que je ressens à la vue de ses bras athlétiques et de ses mollets musclés et peu poilus. Je serais curieuse de voir son *chest*, je suis convaincu qu'il est bien ferme et entièrement lisse. Tout comme j'aime.

— T'es parfait!

— Parfait, hein? Je vais m'en souvenir, on me dit pas ça souvent.

Intimidée, je repose les yeux sur mon appareil, faisant mine de m'atteler à une tâche de la plus haute importance, alors que mon matériel est maintenant fin prêt. C'est avec un grand soulagement que j'entends Mikaël s'éloigner vers sa productrice, qui l'interpelle.

— Quel gilet de sauvetage tu veux ?

Quand Louise Lauzon prononce ces paroles, je réalise que la question de l'habillement n'a finalement aucune importance. Mon sujet sera camouflé sous une affreuse veste de flottaison orange ou jaune. Pas très attrayant, tout ça, mais bon, faut être en sécurité, non ?

Je jette un coup d'œil à Mikaël, qui me sourit, l'air de dire : « Oups, on avait oublié ça ! » Je lui rends son sourire complice.

— On va demander à Juliette lequel elle préfère, répond l'humoriste à sa productrice, en ne me quittant pas du regard.

Je me lève pour aller les examiner et, honnêtement, je n'ai envie de voir ni l'un ni l'autre sur Mikaël. Ce sont de vieux modèles qu'on croirait gonflés à l'hélium.

— Vous n'avez rien de plus…

Fais attention à tes mots, Juliette. Pas de gaffe ici.

— De plus quoi ? me demande Louise.

— De moins…

— De moins quoi ? me lance Mikaël, un soupçon de taquinerie dans la voix.

— De moins gros. De plus ajusté. De plus… sexy !

— Plus sexy ? J'ai juste à pas en porter.

— Pas question, intervient la productrice. On va se faire taper sur les doigts par la sécurité nautique.

— Ben là, j'en ai pas d'autres. Va falloir prendre ça. Le jaune ou l'orange, Juliette ?

Découragée, j'essaie de me décider en songeant que Mikaël n'est pas très prudent de garder seulement deux vestes de sauvetage chez lui. J'imagine les *partys* bien arrosés qu'il doit organiser et les accidents nautiques qui pourraient s'ensuivre…

— Bon, tu choisis, s'il te plaît ?

Louise a beau me ramener à l'ordre, je n'arrive pas à trancher. Non, non, pas d'indécision chronique aujourd'hui. Ce n'est pas le temps. Je lève les yeux dans le but d'en indiquer une au hasard quand j'aperçois le conducteur du bateau s'asseoir derrière le volant, vêtu d'une jolie veste noire et rouge, parfaitement ajustée.

— Celui-là, dis-je en montrant du doigt le gilet du chauffeur.

Impressionné, Mikaël lève le pouce dans ma direction.

— *You rock, girl !*

*

— Va moins vite !

À genoux sur la banquette arrière du bateau qui file à toute vitesse sur l'eau, j'en arrache. Vraiment. Je suis totalement incapable de prendre des photos dignes de ce nom. Et ce n'est pas parce que Mikaël ne donne pas un bon *show*. Au contraire.

Debout sur sa planche de surf, il glisse sur les vagues avec une solide énergie et l'aisance d'un professionnel. Il traverse de gauche à droite, en rebondissant dans les airs… et en me souriant. À l'opposé de moi, il est en parfait contrôle de la situation.

Le conducteur du bateau m'obéit et ralentit un peu. Pas assez toutefois pour me permettre d'obtenir la stabilité voulue. De plus, des millions de gouttes d'eau sont projetées dans ma lentille. Bon, j'exagère, mais elles sont assez nombreuses pour me rendre le travail plus difficile.

J'essaie encore quelques minutes et j'en viens à la conclusion que je n'y arriverai pas dans cette position. Il va me falloir le photographier à partir de la terre ferme, ce que je redoute depuis le début. Ce n'est pas du tout le look que je veux donner à la campagne de promotion, mais je n'ai pas le choix. À moins que…

Et si je me mettais debout, complètement à l'arrière du bateau? Là, j'y parviendrais peut-être.

Je grimpe sur le siège, écartant de mes pensées le danger auquel je m'expose: celui de tomber à l'eau et surtout… d'entraîner avec moi mon précieux appareil photo. Pour plus de sécurité, j'enlève la courroie qui le retient à mon cou. Me retrouver dans l'eau ne me fait pas peur, je suis une excellente nageuse, mais pas question d'endommager mon matériel neuf.

J'enjambe le dossier de mon siège et je m'installe sur la petite plateforme, tout juste à côté du moteur. Je vacille quelques instants, mais, rapidement, je tiens en équilibre en écartant bien les jambes, dans une position inspirée de celle du guerrier. Merci, maman, de m'avoir obligée à suivre des séances de yoga. Très pratique, parfois, dans mon métier beaucoup plus physique qu'il ne paraît. La souplesse que j'y ai acquise est un atout précieux.

Mikaël agite un bras dans les airs, m'indiquant de retourner à ma place. Je lève le pouce pour lui montrer que tout va bien. Peut-être est-il inquiet parce que je n'ai pas enfilé de veste de sauvetage? Mais il doit comprendre que je n'aurais jamais pu me mouvoir avec pareil attirail sur le dos!

Maintenant que je suis presque à la même hauteur que lui, je dispose d'un bien meilleur angle pour le photographier. Et fini les gouttes d'eau dans la lentille. Yé! Je me dépêche de prendre quelques photos, consciente que je ne suis pas très solide. Et ça fonctionne à merveille. J'obtiens exactement ce que je voulais. De l'action, de l'adrénaline et le magnifique sourire de mon sujet, sans qu'il soit en contre-plongée.

Je lui indique de traverser vers la gauche, ce qu'il fait avec autant de vigueur qu'au début de l'activité. Se fatigue pas vite, monsieur l'humoriste…

Je le suis avec ma lentille, captant des images dont, je pense, je serai assez fière. Quelques dernières prises et le compte sera bon. Je jubile intérieurement, contente de m'être hissée sur la plateforme qui, somme toute, m'offre plus de stabilité que je le croyais.

Satisfaite de mon travail, je m'apprête à retourner à ma place quand le bateau effectue un virage prononcé pour éviter une autre embarcation qui avance à pleins gaz. Tout à coup, je suis complètement déstabilisée et je chancelle. Vite, mon appareil photo ! D'un mouvement sec, je le lance dans le fond de l'embarcation, tout juste avant d'être projetée à l'eau, dans les vagues qui sentent l'essence.

L'eau froide me saisit, et je reste figée quelques secondes. Je reprends mes esprits et je me donne un élan pour rejoindre la surface quand soudainement un objet heurte mon épaule. Le choc est si violent que je perds le contrôle et je m'enfonce dans les profondeurs du lac. Mes yeux se ferment et je ne vois plus que du noir.

7

STATUT FB DE JULIETTE GAGNON

Il y a 12 minutes, près de Mont-Tremblant

J'haïs ça pouvoir rien faire. Besoin de bouger ! ☹

Où suis-je ? Quelles sont ces voix que j'entends ? Je suis confuse. Je peine pour ouvrir les yeux. J'ai aussi un épouvantable mal de tête, une douleur à l'épaule et la nausée.

Autour de moi, on s'affaire, et j'aimerais bien comprendre pourquoi. Que s'est-il passé ? Je fouille dans ma mémoire, puis des bribes de souvenirs me reviennent. Le bateau... Mikaël... Les photos, puis la chute à l'eau. Et ce terrible coup à l'épaule.

Je finis par ouvrir les yeux pour constater que je suis étendue sur une chaise longue, la tête sur un oreiller et emmitouflée comme une momie dans une couverture. Je sens mes vêtements mouillés qui me collent à la peau. Ma vision est un peu trouble et je distingue mal les visages qui m'entourent.

— … liette… va?… tu… recte?

Hein? Qu'est-ce que dit cette femme? Mes oreilles bourdonnent et je n'entends pas bien.

— On… bulance… mener… pital.

Quoi? L'hôpital? Pas question! J'ai une peur bleue des hôpitaux depuis que je suis petite. Je suis incapable d'y mettre les pieds. Totalement. C'est une phobie que j'ai essayé de contrôler par tous les moyens, mais qui finit toujours par prendre le dessus. Je ne VEUX PAS aller à l'hôpital, il faut que je leur dise!

Ma vision s'améliore et mes pensées deviennent plus claires. Je reconnais Louise et Mikaël, debout non loin. Ils ont l'air terriblement inquiet et ne cessent de me parler.

— Juliette, on est quel jour? me demande Louise.

— C'est quoi, ton nom de famille? ajoute Mikaël.

Bon, je les entends mieux. Mais voilà deux questions idiotes. Je ne vois pas pourquoi je leur répondrais. Je me concentre plutôt pour trouver la force nécessaire pour faire passer mon message.

— Veux pas aller à l'hôpital.

— Bon, elle parle, au moins. Juliette, réponds à nos questions. On est quel jour? répète Louise.

— Jeudi.

— Ton nom de famille, ton âge? insiste l'humoriste.

— Gagnon. Vingt-six ans. Pas d'hôpital.

— Fiou, elle n'est pas amnésique, lance Louise, soulagée.

« Arrêtez de parler de moi comme si je n'étais pas là et écoutez-moi », ai-je envie de leur crier par la tête.

— Pas d'hôpital. Jamais.

Mikaël s'approche doucement et s'agenouille à mes côtés.

— Juliette, t'as probablement une commotion cérébrale. Faut que t'ailles à l'hôpital.

— NON! dis-je plus férocement.

Ma tête veut éclater, mais il n'est pas question que je les laisse faire.

— L'ambulance va arriver d'une minute à l'autre.

Cette nouvelle information me fait réagir au quart de tour. Ma peur irraisonnée me donne l'énergie nécessaire pour les convaincre que je n'ai pas besoin de soins médicaux. Et puis c'est vrai que ma condition s'améliore de seconde en seconde. Je n'ai presque plus la nausée.

Malgré la douleur à mon épaule, je dégage mon bras droit de la couverture et j'empoigne Mikaël par le t-shirt pour l'attirer vers moi.

— Tu comprends pas. Je vais PAS à l'hôpital.

— Bon, c'est quoi, ces folies-là ? intervient la productrice pendant que Mikaël retire délicatement ma main de son chandail.

— Euh… Je pense qu'elle est sérieuse.

— Très sérieuse. Annule l'ambulance.

— Ç'a pas de bon sens. Faut que tu voies un médecin, s'inquiète Mikaël.

— Je suis correcte. Ça va mieux, là.

— T'es certaine ?

— Je te dis que oui.

L'humoriste s'éloigne pour discuter avec sa productrice. Je le vois ensuite faire un appel sur son cellulaire. Soulagée, je ferme les yeux et j'essaie de récupérer. Ils reviennent vers moi quelques instants plus tard, pour m'annoncer qu'un ami médecin, qui habite au bord du lac, s'en vient m'examiner. C'est lui qui décidera si je dois aller à l'hôpital ou non.

*

— Avec le coup que t'as reçu à l'épaule, c'est vraiment étonnant que t'aies pas plus de blessures. T'es faite forte, ma belle.

L'ami médecin de Mikaël semble impressionné par mon état. Il vient de terminer son examen et de décréter que je n'avais pas besoin de me rendre à l'hôpital. Yahou ! Je suis sauvée… Enfin presque.

— Par contre, poursuit-il, t'as quand même une légère commotion cérébrale. Et ça, c'est à surveiller dans les prochaines heures.

— OK, pas de problème. Si je me sens mal, je vais le dire.

— Ton état peut se dégrader. Des complications peuvent survenir n'importe quand.

Pendant qu'il me dresse la liste des symptômes postcommotion, je songe que nous avons perdu beaucoup de temps avec cette histoire. Je devrai être d'une efficacité redoutable si je veux remplir mon mandat d'aujourd'hui.

Heureusement, je me sens vraiment mieux. J'ai presque retrouvé toute mon énergie et je n'ai plus qu'un fond de mal de tête, qui ressemble plus à un *hangover* qu'à autre chose. J'ai juste hâte d'enfiler des vêtements secs, même si je ne sais pas trop où je vais en dénicher…

— Finalement, c'est le repos complet pour les vingt-quatre prochaines heures. Au moins.

— Hein ? Ben non, j'ai des photos à faire, moi.

— Oublie ça. Et interdiction formelle de prendre la route avant demain soir.

— Quoi ? Impossible ! Ma *boss* va me tuer.

La productrice s'avance vers la chaise longue où je suis installée.

— Juliette, on a prévenu Danicka. Elle nous envoie un autre photographe cet après-midi.

J'éprouve un vif sentiment d'échec. Quelle sorte de professionnelle suis-je donc pour me mettre dans pareille situation et faire passer le Studio 54 pour un gang d'incompétents ? Mme Malenfant me le répète constamment : « Ton image, c'est celle de mon entreprise, elle doit être parfaite. » Elle va tellement être en furie.

— M'excuse, Louise.

— Fais-toi-z'en pas avec ça.

— Je savais que je pouvais tomber à l'eau et ça me dérangeait pas trop, vu que je suis une bonne nageuse. Mais je pensais jamais que je pouvais frapper quelque chose. C'est bizarre, hein ?

— Euh… Oui, on peut dire.

La productrice semble mal à l'aise tout à coup et elle s'empresse de raccompagner le médecin à sa voiture. Une fois seule, j'angoisse à l'idée de passer les vingt-quatre prochaines heures je ne sais trop où, à rester allongée sans pouvoir rien faire. Peut-être que Louise pourrait me trouver un motel pas trop loin ?

Mais ce qui me terrifie encore plus, c'est la réaction de ma patronne. Déjà qu'elle était exaspérée à cause du contrat des mariés quétaines… Je crains maintenant qu'elle en ait vraiment ras le bol et qu'elle me congédie.

— Faut pas, faut pas, faut pas ! dis-je tout haut.

Déterminée à lui expliquer mon comportement légèrement téméraire – après tout, j'ai fait ça pour avoir les meilleures photos –, je me lève pour aller l'appeler.

Ce faisant, j'éprouve un léger étourdissement et je vacille quelques secondes. Ah non ! Je me croyais pourtant guérie. Un bras empoigne le mien solidement, et Mikaël, que je n'avais pas vu arriver près de moi, m'oblige à me rasseoir.

— T'es pas raisonnable, Juliette.

— C'est juste un étourdissement. Ça va aller. Faut que j'appelle quelqu'un. Tu veux aller me chercher mon téléphone, s'il te plaît ?

— Ça peut pas attendre ?

— Non. Sinon je vais perdre ma job.

— T'exagères pas un peu ?

— Ça paraît que tu connais pas ma *boss*.

Mikaël semble réfléchir quelques instants, puis son regard s'illumine.

— Tu sais quoi ? On va lui dire que c'est moi qui t'ai demandé de te tenir debout sur le bateau. Comme ça, elle pourra pas t'en vouloir.

— Ben là, je veux pas te mettre dans le trouble.

— Pas de danger.

À l'idée de faire porter le chapeau à quelqu'un d'autre, je sens mes angoisses s'apaiser d'un coup.

— Wow... C'est trop *nice*, ça ! Merci !

— De toute façon, je te dois bien ça.

— Hein ? Ben non. Tu me dois rien pantoute.

— C'est ma faute... C'est moi qui t'ai frappée avec le bout de ma planche.

— Pour vrai ?

— Hum, hum. J'ai essayé de t'éviter, mais j'ai pas été capable. Je suis vraiment désolé, Juliette.

— Pas grave.

— Une chance que t'es correcte, je m'en serais voulu toute ma vie.

Je suis touchée par les paroles de l'humoriste et, surtout, par sa sincérité. Il semble tout penaud et j'ai un élan de sympathie pour lui. D'autant plus que ça le rend encore plus mignon.

Je le rassure en lui disant que je ne le tiens pas responsable une seconde. Un accident, c'est un accident.

— Maintenant, faut juste que je m'organise. Tu connais un motel pas loin ?

— Un motel ? Pourquoi ? me demande Mikaël, un peu déconcerté.

— Parce que je peux RIEN faire pendant vingt-quatre heures. Fais chier !

Mikaël me dévisage d'un air amusé.

— T'es une fille intense, toi, hein ?

Je ne sais pas trop s'il s'agit d'un compliment ou non. Immédiatement, je me mets en mode défensif.

— J'aime juste pas ça, pas pouvoir bouger. Je vois pas ce qu'il y a de mal à ça.

— Ben là, t'as pas le choix. Fait que lève-toi doucement et appuie-toi sur mon bras.

— Pour aller où ?

— Dans la chambre que je t'ai préparée. Tu vas voir, elle est géniale, avec sa terrasse qui donne sur le lac.

*

Depuis le balcon en effet très chouette, le coucher de soleil sur le lac Tremblant est spectaculaire. Une tisane à la main, je l'observe en rêvant de le photographier. Je me sens plus calme maintenant que j'ai passé l'après-midi et une partie de la soirée à paresser dans l'adorable chambre du chalet de Mikaël.

Avec ses teintes lilas, ses bouquets de lavande séchée et ses accessoires blancs, c'est clair que cette pièce-là a été décorée par une fille. D'ailleurs, mon hôte m'a même prêté des vêtements féminins pour remplacer les miens, trempés. J'ai aussi eu droit à des serviettes roses, un savon à la lavande et un shampoing pour cheveux colorés. Ça m'a drôlement rassurée de savoir que Mikaël n'est pas célibataire.

Je dois avouer que j'ai un faible pour le bel artiste. Surtout depuis que j'ai découvert à quel point il était humain. Sous ses airs de vedette et de gars sûr de lui se cache un être sensible qui semble vraiment se préoccuper des autres. Mais comme je me fais un devoir de ne jamais succomber aux charmes de mes clients, l'idée qu'il a une blonde m'arrange.

Je suis heureuse aussi de ne pas l'avoir vu depuis que je suis montée ici. C'est Louise qui s'est occupée de moi et qui m'a apporté une délicieuse assiette de crevettes à la noix de coco un peu plus tôt.

Elle m'a informée que le reste du *shooting* s'est très bien déroulé avec mon collègue. Les photos du groupe d'humoristes sont splendides, m'a-t-elle dit. En ajoutant, encore une fois, qu'elle était très satisfaite de celles que j'ai prises sur le bateau.

Nous avons en effet récupéré mon appareil en parfait état et j'ai pu évaluer mon travail. Honnêtement, je suis vraiment contente de mes photos et je me donne une note de neuf sur dix. Au moins, ma témérité aura servi à quelque chose.

Louise m'a aussi prévenue que Mikaël avait invité ses amis humoristes à souper ici, mais qu'ils promettaient de ne pas être trop bruyants.

Promesse qu'ils ont oubliée, comme en témoignent les éclats de rire et la musique rock que j'entends au rez-de-chaussée. Mais ça ne me dérange pas. En fait, si je m'écoutais, je les aurais rejoints depuis longtemps, mais mieux vaut respecter les consignes du médecin.

Un frisson me parcourt et je remonte la fermeture éclair du chandail en laine polaire rose que j'ai trouvé sur le lit, bien plié, avec un t-shirt gris, un pantalon de yoga de la même couleur et des bas blancs ornés de trèfles noirs. Le tout compose un joli ensemble, tout à fait à ma taille.

Je me demande qui elle est, cette inconnue des médias. Contrairement à bien d'autres vedettes, Mikaël n'étale pas sa vie privée dans les journaux et sur les médias sociaux.

— Juliette, ça va?

Je sursaute en entendant Mikaël, que je n'avais pas vu arriver. Je me retourne et je l'aperçois, une assiette à la main.

— Excuse-moi, j'ai cogné et comme tu répondais pas…

— Oui, oui, tout va bien.

— Tiens, j'ai pensé que t'aimerais ça, un p'tit dessert.

Mikaël me tend un morceau de gâteau au chocolat, coiffé d'une montagne de crème fouettée et nappé de sauce au caramel. *Oh. My. God.* Je m'en empare aussitôt et je porte le plus gros morceau possible à ma bouche.

— Ça s'appelle le *Better than sex.*

Je roule des yeux de plaisir tellement c'est exquis. En plein ce dont j'avais besoin pour oublier cette journée de merde! Mikaël m'observe en silence, avec un air comblé. Comme si mon plaisir le remplissait de satisfaction. Je me sens tout à coup gênée, mais je ne peux m'empêcher d'engloutir une deuxième bouchée. Ce qui fait éclater de rire mon hôte.

— Alors t'es d'accord ? demande-t-il.

— D'accord sur quoi ?

— D'accord que c'est meilleur que le sexe ?

— Je sais pas trop, hein ?

Je joue l'intrigante en faisant semblant de réfléchir, alors que je connais très bien la réponse. Mais vais-je lui dire la vérité ? Je lui relance plutôt la question.

— Toi, qu'est-ce que t'en penses ?

— Aucune idée. J'y ai pas goûté encore.

Est-ce que c'est la solitude et l'ennui des dernières heures qui font que j'ai envie que Mikaël reste un peu ? Quoi qu'il en soit, je décide de partager ma douceur avec lui. Ce qui constitue un véritable sacrifice.

Je lui tends une cuillère pleine de gâteau dégoulinant de caramel et je l'approche de sa bouche, qu'il ouvre grand. Il mange lentement, tout en se livrant à différentes mimiques, comme je l'ai déjà vu faire à la télé. J'éclate de rire.

— Pouahhhh !

Il m'arrache l'assiette des mains et prend une seconde bouchée.

— Eille ! Wô ! C'est assez. Redonne-moi mon gâteau !

Mikaël me fait signe que non et pousse l'audace jusqu'à cacher le dessert dans son dos. Je me précipite sur lui pour tenter de récupérer le bien convoité. De ma main droite, je lui encercle la taille et j'essaie d'attraper l'assiette qu'il ne cesse de bouger.

— Ah ! *Come on !*

J'ai l'impression d'agir comme une fillette de six ans, mais on s'en fout ! Tout ça est bien trop enivrant pour arrêter. Soudain, Mikaël n'est plus mon client, ni le chum d'une femme qui porte des vêtements de yoga, ni un humoriste populaire dont des tas de filles sont secrètement amoureuses. Il est simplement un gars hyper sexy qui joue avec mes hormones.

Je réussis finalement à saisir l'assiette, mais Mikaël résiste. Nous nous chamaillons un instant, nos corps presque collés l'un contre l'autre, et mon désir pour lui redouble. Son visage est si près du mien que son souffle me chatouille le cou. Je découvre son parfum aux odeurs viriles de cuir et de bois, ce qui me fait presque perdre pied.

Je me rapproche encore plus du bel humoriste et je tire vigoureusement sur l'assiette qu'il cache toujours dans son dos. Mon pouce s'enfonce dans le moelleux gâteau au chocolat et je lâche prise. Je porte mon doigt à ma bouche, quand Mikaël me saisit le poignet bien fermement. Il me regarde intensément dans les yeux avant de mettre mon doigt entre ses lèvres et de le lécher sensuellement.

Une décharge électrique me traverse tout le corps et je n'ai plus qu'une seule envie. Qu'il me prenne. Ici. Maintenant. Tout de suite.

Sans un mot, Mikaël dépose le dessert sur une table. Il encercle ma taille de ses deux mains et m'embrasse dans le cou, tout en m'entraînant dans la chambre et en me poussant doucement vers le lit douillet.

— Eille, le gros ! T'es où ?

La voix d'un des amis de Mikaël, qui nous parvient depuis le couloir, nous fait sursauter tous les deux. Et me donne l'occasion de reprendre mes esprits. Mikaël sort de la pièce pour parler à son copain, d'un ton agacé.

— *Quessé* tu veux ?

— On s'allume un *bat*, tu viens ?

— Plus tard. Je vais aller vous rejoindre, ce sera pas long.

Sans plus d'explications, il ferme la porte de la chambre et revient vers moi. Mais j'ai des petites nouvelles pour toi, *le gros*. Moi, j'ai complètement déchanté. Surtout quand je t'ai entendu dire : « Ce sera pas long. »

— On va oublier ça, Mikaël, OK ?

— Pourquoi ?

— Je suis pas une de tes groupies que tu baises en cinq minutes pour la laisser tomber après !

Contre toute attente, Mikaël éclate de rire. Ce qui me met encore plus en furie.

— Pis en plus, t'as une blonde !

Là, j'imagine qu'il va me dire qu'il n'est pas vraiment en couple, qu'il n'est pas amoureux, que c'est presque fini avec elle... Le blabla traditionnel du gars qui veut s'envoyer en l'air. Mais il va frapper un nœud.

— Qu'est-ce que ça change ? Je te demande pas en mariage. J'ai envie de te faire l'amour.

La réponse de Mikaël me laisse sans voix. Je ne m'attendais pas à une telle franchise.

— Parce que je te trouve *hot*, ajoute-t-il. Parce que tu m'as allumé tantôt sur le bateau. T'es tellement sexy quand tu prends des photos.

On m'a souvent complimentée pour mon travail, mais c'est la première fois qu'on me dit que je le fais de façon sexy... Flatteur. Je savoure et je le laisse poursuivre.

— Et je sais parfaitement bien que t'es pas une groupie. Elles, j'en ai rien à foutre.

Je sens toute ma détermination me quitter peu à peu. Surtout que Mikaël ne cesse de se rapprocher en me dévorant des yeux. Encore légèrement sur mes gardes, je recule de quelques pas, jusqu'à ce que je me retrouve adossée au mur. Au moment où il met sa main dans le creux de mes reins, je sais que je vais flancher et je me fous complètement qu'il ne soit pas libre.

8

STATUT FB DE **JULIETTE GAGNON**

À l'instant, près de Mont-Tremblant

J'aimerais teeeellement ça pouvoir vous dire avec qui j'ai passé la nuit. OMFG !!!!

— Ç'a été une des plus belles nuits de ma vie. Il est trop fin !

Au bout du fil, Clémence reste silencieuse. Toujours couchée dans le lit de la chambre d'amis, je viens de lui raconter en détail ce qui s'est passé au cours des dernières heures.

Après une première baise intense, Mikaël est retourné auprès de ses invités en me jurant de revenir plus tard. Ce qu'il a fait au milieu de la nuit, pour me réveiller en me caressant la nuque, puis le dos et les fesses. Nous avons fait l'amour jusqu'à épuisement, puis nous nous sommes endormis dans les bras l'un de l'autre.

Ce matin, j'ai dû me contenter de quelques baisers, puisque ses amis, qui ont dormi ici, le réclamaient pour qu'il honore sa promesse de préparer des crêpes aux bleuets. Il doit aussi m'en monter une assiette très bientôt.

— Clem ? T'es encore là ?

— Oui, oui.

— T'es pas contente pour moi ?

Mon amie pousse un long soupir, avant de me répondre de sa voix douce.

— Tu sais qu'il a une blonde, hein ?

— Ben oui, il me l'a dit.

— Et tu sais c'est qui ?

— Euh... Non.

— Tu sais pas c'est qui ? Voyons, Juliette ! Comment ça, tu sais pas c'est qui ?

L'étonnement mais surtout l'angoisse que je dénote dans la voix de Clémence me font craindre le pire.

— Tu me fais paniquer, là. C'est qui ?

— Elle te l'a pas dit ?

— Qui ça, elle ?

— Ta *boss* !

— Hein ? Qu'est-ce que ma *boss* a à voir là-dedans ?

— Juliette, je peux pas croire... Mikaël Duval, il sort avec Annabelle Malenfant.

En entendant cette information, je cesse de respirer. Annabelle Malenfant... La populaire animatrice de l'émission du matin à laquelle collabore Clémence. Annabelle Malenfant... La fille de Danicka Malenfant, ma patronne. *Fuck !*

— *WHAT ?* T'es pas sérieuse ?

— Ben oui. J'étais certaine que Mme Malenfant t'avait informée de ça.

— Je comprends pas pantoute pourquoi elle me l'a pas dit !

Ce que je comprends mieux, par contre, ce sont les paroles qu'elle a prononcées avant que je quitte le studio hier : « Je mise beaucoup sur ce contrat-là. Il est très important pour moi. Et pas juste pour moi. »

Danicka parlait de sa fille ! Si seulement je l'avais su, je n'aurais jamais couché avec Mikaël, c'est un laissez-passer direct pour le chômage. Rien de moins. Ma patronne a beau me trouver exceptionnellement talentueuse, elle serait incapable de me pardonner pareille trahison. Déjà que je lui tape sur les nerfs...

Bon, pas de panique. Je n'ai qu'à garder cette histoire secrète, et ce n'est certainement pas Mikaël qui fera en sorte qu'elle devienne publique. Lui aussi a intérêt à la fermer. Voilà, c'est tout simple. On oublie cette nuit torride. On passe à autre chose et ça commence maintenant.

Je parle de mon plan de match à Clémence, qui m'implore de le respecter. Irritée, je mets fin à notre conversation, sans avoir besoin de lui demander de ne pas ébruiter l'affaire. Mon amie est d'une discrétion absolue.

Je me lève du lit où j'étais complètement nue pour remettre mes vêtements qui ont enfin séché. J'aurais bien envie d'une douche, mais on repassera. Je dois être partie dans deux minutes.

Tout en enfilant mon *string* blanc en dentelle, j'éprouve une certaine tristesse à l'idée de ne plus revoir Mikaël, intimement. Au cours de la nuit, je me suis surprise à rêver que quelque chose était possible avec lui. Quoi exactement ? Je l'ignore, mais j'ai senti une complicité poindre entre nous deux. Et pas seulement sexuelle. J'ai tout autant apprécié les moments où nous avons fait l'amour que ceux où nous avons parlé de tout et de rien... sauf de sa blonde.

Je devrais lui en vouloir. Après tout, il se doute bien qu'il me place dans une situation hyper difficile. Mais j'en suis incapable, il est trop... Trop tout, en fait. Trop beau, trop fin, trop drôle et beaucoup trop attachant.

J'essaie d'agrafer mon soutien-gorge rose quand la porte de la chambre s'ouvre subitement. Surprise, je laisse échapper mon sous-vêtement au sol. Je mets mes mains en croix sur ma poitrine pour cacher ma nudité et je reste dans cette position pour regarder Mikaël qui vient d'entrer.

— Qu'est-ce que tu fais? me demande-t-il en se dirigeant vers la terrasse pour y déposer le déjeuner qu'il m'apporte.

— Je m'en vais.

— Ben non, Juliette. Pas de route avant ce soir, a dit le médecin.

— M'en vais pareil, dis-je d'un ton froid.

Mikaël revient dans la chambre, les mains vides. Je lui tourne le dos pour revêtir mon t-shirt. Tant pis pour le soutien-gorge.

— Qu'est-ce qui s'est passé depuis quinze minutes? Pourquoi tu veux plus rester?

Il est vrai que je dois être un peu déconcertante. Tantôt, j'étais impatiente de voir ses copains partir pour rester toute la journée seule avec lui, comme il me l'a proposé. Et voilà que je lui annonce mon départ.

— Ce qui s'est passé, c'est que je viens d'apprendre c'est qui, ta blonde.

— Pis après?

Son air désinvolte me fait sortir de mes gonds. Comme si l'identité de l'heureuse élue ne changeait pas les choses. D'un geste, j'attrape mon jeans que je déplie d'un coup sec.

— Comment ça, pis après? C'est la fille de ma *boss*! Tu imagines ce qui va m'arriver si jamais elle l'apprend? *Out*, Juliette Gagnon. Fini, la job!

— Elle le saura pas.

— J'aime mieux pas prendre de risque. Avec tes amis qui sont ici en plus.

— Ils sont pas au courant.

— Non, mais ils doivent s'en douter, par exemple.

Je finis de m'habiller, tout en ramassant le reste de mes affaires, éparpillées un peu partout dans la pièce.

— Ils parleront pas. C'est comme ça, entre gars.

— Tu penses vraiment ça, Mikaël ? T'es ben naïf. Suffit qu'il y en ait un qui *trippe* sur ta blonde pour qu'il lui dise.

— Tu t'en fais pour rien. Je les connais, c'est mes *buddies.* Pis ils savent même pas ton nom.

Je ne l'écoute plus, occupée à m'assurer que j'ai tout récupéré.

— Ben voyons ! Mes clés ? Où est-ce que j'ai mis mes clés ?

Je pars à la recherche de mon trousseau de clés pourtant bien visible avec son gros pendentif en forme de *cupcake* rose. Troublée par la présence de Mikaël et encore secouée par les révélations de Clémence, je sens que je m'affole un peu trop. Allez, Juliette, ce n'est pas le temps de dérailler. Contrôle tes angoisses.

Je m'arrête un instant, face au mur, je ferme les yeux et je prends une grande respiration. Puis une deuxième. Ouf ! Ça va mieux. Je me retourne et j'aperçois Mikaël, tout juste devant moi, un genou par terre et un bouquet de lavande séchée dans les mains.

Il se lance dans son célèbre numéro du « gars désespéré qui fait tout de travers » et je ne peux m'empêcher d'éclater de rire. Il l'écourte un peu, ne récitant que les passages les plus comiques. À la fin, il se lève avec un manque de classe total et me tend maladroitement le bouquet qui s'effrite dans mes mains. Ce qui rend la scène parfaitement loufoque et me fait retrouver ma bonne humeur.

Mikaël joint son rire au mien et me serre dans ses bras. Je me sens maintenant beaucoup plus détendue. C'est fou, le pouvoir de l'humour…

— Va déjeuner, me murmure-t-il à l'oreille. Le temps que je les crisse dehors.

— OK, mais je m'en vais aussitôt après avoir mangé.

— T'es une fille libre, Juliette. Tu fais ce que tu veux.

Sur ces paroles, il glisse ses doigts sous mon t-shirt, me caresse le bas du ventre et remonte jusqu'à la naissance de ma poitrine, s'y attarde un peu pour finalement retirer sa main d'un coup sec. Il me laisse en plan et s'éloigne, un sourire presque diabolique aux lèvres. Il sort de la chambre sans même que j'aie le temps de réagir.

— Maudit manipulateur ! Si tu penses que tu vas m'avoir, dis-je tout haut à la porte qu'il vient de refermer derrière lui.

*

L'horloge de ma voiture indique 18 h 15. Je viens d'arriver à Montréal et je me dirige vers le Studio 54. J'ai finalement cédé au chantage sexuel de Mikaël et j'ai passé la journée avec lui. Une journée extraordinaire, pendant laquelle nous avons flâné au lit, fait un tour de canot et parlé de son métier.

Mikaël m'a donné un avant-goût du monologue qu'il a écrit pour le Festival Juste pour rire, en me le présentant en exclusivité. J'ai été touchée par sa confiance et par le fait que mon opinion semblait vraiment compter pour lui. Surtout qu'il a apporté le petit ajustement que je lui ai suggéré… Malade !

Ça s'est gâché au moment des adieux, lorsque mon bel humoriste a insisté pour qu'on se revoie. Mais cette fois-ci, je n'ai pas flanché et j'ai refusé fermement. Notre histoire n'aura duré que vingt-quatre heures. Point final.

Ça n'a pas été facile. Il a tout essayé pour me convaincre du contraire, me disant qu'il se sentait bien avec moi, que j'étais spéciale, pas comme les autres. Mais j'ai gardé la tête froide.

Avant de partir, je l'ai longuement embrassé, avec une certaine tristesse, mais bien décidée à me tenir le plus loin possible de lui. Je pense d'ailleurs à m'organiser pour ne pas être la photographe attitrée aux galas Juste pour rire qu'il animera.

Je stationne ma voiture en face du studio de photo, heureuse de constater que l'endroit semble désert. Pas trop envie de tomber sur ma patronne, d'autant plus que je n'ai pas annoncé ma venue. Encore une fois. J'introduis ma clé dans la serrure, mais elle n'est pas verrouillée. Ah non! Ne me dites pas que Danicka y est. J'entre en faisant le moins de bruit possible. Peut-être que je peux déposer mon matériel en douce et filer sans qu'elle me voie?

Je marche à pas feutrés jusqu'au petit comptoir que j'utilise pour recharger mon équipement. J'y dépose délicatement mon sac et je l'ouvre avec précaution. Je tends l'oreille. Rien, pas un son. Tout se passe bien, je peux poursuivre.

« *Wazzz uppppp!* »

C'est quoi, cette sonnerie-là? C'est pas à moi! Je m'empresse tout de même de vérifier et, oui, c'est bien mon téléphone qui sonne. C'est Ugo qui m'appelle et je me souviens maintenant que j'ai installé cette sonnerie dernièrement, un soir que je niaisais toute seule à la maison, un peu ivre.

— Juliette! J'espère que c'est pas la sonnerie que tu utilises avec mes clients?

Surgie de nulle part telle une sorcière – du moins, c'est comme ça que je la vois aujourd'hui –, Mme Malenfant m'observe avec exaspération.

— Non, non, vous inquiétez pas.

J'éteins prestement mon appareil et je me concentre sur mon matériel de travail. Je n'ose pas regarder ma patronne, de peur qu'elle découvre mon malaise. Lequel n'est pas attribuable à l'épisode de la sonnerie du téléphone, mais bien au fait qu'il y a deux heures je me trouvais dans les bras de son gendre.

— Comme ça, tu vas mieux? me demande-t-elle.

— Oui, oui, merci. Je suis vraiment désolée.

— Ça va. Mon client m'a appelée pour me dire que c'est lui qui t'avait demandé de faire des photos en équilibre précaire.

— Ouin… C'est ça, oui.

— Je comprends que t'avais pas le choix.

— C'est ce que j'ai pensé aussi.

Oh, que j'ai hâte que cette conversation se termine ! Pourvu qu'elle ne me questionne pas sur mon emploi du temps aujourd'hui. Par précaution, je garde les yeux baissés.

— Et la petite auberge qu'il t'a trouvée, ça allait ?

Une auberge ? Un autre mensonge de Mikaël, je suppose.

— Oui, oui, très bien. Excusez-moi, madame Malenfant, je suis un peu pressée, là.

— Dernière chose, Juliette.

Son ton autoritaire me fait craindre le pire. Et si elle soupçonnait quelque chose ? Mieux vaut relever la tête, je crois. Je me dis qu'elle sait tout, que je suis finie. Son regard est d'une telle froideur que je me fige, appréhendant la suite.

— J'avoue que ça m'arrange pas, mais mon client a insisté. Il dit que t'es la meilleure.

— Euh… Je vous suis pas, là.

— Juliette, tu pars sur la route la semaine prochaine.

— Hein ? Sur la route ? Où ça ?

— Au Saguenay.

— Ah oui ? *Cool !* C'est quoi ? Un mariage ? Un festival ?

— Non. De la scène.

— Encore mieux. C'est un spectacle de qui ?

— De Mikaël Duval.

9

STATUT FB DE **JULIETTE GAGNON**

Il y a une heure, près de Montréal

Help ! Qui a déjà eu une pierre au rein ?
C'est quoi les symptômes ?

— Faut que j'invente quelque chose. Que je me suis cassé une jambe, que j'ai attrapé la tuberculose… N'importe quoi !

— La tuberculose, hein ? Franchement, Juliette, trouve une maladie crédible !

Clémence n'en revient tout simplement pas que j'aie pu mettre les pieds dans le plat à ce point. Je l'ai convoquée d'urgence ce midi dans un petit café près de son bureau, où nous dînons d'un panini italien et d'un *latte* glacé à la noisette.

— Je pourrais lui dire que ma mère est morte.

— Tu sais bien qu'elle va vouloir assister aux funérailles.

— Ouin, t'as raison. Ça marche pas.

J'engloutis mon sandwich à la vitesse de l'éclair, comme je le fais toujours quand je suis angoissée.

— Juliette, calme-toi. Mange moins vite.

— Calme-toi, calme-toi… Facile à dire ! Faut que je trouve une solution pour me sortir de ça !

— Pas évident, je l'avoue.

— En plus, je suis certaine qu'elle se doute de quelque chose.

— Comment ça ?

— J'ai senti qu'elle trouvait bizarre que Mikaël ait insisté autant pour que ce soit moi.

— C'est possible.

— Fait que je suis mieux d'inventer une méchante bonne excuse. Sinon elle va savoir que je veux l'éviter.

— À moins que tu y ailles.

— Que j'y aille ? Youhou ! Ça va pas, la tête ? T'es folle ou quoi ?

Clémence me fusille du regard comme chaque fois qu'elle se sent insultée. Ce que je n'arrive pas à comprendre, d'ailleurs ; c'est clair que je ne pense pas une seconde qu'elle est folle. Mais bon, j'avoue que parfois je me laisse emporter et que j'exagère un brin.

— Excuse-moi, je voulais pas dire ça.

— J'haïs quand tu me parles de même.

— Je sais… Je vais aller te chercher un dessert pour me faire pardonner, OK ?

Je me lève promptement et j'empoigne mon sac à bandoulière rose Adidas, quand Clémence pose sa main sur la mienne.

— Merci, mais j'en veux pas. Mon dessert, c'est le café.

— Je parle d'un *vrai* dessert. Qu'est-ce que tu préfères ? Un scone aux framboises ? Un carré aux Rice Krispies ? Un gâteau aux carottes ? Un chausson aux pommes ? Non, je sais, un biscuit double chocolat. Moi, c'est ce que je vais prendre.

— Lâche le sucré, Juliette, et assieds-toi. Tu m'étourdis.

À contrecœur, j'obéis et j'essaie d'oublier ma rage de sucre en avalant ce qui reste de mon *latte* glacé. J'écoute Clémence me parler de sa proposition que je juge, pour le moment, assez farfelue.

— Et si tu te faisais confiance?

— Qu'est-ce que tu veux dire?

— Tu y vas, tu prends tes photos, tu rentres seule à l'hôtel et tu t'enfermes dans ta chambre.

— Il va me relancer, c'est sûr.

— Tu réponds pas, c'est tout.

Je réfléchis à la suggestion de mon amie, mais je ne suis pas certaine que ce soit la bonne solution. Mikaël exerce un pouvoir d'attraction beaucoup trop fort sur moi. Je sais très bien que je ne dois pas m'en approcher. Même pas avec une perche de dix pieds.

— Je serai jamais capable.

— Il te plaît tant que ça?

— Hum, hum…

— Juju, t'es pas amoureuse, toujours?

— Ben non, voyons! Qu'est-ce que tu dis là?

Clémence soupire de découragement et je sens qu'elle ne me croit pas une miette. Tout comme moi, d'ailleurs.

— Bon, peut-être un peu… Mais ça va passer parce que je le reverrai pas.

Et je dois admettre que, pour l'instant, je suis plutôt furieuse contre lui.

Ce n'est pas parce qu'il est une vedette qu'il peut utiliser les gens à sa guise comme il le fait avec moi! Il se croit vraiment tout permis pour vouloir me traîner en tournée dans le but évident qu'on remette ça, lui et moi. Incapable d'accepter un refus, monsieur l'humoriste. Eh bien, vous allez voir qu'on ne manipule pas Juliette Gagnon comme une marionnette à fils.

— Clémence, je t'annonce officiellement que je vais souffrir le martyre à cause d'une pierre au rein.

Quelques minutes plus tard, nous sortons du café, satisfaites d'avoir trouvé une solution à mon problème. Je suis teeeellement soulagée.

— Merci, Clem. Une chance que t'es là.

— C'est rien, voyons.

Je m'aperçois que, pendant notre heure de lunch, nous avons parlé seulement de ma petite personne. Pas un mot sur le quotidien de Clémence. Ah là là... Quelle mauvaise amie je suis !

— Et toi, comment ça va ?

— Bof.

— Comment ça, bof ?

Avant de me répondre, Clémence regarde autour d'elle pour s'assurer que les gens qui, comme nous, attendent pour traverser la rue n'écoutent pas notre conversation. Connue pour ses chroniques à la télé, elle accorde une attention particulière à l'image qu'elle projette en public.

— J'en ai trop. La job, les flos.

— J'avoue que je sais pas comment tu fais.

— Moi aussi, je me le demande parfois.

— Pis Arnaud, ça avance, ses projets ?

— J'imagine, oui. Mais comme il refuse toujours de me montrer son scénario, comment veux-tu que je le sache vraiment ?

Le feu passe au vert et nous marchons en silence jusque de l'autre côté de la rue. Je me fais violence pour garder mes réflexions pour moi. C'est que le sujet Arnaud est particulièrement sensible entre nous deux. Clémence a vite compris que je n'aimais pas beaucoup son mari. Surtout quand j'ai osé émettre des doutes sur ses qualités de scénariste. Après tout, il *gosse* sur la même histoire depuis des années, sans que ça aboutisse jamais. C'est à se demander s'il existe réellement, ce scénario. En plus, paraît que ça l'empêche d'avoir un vrai travail ! Eille, bonhomme, *get a life* !

Mais comme mon amie n'a pas du tout apprécié que je critique son Arnaud, je n'ai plus jamais passé de commentaire en ce sens. Je n'en pense pas moins. Cet homme-là est un paresseux qui abuse d'elle. Un jour, je devrai vraiment lui ouvrir les yeux.

Bip !

Clémence consulte le texto qu'elle vient de recevoir. Je lui demande qui lui envoie un message.

— Marie-Pier.

À l'idée que Clémence fréquente encore mon amie d'enfance, j'éprouve malgré moi de la jalousie. Je n'en reviens pas d'avoir été écartée du trio, alors que c'est moi qui les ai présentées l'une à l'autre.

— Qu'est-ce qu'elle veut ?

— Aller boire un verre ce soir. Elle écrit : *Need to talk.*

J'ai l'impression qu'on vient de me planter un poignard dans le dos. Avant, c'était moi que Marie-Pier appelait au secours quand ça n'allait pas. Et là, c'est Clémence qui a pris ma place. Trop injuste !

— Et tu vas y aller ?

— Non. Faut que j'attrape le train de cinq heures et vingt. Je vais lui suggérer de remettre ça à demain.

Je pose ma main sur son avant-bras.

— Non, attends…

— Quoi ?

— Donne-lui rendez-vous au Furco. À cinq heures et demie.

— Ben là…

Puis, tout à coup, Clémence comprend et son visage s'illumine.

— C'est pas bête, ça, Juju. T'as des bonnes idées, des fois. Pas souvent, mais…

— Eille, m'as t'en faire !

Pour la forme, je la bouscule tout en riant. Clémence heurte une vieille dame pincée qui nous réprimande en anglais, comme si nous étions deux fillettes tannantes. Ce qui, parfois, n'est pas loin de la réalité.

*

Je joue nerveusement avec mon verre de rosé, en attendant que Marie-Pier se pointe. Je lui ai commandé sa bière blonde préférée et les fleurs de courgette frites qu'elle adore. Je suis en mission séduction et ça me rend aussi anxieuse que si j'avais une *date* avec un gars que je convoite.

Regagner le cœur de mon amie est le but de ma soirée. Et je ne partirai pas d'ici sans avoir réussi. Je mise sur le fait que Marie-Pier a besoin de se confier pour qu'elle accepte, au moins, de s'asseoir avec moi. Au pire, je lui ferai croire que Clémence s'en vient et qu'elle pourra tout lui raconter, à elle. Oui, je profite de sa vulnérabilité, mais c'est pour la bonne cause.

Je guette la porte du resto-bar où elle et moi avons nos habitudes. Du moins, où nous les avions jusqu'à tout récemment. Tout s'est brisé à cause de cette connerie avec son père, pour laquelle je m'en voudrai toute ma vie. Ici, c'est animé, ça parle fort et ça rit aux éclats. En plein ce dont nous avons besoin pour notre discussion. Si elle m'engueule ou si je la supplie, ça va passer inaperçu.

Marie-Pier entre dans l'établissement et j'ai tout un choc. Un peu plus et je ne la reconnaissais pas. Elle est pâle à mourir, ne porte aucun maquillage, ses cheveux, normalement coiffés de façon impeccable, sont hirsutes, et elle aurait bien besoin de rafraîchir sa jolie coupe courte. Et le pire, c'est que son regard n'est plus pétillant et semble complètement éteint. Mon cœur se serre à l'idée qu'elle vit des choses difficiles et que je ne suis même pas là pour l'aider.

Marie-Pier s'avance, cherche Clémence des yeux et tombe sur moi. Son visage exprime tout d'abord la surprise puis se referme. Elle tourne les talons et s'éloigne vers la sortie ! Oh, que ça ne se passera pas comme ça. Ce n'est pas vrai qu'elle ne me donnera pas une chance. Même si c'est une toute petite chance !

Je me précipite vers la porte, renversant au passage mon verre de rosé sur la table. Tant pis ! Je ramasserai les dégâts plus tard.

— Marie ! dis-je assez fort pour qu'elle m'entende. Attends !

Mon amie se fige et je peux finalement la rejoindre. Je la contourne pour lui faire face et la regarder droit dans les yeux.

— S'il te plaît, reste.

— …

— Juste cinq minutes.

— Deux minutes. Pas plus.

Je fais un signe de tête pour manifester mon accord et nous retournons à ma place, où le gentil – et trop *cute* – serveur s'affaire à nettoyer la table.

— Je vais en prendre un autre, s'il vous plaît.

— Moi, une eau minérale.

Je suis heureuse qu'elle commande un verre, ce qui m'incite à croire qu'elle m'accordera plus que les deux minutes prévues. Mais je m'étonne qu'elle ne choisisse pas la bière qui traîne devant elle. Je la montre du doigt.

— C'est pour toi. C'est ta préférée.

Marie-Pier pousse la pinte de bière vers moi et répète sa commande au serveur, qui s'éloigne aussitôt. Bon, possiblement qu'elle veut garder la tête froide pour notre conversation, qui s'annonce plutôt mal, je l'avoue. Mais je ne baisse pas les bras pour autant.

— Comment tu vas, Marie ?

— Ça va.

— Ç'a pas l'air.

Elle change de sujet.

— Qu'est-ce que tu veux ?

— Te parler, te voir… Je m'ennuie, Marie. J'en arrache depuis notre chicane.

— Je, me, moi… Encore et toujours toi, Juliette Gagnon !

— S'cuse. Je m'inquiète pour toi aussi. Qu'est-ce qui se passe ?

Marie-Pier soupire longuement, semble hésiter sur la suite pour finalement me demander si Clémence vient nous rejoindre.

— Non. Elle est partie chez elle.

— Tu joues pas *fair*, Juliette. Je voulais pas te revoir.

— Je sais, mais ça fait presque un mois que ça dure. C'est assez, non?

— As-tu oublié que t'as causé le divorce de mes parents? Pis la dépression de ma mère?

Non, je ne l'ai pas oublié. Comment aurais-je pu le faire avec le sentiment de culpabilité que je ressens depuis? Il me gruge tellement qu'hier soir, quelques minutes avant minuit, j'ai foncé chez mononcle Ugo pour m'épancher. Ugo m'a rassurée, me tenant à peu près le même discours que Clémence. À savoir que l'histoire d'amour entre les parents de mon amie était terminée depuis belle lurette et que je n'ai été que l'élément déclencheur.

« Ça allait arriver, tôt ou tard, crois-en mon expérience. » Ses paroles m'ont réconfortée, mais elles n'ont pas complètement chassé ma culpabilité.

— Je suis tellement désolée, Marie. Ta mère, elle est vraiment en dépression?

Son regard fuyant m'indique qu'Alice Lamontagne, une fois de plus, en met plus que le client en demande. Ce qui me rassure un peu. De toute façon, ce qui me préoccupe à l'heure actuelle, c'est ce qui se passe dans le cœur de Marie-Pier.

Le serveur pose nos verres sur la table, ainsi que l'assiette de tapas que j'ai commandée plus tôt. Je bois en silence, ma copine m'imite et se permet même de croquer dans une fleur de courgette frite. J'y vois un signe encourageant et je me lance.

— Marie, s'il te plaît, dis-moi ce qui va pas.

Elle baisse le regard et fixe ses mains, en jouant avec la petite bague en argent qu'elle porte au majeur gauche depuis des années. J'attends sans dire un mot de plus pour ne pas la brusquer. Quand elle relève la tête, ses yeux sont remplis d'eau.

— Je suis enceinte.

— Quoi?

— Pis il veut que je me fasse avorter.

Je suis dépassée par la révélation. De un, je croyais que, comme moi, elle prenait la pilule. Et de deux, j'ignorais totalement qu'elle avait un copain.

— C'est qui, ton chum ? Je le connais ?

— Oui, tu le connais. Mais c'est pas mon chum.

— Ah ? Un amant ?

Marie-Pier hoche la tête pendant que je scanne le disque dur de ma mémoire. Qui Marie-Pier a eu comme amant ces derniers temps ? Si je m'en souviens bien, c'était plutôt la sécheresse pour elle. À moins qu'elle ne m'ait pas tout dit.

— Je vois pas. C'est qui, le salaud ?

Je ne sais pas de qui je parle, mais j'estime qu'un gars qui demande à une fille de se faire avorter, c'est un salaud. Point à la ligne.

— Ah, que t'es intense.

— Bon, bon, excuse-moi. C'est qui, le pas fin qui veut ça ?

Marie-Pier hésite un instant, puis d'une voix frêle prononce le nom d'un gars dont j'étais certaine de ne plus jamais entendre parler de ma vie.

— Étienne.

— C'est pas vrai !

— Eille, juge-moi pas ! Sinon je m'en vais.

— Non, non, promis… C'est juste que je pensais que tu le voyais plus depuis un bout.

Étienne a été l'entraîneur personnel de Marie-Pier pendant quelques années. C'est lui qui l'a préparée à courir son premier marathon, à Ottawa, à vingt-trois ans, puis qui l'a suivie dans ses autres compétitions. Ils sont devenus amants et elle est tombée amoureuse de lui. Bien que parfaitement libre, Étienne a toujours refusé de former un couple avec elle, préférant lui accorder un peu de son temps ici et là. Marie-Pier a attendu, espéré et beaucoup pleuré. Puis elle en a eu marre. L'année dernière, après le marathon de Montréal, elle a *flushé* Étienne. Autant comme *coach* que comme amant, à mon plus grand soulagement. Je n'en pouvais plus de la voir s'enfoncer dans une relation sans lendemain.

— En fait, répond Marie-Pier, j'ai jamais vraiment cessé de le voir.

— Ah non ?

Ça m'attriste de constater que mon amie m'a caché des choses, mais, en même temps, je ne peux pas lui en vouloir. J'étais d'une intolérance pas croyable avec Étienne, ne lui trouvant aucune qualité, mais tous les défauts de la Terre.

— Non. J'ai essayé avec un autre entraîneur, mais ça marchait pas. Fait que je l'ai rappelé.

Je reste silencieuse, de peur de dire des niaiseries qui pourraient l'effaroucher.

— Puis on a recommencé à coucher ensemble, de temps en temps.

— Et t'es tombée enceinte.

— Ouais, le mois dernier.

— T'avais oublié ta pilule ?

Marie-Pier évite mon regard, boit un peu d'eau minérale, puis, insatisfaite, s'enfile une grande gorgée de bière. Un peu surprise, je n'ose toutefois pas la critiquer, mais elle lit la désapprobation dans mes yeux.

— Qu'est-ce que ça peut ben changer ? Je vais me faire avorter, de toute façon.

— T'es décidée ?

— J'ai-tu le choix ?

— On a toujours le choix, Marie.

— Arrête donc de parler comme une psy !

— OK, j'ai rien dit. En tout cas, t'as pas été chanceuse, je pensais que la pilule, c'était fiable.

— C'est que… je la prenais plus.

— Hein ? Pourquoi ? Ça te causait des problèmes de santé ?

— Non.

— Ah bon. Quoi alors ?

— Je me disais que… euh… qu'avec un bébé Étienne s'engagerait finalement.

Je ferme les yeux un instant, ébranlée par ce que je viens d'apprendre. Marie-Pier prête à avoir un enfant pour vivre avec l'homme qu'elle aime ? *OMG !* C'est trop triste… Et moi, où étais-je pendant ce temps ? À faire des conneries avec son père ! Voilà quelle sorte d'amie je suis. Une égocentrique qui ne pense qu'à elle… Pas fort !

— Marie, si j'avais su. Je suis tellement désolée de pas avoir été là pour toi.

Elle hausse les épaules, comme si tout cela l'indifférait, mais je ne la crois pas. Je sais que je l'ai blessée. En fait, en me comportant comme une gamine en manque d'attention, je l'ai laissée tomber.

— Et je m'excuse vraiment pour ce qui est arrivé avec ton père. Si tu savais…

— Juliette, fais-moi plaisir. Parle-moi plus jamais de ça, OK ?

— Plus jamais, promis.

— Et fais comme moi.

— C'est-à-dire ?

— Agis comme si c'était jamais arrivé.

— OK.

Le silence s'installe entre nous deux et je ne fais rien pour gâcher ce doux moment. Je sens que j'ai regagné le cœur de Marie-Pier, mais je sais que tout ça est fragile.

— Et toi ? me demande-t-elle. Du nouveau dans ta vie ?

Du nouveau ? Ah oui ! Plein de nouveau. Comme l'aventure passionnée que j'ai eue avec une des vedettes les plus aimées du Québec. Que c'était extraordinaire, mais que ça reste une autre de mes bêtises. Laquelle pourrait me faire perdre ma job. Oui, je pourrais lui raconter tout ça. Mais je décide que non. Ce soir, toute mon attention va à Marie-Pier.

— Bof, rien de spécial. La routine, quoi !

10

STATUT FB DE **JULIETTE GAGNON**

Il y a deux heures, près de Saguenay

Totalement en amour avec les gens d'ici ♥♥♥
Sont trop fins !

Les panneaux de signalisation jaunes annonçant la présence possible d'orignaux m'obsèdent. Surtout quand il y est inscrit : « Danger, risque de collision. » Si jamais j'en frappe un, je suis finie. Ce n'est pas ma petite voiture qui va me protéger.

Je suis en plein cœur de la réserve faunique des Laurentides, en route vers le Saguenay. Si je me fie aux poteaux de kilométrage situés le long de la 175, je devrais arriver à destination d'ici une heure.

Comment me suis-je retrouvée ici, à rouler pour aller rejoindre Mikaël et son équipe ? Je vous jure que ce n'est pas ma faute !

Hier, j'ai envoyé un texto à ma patronne pour lui annoncer mon malheur : une énorme pierre au rein, diagnostiquée par le meilleur urologue de Montréal, me faisait atrocement souffrir. Et je n'avais d'autre choix que de passer mon tour pour le Saguenay, en attendant que ladite pierre s'évacue d'elle-même. Ce qui pouvait prendre des tonnes de verres d'eau et plusieurs jours.

Danicka Malenfant m'a répondu qu'elle comprenait, tout en me souhaitant bonne chance. Fiou, j'étais sauvée ! Comme il faisait un temps splendide, j'ai décidé d'aller me balader dans le parc du Mont-Royal. Je m'y suis rendue en scooter. Je me suis promenée dans la nature, me sentant libérée d'un immense poids. Non, je n'allais pas devoir affronter à nouveau le bel humoriste. Quelle bonne nouvelle !

Avant de partir, je me suis arrêtée au belvédère Kondiaronk pour profiter de la lumière de fin de journée et photographier le centre-ville. En retournant à l'appart, j'ai fait un saut à la rôtisserie portugaise pour acheter un poulet, un pain de maïs et un *pastel de nata*. C'est là que mon plan a foiré. Complètement. En enlevant mon casque, après avoir stationné ma zézette dans la rue, j'ai vu Danicka qui marchait dans ma direction. Paniquée, j'ai tenté de remettre mon casque pour me cacher, mais je n'ai pas réagi assez rapidement. Ma patronne m'a aperçue et m'a regardée d'un air médusé. Je lui ai fait un petit salut gêné.

Je lui ai raconté que je m'étais débarrassée de ma pierre au rein l'après-midi même, mais que je ne l'avais pas rappelée parce que j'étais certaine qu'elle m'avait remplacée. Eh bien, non ! Personne n'avait pris ma place, puisque son client a refusé qu'on lui envoie un autre photographe. Il a plutôt suggéré de remettre la séance photo à la semaine prochaine, alors qu'il monterait sur les planches à Gatineau. Mais comme j'allais mieux, Danicka – dont le regard inquisiteur me laissait penser qu'elle ne croyait pas du tout à mon histoire de pierre au rein – a proposé que je parte au Saguenay dès le lendemain, comme prévu... *Fuck !*

C'est comme ça que j'ai abouti sur le chemin menant à l'une des plus belles régions du Québec, en me mordillant la lèvre d'angoisse. Surtout que les informations que j'ai reçues ce matin dans un courriel de Louise me font craindre le pire. Nous ne sommes pas logés dans un banal hôtel, tout près de la salle de spectacle. La production a plutôt choisi une auberge en pleine nature avec chambres en pavillon, dans la forêt. *WHAT ?*

Je ne vais pas au Saguenay pour « jouir d'un moment de détente pendant la journée en faisant du kayak en eau vive sur la rivière aux Sables », comme l'a écrit Louise. Ni « pour profiter de la salle à manger réservée pour notre petit groupe, après le *show* ». Non ! Mon rôle, c'est de prendre des photos. Pas de me voir offrir des vacances ou de me retrouver dans les bras d'un humoriste qui fait tout pour m'y ramener.

De toute façon, je me suis organisée pour passer le moins de temps possible en sa compagnie. J'arriverai à l'auberge quelques minutes seulement avant de partir pour le Théâtre Palace Arvida, où je prendrai toutes les photos imaginables puisque j'ai décidé de rester juste un soir. Et après le spectacle, j'irai manger seule au centre-ville de Jonquière, prétextant avoir rendez-vous avec une amie. Demain matin, ce sera le départ pour Montréal à l'aube. Voilà mes intentions.

*

— Mesdames et messieurs, faites du bruit pour Mikaël Duval !

À la suggestion de la voix sortie de nulle part, les quelque mille personnes rassemblées dans la salle se mettent à taper des mains et à hurler de joie. C'est fou comme l'humoriste est populaire. Et ce, auprès des gens de tout âge, comme en témoigne l'auditoire. De sept à soixante-dix-sept ans, pourrait-on dire.

Musique entraînante à l'appui, Mikaël entre sur scène en trombe et effectue quelques pas de danse ; un genre de rap comique dont lui seul est capable. Les applaudissements fusent de toutes parts.

J'en profite pour faire quelques prises. Il est convenu que je photographierai le début du *show*, son numéro du hippie à l'ère électronique et la fin du spectacle. Le reste du temps, j'entends relaxer et rire un bon coup. L'humour de Mikaël, à la fois intelligent, grinçant et tendre, me rejoint totalement. En plus, il est pas mal *cute* avec son jeans noir ajusté, sa chemise blanche et son nœud papillon noir lustré.

Après avoir immortalisé Mikaël sous tous les angles, je m'assois avec Louise, qui nous a réservé des sièges sur le côté de la salle. En savourant le spectacle, je me laisse aller à repenser à la nuit torride que nous avons vécue lui et moi. À l'idée qu'un gars aussi *hot*, aussi talentueux, aussi aimé du public m'ait désirée, je ne peux m'empêcher de ressentir un p'tit velours. Que je dois malheureusement garder pour moi. J'aurais tellement voulu m'en vanter…

La première partie du spectacle passe dans le temps de le dire. À l'entracte, je profite de la présence de Louise pour essayer d'en savoir plus sur la vie privée de l'humoriste.

— Est-ce que la blonde de Mikaël le suit en tournée parfois ?

— C'est rare, elle est assez occupée avec sa propre carrière.

— Ouin, j'imagine… Tu trouves pas ça bizarre, qu'il refuse de s'afficher publiquement avec elle ?

Louise, qui jusque-là regardait autour d'elle pour prendre le pouls des spectateurs, arrête ses yeux sur moi.

— T'es un peu naïve, toi, hein ?

— Ben non, pantoute.

— Pourquoi penses-tu qu'il veut faire croire qu'il est célibataire ?

— Pour pas décevoir ses *fans*, j'imagine.

Louise pouffe de rire et secoue la tête d'un air découragé. Elle s'approche pour me parler à l'oreille.

— Pour coucher avec elles, tu veux dire.

Estomaquée par sa révélation, je baisse la tête pour fixer le siège devant moi. Qu'est-ce qu'elle raconte? Mikaël m'a bel et bien affirmé que les groupies ne comptaient pas pour lui. Je me rappelle ses paroles exactes: « Elles, j'en ai rien à foutre. » Et il paraissait très sincère.

— T'es certaine de ça?

— Oh, que oui! Pis je commence à en avoir un peu marre pour ma filleule.

— Ta filleule?

— Ben oui! Danicka t'a pas dit que j'étais la marraine de sa fille?

— Hein? Ben non!

Je savais que Louise et Danicka étaient de très bonnes amies, mais j'ignorais le reste.

— Fait que, Juliette, si tu veux t'amuser avec Mikaël, c'est ton affaire.

— Je sais pas de quoi tu parles, dis-je, sur mes gardes.

— Ben voyons! T'as le désir étampé dans la face.

— Non, non, non. Je le trouve drôle, c'est tout.

— Ouin, pis moi j'ai une poignée dans le dos.

— Je te le jure! Y se passe rien entre nous deux.

Je suis de plus en plus angoissée à l'idée que la productrice et peut-être d'autres membres de l'équipe de tournée aient deviné que Mikaël et moi avons eu une aventure. Avons eu, dis-je bien. Pas question de remettre ça. Trop dangereux.

— Mais pense pas que t'es la seule et unique. Parce que c'est pas vrai. Pas pantoute!

*

À la minute où le public s'est levé pour ovationner Mikaël, j'ai déguerpi et je me suis réfugiée dans une microbrasserie branchée du centre-ville de Jonquière. Seule. À l'abri de ce tombeur.

J'y dévore un classique de la maison: le smoked meat à l'Ambiguë, une bière rousse délicieuse. J'en sais quelque chose: je termine mon deuxième verre d'Ambiguë.

L'alcool soulage mes tensions et m'aide à oublier la peine que j'ai ressentie en apprenant que je n'étais pas « unique ». Oui, l'espace d'un instant, j'ai cru que je pouvais être la seule pour Mikaël. À part sa blonde, bien entendu. Oui, j'ai pensé qu'il me trouvait différente des autres. Comme il me l'a dit, juste avant que je quitte son chalet. « Avec toi, c'est spécial. En fait, c'est toi qui es spéciale, t'as quelque chose que les autres ont pas. » *Bullshit*, tout ça !

J'avale ma dernière gorgée de bière et je fais signe au serveur de m'apporter un autre verre. Il me sourit chaleureusement. Le jeune homme est super gentil avec moi depuis que je suis arrivée et je suis en pâmoison devant son charmant accent. Heureusement qu'il est là, je me sens un peu moins seule dans cette foule bigarrée. Tout le monde a l'air d'avoir du plaisir, sauf moi.

Le garçon vient à peine de déposer mon *drink* devant moi que je m'en enfile une bonne rasade. Assise seule à ma table, j'attire les regards des clients, qui semblent se demander pourquoi je n'ai pas de compagnie. Ou peut-être me regardent-ils parce que je bois vite ? Trop vite, en réalité. Donnons-leur donc une raison de continuer à me regarder. J'avale une autre énooooorme gorgée de bière. Je sens avec satisfaction ma tête qui tourne légèrement et mon corps qui est de plus en plus détendu.

Je mange quelques frites et, une fois de plus, je consulte les trois textos que m'a envoyés Mikaël depuis la fin du spectacle.

« T'es où ? »

« On vient d'arriver à l'auberge. »

« Ils nous ont fait une tourtière. Elle est délicieuse. Dépêche. »

« *Fuck you !* aurais-je envie de répondre. Pas du tout l'intention d'aller vous rejoindre. » Mais je me contente de garder le silence. Tout ce que je veux, c'est la paix.

Pour être honnête, ce n'est pas tout à fait vrai. Oui, je veux que Mikaël me laisse tranquille, mais j'ai terriblement besoin de parler à quelqu'un.

Je vérifie l'heure sur mon iPhone : 23 h 50. Un peu tard pour déranger mes amies, particulièrement Clémence, qui doit être couchée en cuillère avec Arnaud. Et même si je sais que Marie-Pier écoute souvent des téléséries jusqu'au petit matin, je n'ose pas l'appeler. Elle a déjà assez de ses propres soucis. D'ailleurs, je lui ai fait promettre qu'on reparlerait de sa décision d'avorter dès mon retour à Montréal.

S'il est trop tard pour les filles, il ne l'est pas pour mononcle Ugo. Lui, c'est son rôle de me rassurer et de m'écouter à n'importe quelle heure du jour ou de la nuit. Maman me l'a bien dit avant de partir au Costa Rica : « Ugo m'a sauvé la vie je sais pas combien de fois, il peut le faire pour toi aussi, ma chérie. »

Me rappelant l'approbation de maman, je compose le numéro d'Ugo. Il répond dès la première sonnerie, d'une voix calme, mais réveillée. Ouf !

— Tu dormais pas ?

— Non, pas encore.

— Ahhhh. *Quessé* tu fais ?

— Rien de spécial. Et toi ?

— Bof… Je me fais chier.

— Juliette, t'es pas un peu soûle ?

— Plutôt pompette, je dirais… Je bois de la bière toute seule dans un resto à Jonquière.

— Qu'est-ce que tu fais là ?

— Ah ? Je t'ai pas dit que je venais ici ?

— Non, ça fait un moment qu'on s'est parlé. La dernière fois, tu revenais de ton contrat à Tremblant.

— Ah oui, ça !

J'ai raconté à Ugo mon accident et ma légère commotion cérébrale, mais pas mon aventure avec Mikaël Duval. Comme, dans ma tête, cet épisode était du passé, je ne voyais pas la nécessité de le dire à tout un chacun. C'était avant que je sache que j'allais me retrouver en sa présence.

— T'es avec qui, au Saguenay?

— Avec l'équipe de tournée de l'ostie d'humoriste Mikaël Duval.

— L'ostie d'humoriste, hein? *My God*, qu'est-ce qu'il t'a fait?

Chaque fois que j'entends Ugo dire « *My God* », sans le « *Oh!* », ça me fait sourire. C'est tellement classe, mais en même temps un peu vieux jeu. Ce qu'il n'est pourtant pas du tout. Ugo, c'est le plus jeune des sexagénaires que je connaisse.

— Il m'écœure.

— Pourquoi?

— Pour rien.

Maintenant que j'ai Ugo au bout du fil, je ne suis plus certaine d'avoir envie de tout lui déballer. Juste le son de sa voix me réconforte.

— Bon, si tu veux pas en parler… Mais pourquoi tu l'accompagnes en tournée?

— Pour prendre des photos, c't'affaire!

— Vraiment?

— Ben oui, il m'a engagée pour rafraîchir son album de photos sur scène.

— Hum, hum…

Le silence s'installe et je n'entends plus qu'un léger cliquetis, celui des doigts sur un clavier. Visiblement, Ugo est devant son ordi. J'en profite pour mordre dans mon délicieux sandwich.

— Est-ce qu'il présente un nouveau spectacle? me questionne-t-il.

— Non, non, c'est celui qui roule depuis l'année dernière, je pense.

— Ah bon…

— Ça veut dire quoi, ça : ah bon ?

— Ça veut dire que si tu regardes sa page Facebook, il a pas besoin du tout de nouvelles photos de son *show*. C'en est rempli.

— Ah ouin ? Bon… ben… peut-être que c'est pour autre chose… Je sais pas, moi.

— Juliette, qu'est-ce qui s'est passé avec ce gars-là ?

— Euh… rien. Rien d'important.

— Je t'ai sentie nerveuse quand on s'est parlé, après ton retour de Tremblant. Ç'a un lien avec lui ?

Le ton doux et rassurant de mononcle Ugo me fait fléchir. C'est au bord des larmes que je lui décris tout ce qui s'est passé depuis ma fatidique visite à Tremblant. Incluant le fait que je mets ma job en jeu. Et que, malgré son côté manipulateur et don Juan, Mikaël m'attire encore et toujours.

— Ahhh, pauvre chouette !

— Je suis pas pauvre chouette ! Je suis conne. Comme d'habitude avec les gars.

— Juliette, combien de fois je t'ai dit d'arrêter de te rabaisser ?

— C'est ça pareil.

— T'es pas conne. T'es juste trop intense. Comme Charlotte.

— Ouin, c'est sa faute !

— Et comme t'es aussi résiliente qu'elle, tu vas t'en sortir, tu vas voir.

— Tu crois ?

— Ben oui. Mais là, tu vas me faire une promesse.

— Promis, je vais arrêter de me traiter de conne, pis de nulle, pis de tout ce que tu voudras.

— D'accord, mais c'est pas ça.

— Quoi, d'abord ?

— Tu vas payer ton addition, prendre un taxi et aller te coucher sans voir personne.

— Oui, chef !

— Et tu vas pas oublier que je t'aime et que je suis là pour toi.

— Ahhhhh… Trop chou.

— Et que t'es la meilleure.

Requinquée par les encouragements de mononcle Ugo, je quitte la microbrasserie, animée d'une nouvelle confiance en moi.

*

Le taxi stationne tout juste devant le pavillon qui abrite ma chambre et celles des autres membres de la tournée. Chacune des chambres a une porte qui donne sur l'extérieur. La mienne affiche le numéro 2 et je ne serais pas du tout surprise que Mikaël loge dans la 1 ou la 3.

— Merci, gardez la monnaie, dis-je en tendant un billet de vingt dollars au chauffeur, qui me remercie chaudement.

Pour clore notre conversation, il me souhaite bonne chance dans la poursuite de ma carrière de photographe. Jusqu'à présent, tous les gens que j'ai rencontrés ici sont d'une gentillesse pas possible. Et ils ont toujours l'air de bonne humeur… Ça fait changement des faces bêtes et stressées que je côtoie souvent à Montréal.

Je sors en douce de la voiture, en retenant la portière pour ne pas faire de bruit, et je vérifie s'il y a de la clarté dans les chambres de mes compagnons. À part les lampadaires qui projettent une douce lumière sur le pavillon, tout est noir. Parfait.

J'avance jusqu'à ma porte et je fouille dans mon cabas à la recherche de ma clé. Je maudis la profondeur de mon sac, certes très joli avec ses pois colorés sur fond noir, mais tellement pas pratique. Comme j'ai mon équipement en plus sur le dos, pas facile de faire une recherche efficace. Je dépose le tout par terre et je m'accroupis pour continuer mon investigation, mais mes doigts ne croisent aucun porte-clés en forme de losange.

— Tabarnak !

Exaspérée, je renverse mon sac à l'envers, envoyant au sol une multitude d'objets hétéroclites. J'aperçois mon portefeuille en cuir verni rouge, mon étui à maquillage *I'm so glam*, quelques tampons égarés, un bracelet fluorescent qu'on m'a donné lors d'une soirée électro, mon iPhone, un parapluie multicolore, un paquet de jujubes en forme de framboises et mon trousseau de clés de maison et d'auto. Aucune trace de la clé de l'auberge !

Pas de panique, Juliette. Respire et fais le tour des objets une autre fois. Je recommence en m'assoyant à l'indienne pour me faciliter la tâche.

Tout à coup, j'entends la porte de la chambre numéro 3 s'ouvrir. Je garde les yeux fixés sur mon amoncellement de trucs de filles, en espérant que ce ne soit pas Mikaël. Et puis une paire de baskets rouges apparaît devant moi. Ah non ! Va te coucher, monsieur l'humoriste !

— T'étais où ?

Comment ça, *j'étais où* ? Comme si ça le regardait. Comme si je lui devais des explications. Comme si j'étais sa blonde. J'adopte un ton volontairement froid et légèrement agressif. J'évite de lever la tête vers lui, de peur de fondre devant son regard ténébreux.

— Pas de tes affaires.

— Je commençais à être inquiet, dit-il en s'accroupissant.

Je le toise finalement avec un air de défi. L'alcool m'a enlevé toute inhibition et me rend baveuse.

— Je m'en câlisse, de tes inquiétudes !

— Ouin... T'es de bonne humeur vrai !

Je ne relève pas sa remarque et je continue de chercher ma clé.

— T'as perdu quelque chose ?

Silence radio de ma part.

— Tu veux que je t'aide ?

— NON ! Laisse-moi tranquille.

Pas démonté du tout, Mikaël se rapproche de moi en s'assoyant lui aussi en tailleur. Son genou touche le mien, et une décharge électrique me parcourt le corps. Immédiatement, je me déplace de quelques centimètres.

— Bon, qu'est-ce qui se passe ? demande-t-il.

— J'aime pas ça, me faire manipuler. Je t'ai dit que je voulais pas te revoir.

— Oui, mais je t'ai pas crue.

Irritée par ses paroles, je me lève d'un bond et je lui dis le fond de ma pensée.

— Pour qui tu te prends, Mikaël Duval ? Tu penses que parce qu'une fille couche avec toi une couple de fois elle ne peut plus s'en passer après ?

Le bel humoriste saute lui aussi sur ses deux pieds. Ce n'est pas l'indignation qui le guide, mais plutôt la peur.

— Chuuuut ! On n'est pas tout seuls !

Je lui obéis et je me tais. Non pas pour lui, mais pour moi. Pas envie que l'équipe sache que nous avons eu une aventure.

Le silence s'installe et je sens le regard de Mikaël s'attarder sur mon décolleté. Ce soir, je porte le vêtement qui avantage le plus ma poitrine : un chandail cache-cœur. C'est mon arme la plus redoutable en matière de séduction. Le chandail, pas la poitrine… Quoique… Même si mes seins ne sont pas hyper volumineux, je suis assez fière d'eux. C'est une des parties de mon corps qui me plaît. Mes yeux rencontrent ceux de Mikaël et j'y lis la même passion que l'autre nuit.

Vite ! Fuir le plus loin possible. J'ai soudain l'idée de vérifier si ma clé ne se trouverait pas dans la poche de ma veste de jeans, plutôt que dans mon sac. Eurêka ! Elle y est !

Je tourne le dos à Mikaël pour déverrouiller la porte de ma chambre quand deux bras encerclent fermement ma taille. Mikaël se colle contre moi pour me faire sentir tout son désir. Non… *Pleaaaaaaase !*

J'essaie de me contrôler, mais je sens que mon corps est sur le point de céder aux caresses de l'humoriste, qui deviennent de plus en plus insistantes sur mon ventre. Et puis l'image de ma patronne surgit dans mon esprit. Je l'imagine en train de me congédier, en me menaçant de me faire la pire réputation de la Terre. C'est assez pour me remettre du plomb dans la cervelle.

D'un geste vif, j'écarte les deux mains de Mikaël, je tourne la clé dans la serrure et j'ouvre la porte, ignorant ses protestations et tout le contenu de mon sac qui traîne par terre.

— Tes caresses, garde-les donc pour Annabelle Malenfant!

Ce n'est qu'une fois la porte de ma chambre fermée et verrouillée que je recommence à respirer normalement.

11

STATUT FB DE CLÉMENCE LEBEL-RIVARD

Il y a cinq heures, près de Mont-Saint-Hilaire

C'est quoi votre meilleur resto pour sortir en couple? Pour briser la routine? #besoindepiment

— Je suis *full* fière de moi!

— T'es pas mal bonne, Juliette! Bravo!

Je viens juste d'arriver à la maison, après cinq heures de route, et je suis déjà au téléphone avec Clémence.

— Ça lui apprendra à se servir des autres comme s'ils étaient des figurines de Shrek.

Au bout du fil, Clémence éclate de rire de bon cœur. Elle sait que cette expression m'est venue une fois où je regardais ses fils décider du sort de chacun des personnages de la série de films. J'avais songé que si j'avais ce pouvoir sur mes amoureux, ils seraient, eux aussi, « enfermés dans une grotte pour le reste de leurs jours » ou « mes serviteurs du matin au soir »... Tout dépendait de qui on parlait.

— Et la bonne nouvelle, ajoute mon amie, c'est qu'avec un tel affront il n'essaiera plus jamais de t'approcher.

— Ouin, c'est sûr.

Mon ton légèrement triste ne lui échappe pas.

— Ah, Juju, voyons. Tu sais bien que ça menait nulle part.

— Je sais. Ç'a pas d'allure.

Là, c'est ma raison qui parle. Mon cœur et mon corps, eux, disent complètement autre chose. Ils s'ennuient déjà de Mikaël.

— Tu peux m'expliquer une chose, Clémence ?

— Quoi donc ?

— Pourquoi, quand ça clique avec un gars, faut toujours que ce soit compliqué ? Pourquoi ça peut pas être simple ?

— Ça va venir, sois patiente.

Tout en rangeant au réfrigérateur les cinq boîtes de bleuets au chocolat que j'ai achetées avant de quitter le Saguenay, je me demande si, un jour, je serai capable d'être patiente. J'en doute, mais je l'espère.

— Et pourquoi faut toujours que ce soit des salauds ?

— Ben là, t'exagères.

— Bon, peut-être un peu. Mais des fois, j'aimerais ça, arrêter de me casser la tête, pis juste avoir une relation *cool, relax.*

— *Relax ?* Franchement, Juliette, c'est pas pour toi, une relation *relax.*

— Pourquoi pas ?

— C'est plus mon genre, quoique…

— Quoique quoi ?

— Rien, rien.

— Ça va pas bien avec Arnaud ?

— Bof. Ça va pas mal non plus. C'est juste… plate.

— Plate comme… dans plate de temps en temps ? Ou plate comme dans plate à mort ?

— Hummm… Entre les deux, je pense.

— Oups !

— Comme tu dis… *Anyway*, on parlera de moi plus tard. Y a Marie-Pier qui vient de m'appeler.

— Ah oui ? dis-je, soudainement inquiète.

Bien entendu, Clémence est au courant de la situation de mon amie d'enfance. Maintenant que notre trio est redevenu ce qu'il était, pas question d'avoir de secrets.

— Écoute, Juliette, Marie a fait son choix.

— Et ?

— Et à l'heure qu'il est, elle doit être en train de se faire avorter.

— Ah ouin ?

Mes sentiments face à la décision de Marie-Pier sont partagés. Je n'ai absolument rien contre l'avortement. Au contraire, j'y suis plutôt favorable. N'empêche que je trouve ça d'une infinie tristesse.

— Elle est allée avec qui ?

— Seule. Elle a refusé que je l'accompagne et elle m'a fait jurer de rien te dire avant ce soir.

— Pourquoi ?

— Elle veut pas que tu lui mettes de la pression.

— Mais j'aurais jamais fait ça, voyons !

— Ni que tu aies pitié d'elle.

— Ça non plus !

— Elle aimait mieux pas prendre de risque.

— Ç'a pas de bon sens de vivre ça toute seule. C'est où, son rendez-vous ?

— Juliette, s'il te plaît. C'est son choix.

— Je m'en fous ! Je l'abandonnerai pas une autre fois !

Tout en parlant à Clémence, je défais ma petite valise et j'aperçois les condoms que j'y avais glissés avant mon départ. Hummm… Je crois que sans la discussion avec Louise qui m'a ouvert les yeux sur Mikaël, je serais retombée dans le panneau. Pas fort, Juliette. Pas fort. Je retourne à ma conversation téléphonique.

— Bon, tu me donnes l'adresse de la clinique ou je les visite une par une ?

Clémence soupire, mais me fournit l'information convoitée. Je raccroche, j'attrape un sac de caramels à la vanille – les préférés de Marie-Pier – et je me rue à l'extérieur.

Quelques minutes plus tard, je stationne ma voiture tout près de la clinique du boulevard Saint-Joseph. Et je réfléchis à la suite. Peut-être que ce n'est pas une bonne idée, finalement, de débarquer comme ça, sans crier gare. Je ne voudrais tellement pas que Marie-Pier interprète mal mon geste et me le reproche.

Il serait plus sage d'attendre qu'elle sorte de l'établissement médical. À ce moment-là, j'irai la rejoindre. Satisfaite de ma décision, je programme mon iPhone sur ma toune préférée de Marie-Mai et je l'écoute en me réfugiant dans ma tête. J'essaie de m'inventer un scénario digne d'un conte de fées, mais je n'y arrive pas. Je pense trop à ce petit être que Marie-Pier doit laisser aller… Avec, j'en suis convaincue, une peine immense.

Mon esprit me ramène à l'été de mes treize ans. Et particulièrement à cette chaude journée de canicule que nous avions passée, Marie-Pier et moi, à la plage du mont Orford avec mes parents.

Comme toujours, ma mère avait préparé un pique-nique digne du festin de Babette : tartines de Sauvagine aux asperges, tomates cerises farcies aux crevettes, gravlax de saumon à l'érable, salade de melon et prosciutto à la fleur d'oranger, et tout plein de desserts. Si je me souviens aussi bien du menu, c'est que maman, depuis qu'elle est mon amie Facebook, ne cesse de m'envoyer des recettes sur mon mur, dont celles de ce mémorable pique-nique. *WTF !*

Elle espère encore que ça m'incitera à cuisiner un peu. Peine perdue. Parfois, j'aurais envie de la bannir comme amie FB tellement elle me fait honte. Elle ne se contente pas de mettre le lien des recettes. Bien sûr que non. Elle ajoute des commentaires et des photos un peu trop gnangnan à mon goût. Du genre : « Hé ! Tchèque le saumon que tu dévorais déjà à l'âge de trois ans. T'étais trop *cuuuuuuute*, les deux mains dans l'assiette et la face barbouillée de la crème sure que j'ajoutais en garniture. LOL »

Euh… Maman, c'est parce que ça regarde pas mes amis, la façon dont je mangeais quand j'étais enfant. Et arrête de vouloir écrire comme une jeune. T'es PLUS jeune. Et pour ton info, LOL, c'est complètement *off* !

Quoi qu'il en soit, c'est cet après-midi-là, sur la plage sablonneuse, que Marie-Pier avait eu ses règles pour la première fois. Préparée comme pas une, mon amie avait couru jusqu'aux toilettes du parc avec son petit sac à dos. Elle avait troqué son maillot de bain contre son short et sa camisole. Et même si sa journée de baignade était gâchée, elle affichait un grand sourire aux lèvres.

C'est que Marie-Pier, qui avait quatorze ans à l'époque, attendait ce moment avec impatience. Elle ne comprenait pas que moi, qui étais plus jeune qu'elle, j'aie franchi cette étape depuis plusieurs mois déjà. Elle se torturait donc avec des tas d'hypothèses, dont celle qu'elle ne pourrait jamais avoir d'enfant. Ce qui, pour elle, a toujours été une priorité.

Et voilà qu'aujourd'hui elle met fin à ce rêve… sans personne pour lui tenir la main. Bon, c'est assez ! Allons voir si elle est encore à la clinique. Je sors de ma voiture et je marche en direction de l'établissement. Soudainement, une voix d'homme m'interpelle.

— Juliette ?

Je me retourne et j'aperçois le papa de Marie-Pier, qui sort de sa voiture stationnée tout près de la mienne.

— David ? Qu'est-ce que tu fais ici ?

— Je viens chercher Marie, elle m'a appelé tantôt.

QUOI ! Marie-Pier a tout raconté à David ? Pauvre chouette ! Il fallait vraiment qu'elle se sente seule pour demander du réconfort à son père. Pas qu'il ne soit pas gentil, au contraire, mais… que peut-il vraiment comprendre à tout ça ? C'est un truc qu'on partage avec une fille, il me semble !

— D'ailleurs, poursuit-il, ça m'étonne qu'elle soit pas là. Ça fait une demi-heure que j'ai reçu son appel.

— Ah bon. En effet, c'est bizarre. Est-ce que c'était fini quand tu lui as parlé ?

— J'imagine. Elle devait m'attendre en face.

— Oh non ! Peut-être que ça s'est mal passé ensuite ?

— Quoi ? Qu'est-ce qui se serait mal passé ?

— Je sais pas, moi. Des complications, des saignements.

— À cause d'une otite ?

— D'une otite ?

— Ben oui, c'est pour ça qu'elle est venue ici, non ?

David désigne du menton l'édifice et, plus particulièrement la pancarte « Clinique ». Ahhhhh, là, je comprends. Pas bête, mon amie. Le soulagement que j'éprouve à l'idée que Marie-Pier n'a pas choisi David comme confident fait rapidement place à l'inquiétude. Où est-elle ?

— Et toi, Juliette, t'es ici pour lui donner un *lift* aussi ?

— Euh… oui, oui. Je pense qu'il y a eu un malentendu, David. C'est moi qui devais venir la chercher.

— Ah bon ? C'est vrai qu'elle était un peu mêlée, tantôt, au téléphone.

— Hein ? Comment ça ?

— Je sais pas. Elle avait pas l'air dans son assiette. Elle était pas comme d'habitude, ça, c'est sûr.

Mon angoisse monte d'un cran. J'attrape mon cellulaire et je compose le numéro de mon amie. À la première sonnerie, je tombe dans sa boîte vocale. *Damn !* Son cellulaire est fermé.

— Elle répond pas.

Je n'ai pas d'autre choix que d'aller vérifier à l'intérieur, mais il faut avant tout que je me débarrasse de son père.

— T'as raison, David, Marie vit des choses un peu difficiles ces temps-ci.

— Ah oui? Quoi donc?

— Rien de grave, fais-toi-z'en pas. Juste une histoire plate avec un gars, ça va passer.

— Ah, les histoires de cœur, hein?

David me regarde intensément, et je me sens tout à coup bien peu vêtue avec ma petite camisole à bretelles spaghetti blanche et ma minijupe à volants mauve et gris... Oh non, non, non... Pas question d'aller là, mon homme. Je change de sujet.

— Fait que laisse-moi gérer ça...

— Juliette, me coupe-t-il en s'approchant, je voulais te remercier.

Instinctivement, je recule. Même si ce que je lis dans ses yeux tient plus de l'admiration que du désir.

— Pourquoi?

— Pour ne pas avoir dit à Marie-Pier ce qui s'était passé entre nous. J'aurais pas aimé qu'elle soit au courant.

Elle le sait, bonhomme. C'est juste qu'elle fait semblant que ce n'est jamais arrivé. Et je lui ai promis de faire la même chose.

— Et aussi, poursuit-il, je voulais te remercier de m'avoir ouvert les yeux. C'est grâce à toi que j'ai quitté Alice.

— Ouin, et je comprends pas pourquoi. Je t'ai jamais rien laissé miroiter, David.

— Je sais. Et je ne te demande rien, non plus. Mais c'est toi qui m'as donné le courage de faire ce que j'aurais dû faire depuis des années.

— Des années? Tant que ça?

— Hum, hum... T'as fait de moi un homme libre, Juliette. Un homme heureux.

Ohhh… Ça, c'est touchant par contre. Je suis émue d'apprendre que j'ai contribué à son bonheur et surtout soulagée qu'il ne me relance pas.

— Donc tout est bien qui finit bien ?

— Tout est bien qui finit bien.

Je le laisse s'approcher et m'embrasser sur les deux joues. Et je le presse ensuite de partir pour me précipiter à l'intérieur de la clinique. Une fois devant la réceptionniste, je tente de reprendre mon souffle.

— Est-ce… est-ce que Marie… Marie-Pier Laverdière… est encore ici ?

— Écoutez, les informations sur nos patientes sont confidentielles, me répond la femme assise derrière le comptoir.

Son ton ferme et son air pincé devraient m'inciter à rebrousser chemin, mais c'est mal connaître Juliette Gagnon.

— Je ne vous demande pas de me dévoiler un secret d'État. Je sais qu'elle est venue ici cet après-midi. Je veux juste savoir si elle est partie.

— Je ne peux pas vous répondre.

— Ah non ? Peut-être parce qu'elle est en train de mourir sur votre table d'opération ? Hein, c'est ça ?

La réceptionniste se lève pour se mettre à ma hauteur et me toiser avec mépris. Pff… Si elle pense m'impressionner.

— Madame, je vais vous demander de sortir de la clinique.

— Non. Ça fait plus d'une demi-heure que mon amie a appelé pour qu'on vienne la chercher. Et depuis, elle a disparu.

— Si, comme vous dites, elle vous a appelée, c'est que tout était correct.

— Pas nécessairement. Peut-être qu'elle a eu des douleurs, des saignements, pis qu'elle est revenue ici. Je sais pas, moi. J'en ai jamais eu, d'avortement.

— Calmez-vous et arrêtez de fabuler ! Tout ce que je peux vous dire, c'est qu'aucune cliente n'a eu de complications aujourd'hui.

— Ah non ?

— Non. C'est très rare que ça arrive de toute façon.

La réponse apaise un peu mes angoisses. Peut-être que Marie-Pier est simplement chez elle, roulée en petite boule sur son lit, à pleurer toutes les larmes de son corps.

Je quitte la clinique pour me rendre à l'appartement de mon amie. Une fois sur place, j'ai beau cogner à sa porte comme une déchaînée, je n'obtiens aucune réponse. Outre les réprimandes de son voisin de palier. Mais OÙ s'est-elle réfugiée ? Noie-t-elle sa peine dans l'alcool ?

Je m'apprête à aller faire le tour de nos bars préférés quand mon téléphone sonne. Avec espoir, je regarde l'afficheur. Clémence.

— Salut, Clem.

— Comment ça s'est passé ?

— Elle a disparu.

— Hein ? Ben voyons donc !

— Je te dis !

J'explique à Clémence mes péripéties de la dernière heure, en insistant sur ce que m'a dit David, à savoir que Marie-Pier n'avait pas l'air dans son assiette du tout.

— Bon, pas de panique, Juliette. Elle a peut-être juste besoin d'être seule.

Ces paroles me rassurent à peine.

— Ouin, ça se peut. Mais j'aime pas ça. Tu sais à quel point elle en veut, des enfants.

— Quoi ? Tu penses qu'elle pourrait faire une folie ?

— Je pense pas, non, c'est pas son genre. Mais on sait jamais.

— Bon, regarde ce qu'on va faire. Moi, je vais voir au Furco. Toi, va chez Edgar. Et on se texte.

— OK, c'est bon !

Je saute à nouveau dans ma voiture pour me diriger vers le petit bar de l'avenue du Mont-Royal. J'y croise quelques habitués, mais personne n'a vu Marie-Pier. Épuisée et complètement déshydratée, je m'assois au bar et je commande une Stella Artois, que j'enfile en quelques gorgées.

Quel soulagement! La canicule qui sévit en cette fin de juin, ajoutée à mon stress des dernières heures, avait fait monter la température de mon corps à la limite du supportable. J'attrape une serviette de papier pour éponger la sueur sur ma nuque et j'en profite pour resserrer ma queue de cheval.

J'envoie un texto à Clémence pour lui annoncer la mauvaise nouvelle. Elle me répond en m'écrivant qu'elle n'a pas trouvé Marie-Pier. Elle ajoute qu'elle vient me rejoindre chez Edgar. Bonne idée! Deux têtes valent mieux qu'une.

Je songe à commander une autre bière quand je me dis finalement qu'il est préférable d'être sage et je me rabats sur un verre d'eau minérale. Avec un méli-mélo de noix épicées.

Tout en mangeant compulsivement mes grignotines, j'essaie de réfléchir à l'endroit où Marie-Pier peut bien être. Et soudain, j'ai un éclair de génie. Oui, c'est là qu'elle doit être allée se cacher. Je ne vois aucune autre possibilité.

Je paie mes consommations en catastrophe et je sors. Excitée par le fait que je viens peut-être de résoudre l'énigme de la disparition de Marie-Pier, je ne pense plus à attendre Clémence. Je me dirige vers l'ouest sur l'avenue du Mont-Royal, en marchant d'un pas de plus en plus rapide.

— Juliette!

Je me retourne et j'aperçois Clémence, qui court derrière moi. Je lui fais signe de venir me rejoindre.

— Où tu vas? me demande-t-elle, une fois à mes côtés.

— Chercher Marie.

— Tu l'as trouvée ?

— Je pense que oui.

— Tu penses ?

— J'espère.

— Juliette, je comprends pas, là. Tu sais où elle est ou pas ?

— Suis-moi, on va bien voir.

Je me remets aussitôt en route, Clémence sur mes talons. En silence, nous traversons plusieurs intersections, puis je bifurque à gauche. Je suis dans la rue de mon enfance, celle où Marie-Pier et moi avons grandi, en compagnie de quelques autres amis. Si je me fie à mon instinct, c'est ici qu'elle est venue pour soigner sa peine.

J'emprunte le passage qui mène à la ruelle et à tous nos souvenirs de petites filles. Et j'aperçois Marie-Pier, assise par terre, le dos appuyé contre les luxuriantes vignes qui recouvrent les clôtures, le visage enfoui dans ses bras, posés sur ses genoux repliés.

Je m'approche doucement et je prends place à sa gauche. Clémence s'installe à sa droite.

— On est là, Marie, dis-je en lui caressant l'épaule.

— On est avec toi, ajoute Clémence.

Marie-Pier relève la tête, et les larmes que je croyais voir rouler sur ses joues n'y sont pas. Je n'arrive pas à déchiffrer l'expression de son visage. Elle n'est ni triste ni heureuse. Elle me semble plutôt pétrifiée.

— J'ai peur, les filles.

— Peur de quoi ? dit-on en chœur.

— De la décision que je viens de prendre.

— Quelle décision ? dis-je.

— J'ai pas été capable.

— Ah non ?

— Non. Je le garde, pis je vais l'élever toute seule.

La révélation de Marie-Pier me laisse sans voix. Émue, je la regarde déplier ses jambes et poser sa main sur son ventre. J'appuie ma tête contre son épaule, et Clémence m'imite. Soudées à vie, comme les amies fidèles que nous sommes. Je suis la première à rompre le doux silence.

— Cet enfant-là aura peut-être pas de père… mais il va avoir une maman extraordinaire.

— Et deux tantes tout aussi géniales, complète Clémence.

12

STATUT FB DE **JULIETTE GAGNON**

À l'instant, près de Montréal.

Pour un bébé-fille, Eugénie ou Océane?
Pour un bébé-gars, Adam, Sacha ou Bastien?
NON, je suis pas enceinte. Just asking.

De retour chez moi quelques heures plus tard, je me sens encore débordante d'amour. Tout d'abord pour mes deux amies, avec qui j'ai passé une merveilleuse soirée. Et pour ce nouveau petit être que nous allons accueillir l'hiver prochain… J'ai trop hâte!

Après le choc de la nouvelle, j'ai réalisé que la vie avait fait un cadeau à Marie-Pier. Elle qui, depuis quelques années, était devenue aigrie à cause de ses déceptions amoureuses, voilà qu'elle était toute joyeuse ce soir.

Bon, d'accord, la situation n'est pas parfaite. Être mère de famille monoparentale n'est certainement pas de tout repos. Mais s'il y a une femme qui possède la force et l'énergie pour réussir, c'est bien Marie-Pier. Et puis nous serons là, Clémence et moi, pour l'appuyer. D'ailleurs, j'ai même proposé à la future maman de nous nommer toutes les deux marraines. Comme ça, pas de chicane.

« Il lui faut un parrain », m'a-t-elle dit. Ce à quoi j'ai répondu qu'à mon avis rien ne l'empêchait d'en choisir également un. Deux marraines et un parrain : pourquoi pas ?

Surtout que Marie-Pier n'a pas du tout l'intention d'impliquer Étienne dans sa décision. Elle va le congédier comme entraîneur, changer de gym et ne plus le revoir. Elle va tout lui cacher. C'est pourquoi elle souhaite avoir une présence masculine dans la vie de son flo. Ça se défend.

Je suis en admiration totale devant mon amie. Elle a décidé d'écouter son cœur, de ne pas laisser un homme choisir pour elle et de se battre contre les préjugés. Wow !

C'est dans la salle d'attente de la clinique d'avortement que le déclic s'est fait. Marie-Pier a compris qu'elle ne serait jamais capable de *dealer* avec le geste qu'elle s'apprêtait à faire. Elle savait qu'elle le regretterait toute sa vie.

Elle a réalisé que le désir d'avoir un enfant était beaucoup plus profond que celui de simplement vouloir attacher l'homme qu'elle aime. Et que si lui n'était pas prêt pour la plus belle aventure de sa vie, elle, elle l'était.

Marie-Pier a choisi de se faire confiance. Et pour ça, je lui lève mon chapeau mille fois.

Je m'apprête à sauter dans la douche avant d'aller me coucher quand je me souviens que mon cellulaire a sonné à quelques reprises durant la soirée. Je l'ai ignoré, ne voulant pas gâcher ce pur moment de bonheur avec mes deux amies, mais il serait peut-être temps de vérifier qui tentait de me joindre.

Je consulte la liste des appels manqués et j'y aperçois le nom de ma patronne à deux reprises. Oups !

Qu'est-ce qu'elle peut bien me vouloir pour m'appeler un vendredi soir ? Tôt ce matin, avant de partir de l'auberge, je lui ai envoyé un texto pour l'informer que ma séance photo s'était déroulée à merveille. Que veut-elle savoir de plus ? Est-ce qu'elle aurait entendu parler de mon aventure ? Impossible ! J'ai eu un comportement irréprochable au Saguenay. À moins que… Mais non, Juliette, arrête de t'inquiéter ! Elle veut probablement te parler de ton prochain contrat, c'est tout !

Je vérifie si Mme Malenfant a laissé un message dans ma boîte vocale. C'est le cas. Je m'empresse de l'écouter.

« Juliette, c'est Danicka. Je vais être au studio demain matin à 9 heures. Je veux te voir, ça presse. »

*

Je n'ai pas fermé l'œil de toute la nuit. J'ai dû appliquer je ne sais plus combien de couches de cache-cernes pour avoir l'air présentable. Mille et un scénarios ont tourné dans ma tête au cours des dernières heures. C'est clair que Mme Malenfant est au courant de quelque chose. Quelle autre raison aurait-elle de me convoquer d'urgence un samedi matin ? Le 1er juillet, de surcroît. Mais que sait-elle exactement et comment l'a-t-elle appris ? Voilà les questions qui me torturent.

J'opte pour une tenue plutôt sobre, j'enfile un jeans noir avec un chemisier gris perle, que je boutonne au complet, contrairement à mon habitude. Peu de bijoux, peu de maquillage, à part le cache-cernes, et ma queue de cheval très haute sur la tête. C'est maman qui m'a appris que notre coiffure reflétait notre personnalité. Plus on porte ses cheveux attachés haut, plus on affiche un air fier et confiant. Plus on porte sa queue ou son chignon bas, moins on semble avoir de l'assurance. Ce n'est surtout pas l'image que je souhaite projeter aujourd'hui.

En route pour le studio, je m'interroge sur la stratégie à adopter si Danicka me questionne sur ma relation avec Mikaël. Je nie tout en bloc ou je passe à la confesse ? Hummm… Pas évident. Et si je lui disais que oui, j'ai eu une aventure avec lui… mais que non, je ne savais pas qu'il était l'amoureux de sa fille ? Pas bête comme idée, n'est-ce pas ?

Rassurée par cette nouvelle carte dans ma manche, je franchis la porte du studio avec beaucoup d'aplomb et je lance un bonjour enjoué sitôt entrée.

— Ici, Juliette.

La voix de Danicka me parvient de son bureau. Je prends une grande respiration et je m'y rends directement. Ma patronne est assise derrière son pupitre blanc immaculé, le regard baissé sur un document. Bien en évidence sur le mur arrière, on voit quelques photos d'elle prises alors qu'elle participait à des défilés de mode, que ce soit à Milan, à Paris ou à Londres. Elle y est vraiment magnifique avec ses tenues de designers, dont Chanel et Prada.

— Vous vouliez me voir ?

— Ferme la porte et assieds-toi.

Je m'exécute pendant que Mme Malenfant continue d'être absorbée par son dossier. Elle me fait mariner de longues secondes, puis, finalement, elle pose les yeux sur moi. Son regard est tellement glacial qu'un frisson me parcourt de la tête aux pieds.

— Quoi de neuf, Juliette ?

— Euh… rien de spécial. Pourquoi ?

Danicka garde le silence quelques instants, se lève, contourne son bureau, se place devant moi et appuie ses fesses contre le pupitre. Elle est vêtue d'une élégante blouse en chiffon vieux rose Dolce & Gabbana, d'un pantalon crème à la coupe parfaite et d'escarpins noirs classiques. J'avoue qu'avec ma garde-robe H & M je ne fais pas le poids. Intimidée, je baisse les yeux.

— Tu me déçois, Juliette. Beaucoup.

— Je vois pas de quoi vous parlez.

Danicka soupire et s'éloigne pour marcher de long en large derrière moi. Ce qui me met encore plus sur les nerfs.

— Je croyais pas que t'étais ce genre de fille-là. Vraiment pas.

Ça y est. Je suis faite. Complètement. Elle va me congédier, c'est écrit dans le ciel.

— Dire que je t'ai tout appris. Sans moi, tu serais rien.

Sa remarque me pique au vif. J'étais déjà une excellente photographe bien avant de travailler pour elle. De plus, elle ne connaît pas grand-chose à l'art qu'est la photo. C'est une excellente gestionnaire, mais ce n'est pas elle qui manipule le Kodak !

Je me lève d'un bond pour lui faire face.

— Ben là, vous exagérez. C'est pas vous qui m'avez montré à faire de la photo !

— Je te conseille de te rasseoir. T'es pas en position pour argumenter.

Malgré mon envie de l'envoyer promener, j'obéis sagement. Elle poursuit son petit jeu d'intimidation en faisant les cent pas avec assurance.

— C'est vrai, ton métier, tu le connaissais avant d'arriver ici. Je le concède. Par contre, tu n'avais aucune idée de la manière de te comporter en société.

— Hein ?

— Tu manquais d'élégance. Bon, tout ça n'est pas encore au point, mais ce n'est rien si on compare à tes débuts.

— *WHAT ?*

— Et je ne parle pas de ta façon de t'exprimer comme une adolescente. Et de mâcher de la gomme balloune avec un manque total de classe. Une mauvaise habitude que je t'ai heureusement fait perdre.

Là, j'explose et je me lève à nouveau, en renversant ma chaise. Non mais pour qui se prend-elle ?

— J'ai jamais manqué de classe ! C'est quoi, ces histoires-là ?

— La preuve, dit Danicka en indiquant la chaise au sol.

Je m'empresse de la redresser.

— Je suis pas d'accord. C'est pas parce que vous m'avez donné deux ou trois conseils sur la façon de me tenir en public que vous m'avez tout appris !

— Que tu es ingrate ! J'ai fait le travail que ta mère n'a jamais fait. C'est elle qui devrait me remercier.

C'en est trop ! Qu'elle m'attaque, moi, ça passe. Mais qu'elle s'en prenne à maman, je ne le digère pas !

— J'ai une mère extraordinaire, vous saurez. Bien meilleure que si ç'avait été vous.

— T'as tort, Juliette. Mes enfants, je les protège à la vie, à la mort.

Je sais parfaitement où elle veut en venir. Elle va m'accuser d'avoir couché avec son client-gendre. Eh bien, je jouerai l'innocente et je nierai. De toute façon, je n'ai rien à perdre et je n'ai pas envie de lui donner l'avantage.

— Madame Malenfant, je comprends pas trop ce qui se passe ce matin.

— Oh que si. Tu le sais très bien.

— Non, pantoute.

— Pas du tout, tu veux dire, me reprend-elle, méprisante.

J'ignore la remarque, pressée d'en finir.

— Ton comportement avec Mikaël est inacceptable.

— Quel comportement ? J'ai rien fait. Je me suis tenue tranquille, comme vous me l'avez demandé.

— À ce que je sache, je ne t'ai jamais demandé de te retrouver dans son lit !

J'éclate d'un rire baveux. Ses propos arrogants ont fait disparaître la peur et l'angoisse que j'éprouvais en arrivant ici. Je suis maintenant en mode combat. Prête pour la bataille.

— Je dis pas que j'aurais pas aimé ça. Il est assez *cute*, hein ? Mais c'est un client, fait que… pas touche !

C'est au tour de Danicka d'afficher un air suffisant. Elle attrape son iPad sur son bureau, l'allume, effectue quelques clics, puis le dépose, satisfaite. Un enregistrement audio joue.

« Bon, qu'est-ce qui se passe ? »

Hein ? La voix de Mikaël.

« J'aime pas ça, me faire manipuler. Je t'ai dit que je voulais pas te revoir. »

Et la mienne ! Non, non, non. Je me rappelle très bien cette conversation. Elle est survenue il y a deux jours, le soir du spectacle au Saguenay, quand Mikaël m'a apostrophée devant la porte de ma chambre, à l'auberge. On nous a espionnés ? *WTF !* Je n'en reviens pas !

L'enregistrement se poursuit, avec une affirmation du bel humoriste :

« Oui, mais je t'ai pas crue. »

C'est suivi d'un énoncé suicidaire de ma part :

« Pour qui tu te prends, Mikaël Duval ? Tu penses que parce qu'une fille couche avec toi une couple de fois elle ne peut plus s'en passer après ? »

Danicka arrête la bande audio, me fait un grand sourire hypocrite, une lueur de victoire au fond des yeux.

— Est-ce que tu souhaites réviser ta version, Juliette ?

— Euh... bon d'accord, j'ai fait une gaffe. Mais c'est pas si grave. J'ai juste couché avec un client.

— Parce que, selon toi, Mikaël est simplement un client ?

Mme Malenfant joue avec la breloque en cœur de son collier Tiffany, sur laquelle est inscrit : *Mom*. Petite menace voilée à laquelle je refuse de céder. Je décide de jouer la carte de l'ignorance. Après tout, elle ne peut pas être certaine que je suis au courant de son lien avec Mikaël.

— Oui. Je comprends pas votre question.

— Tu ne comprends pas, hein ? Permets-moi de te rafraîchir la mémoire.

Et la voilà qui retourne à sa tablette. Elle effectue quelques manœuvres et j'entends à nouveau l'enregistrement. J'ai soudainement très peur de la suite. Quand ma voix retentit dans la pièce, je fixe le bout de mes sneakers roses Michael Kors.

« Tes caresses, garde-les donc pour Annabelle Malenfant ! »

D'un geste expéditif, Danicka stoppe la bande audio et range son iPad dans son étui Burberry. Je mets quelques secondes à réaliser que je n'ai plus aucune chance de m'en sortir. Telle que je connais Danicka, elle va me congédier, m'humilier et tout faire pour me nuire dans le milieu. Je n'obtiendrai plus jamais de contrat. Ma carrière de photographe est terminée, finie à vie, *kaput*. Je suis *dead* !

N'ayant plus la force de me battre, je me lève lourdement sans regarder ma patronne – bientôt ex-patronne. Je veux à tout prix éviter qu'elle voie les larmes qui me picotent les yeux. Sans un mot, je m'éloigne vers la sortie.

— Juliette, qu'est-ce que tu fais ?

J'inspire un bon coup avant de lui répondre, espérant que ma voix ne trahisse pas mon émotion.

— Je m'en vais avant que vous me crissiez dehors.

Satisfaite d'avoir su contrôler le tremblement de ma voix, j'ouvre la porte du bureau quand Danicka m'interpelle une fois de plus.

— Qui a parlé de congédiement ?

Intriguée, je me retourne. Non sans avoir, au préalable, essuyé une larme qui roulait sur ma joue.

— Viens te rasseoir, Juliette. On a quelque chose à négocier, toi et moi.

*

— Un cornet de crème glacée à la gomme balloune, s'il vous plaît. Deux boules.

Aussitôt sortie du Studio 54, j'ai foncé à la crémerie du coin. J'ai besoin de sucre pour m'aider à analyser la proposition de Mme Malenfant. Proposition malhonnête, il va sans dire. En réalité, c'est carrément du chantage. Soit j'accepte son offre, soit elle me congédie. J'ai la journée pour choisir la moins mauvaise des deux options. À l'heure actuelle, j'en suis à me demander laquelle aura le moins de conséquences sur ma vie.

Ma patronne a avoué que, en entendant la bande audio qu'elle a reçue par courriel d'une personne qu'elle a refusé d'identifier, elle n'était pas surprise du tout. Dès que l'humoriste le plus populaire du Québec est entré dans la vie de sa fille, Danicka a eu des doutes à son égard. Était-il vraiment le chum passionnément amoureux et fidèle qu'il prétendait être? Elle a toujours été certaine du contraire, mais elle était incapable de le prouver. Elle a même demandé à Louise, sa meilleure amie et la marraine de sa fille, de l'en informer. Mais par éthique professionnelle, Louise a refusé de se mouiller.

C'est pourquoi il lui tardait d'obtenir ce qu'elle cherchait: une preuve hors de tout doute que son gendre n'est qu'un coureur de jupons.

Je lui ai alors fait valoir qu'elle avait tout ça dans son iPad. Danicka a approuvé, mais elle m'a informée qu'elle en voulait davantage. Elle désire obtenir une vraie preuve béton pour que sa fille, follement amoureuse et totalement aveugle, ouvre les yeux.

Danicka croit qu'Annabelle doit voir. Pas seulement entendre. C'est pourquoi elle veut que je retourne auprès de Mikaël... et que je filme nos ébats. Non mais, elle est malade ou quoi?

« J'ai juste besoin du début, de quelques images claires qui montrent qu'il la trompe. Et tu n'as qu'à rester sous les draps », m'a-t-elle suggéré. Ben oui... simple comme bonjour! Comme si c'était facile de maintenir des draps en place pendant une baise du tonnerre. Et puis qui dit que Mikaël voudra me revoir après l'affront que je lui ai fait?

De plus, elle exige que je l'amène à avouer qu'il a d'autres amantes, toujours en le filmant à son insu. Pas question de seulement enregistrer ses propos, Annabelle pourrait se convaincre que la bande audio est truquée, qu'on y a fait un montage. Trop tordu, tout ça…

Je sors en léchant goulûment ma glace à la gomme balloune, quand mon téléphone sonne. J'ai laissé un message urgent à Marie-Pier avant d'entrer à la crémerie, et elle me rappelle. Soulagée de pouvoir confier mes angoisses, je réponds tout de go.

— Ah, Marie! Enfin, j'ai quelqu'un à qui parler! Je suis teeeellement dans le trouble.

— Écoute…

— Imagine-toi donc que ma *boss* me fait du…

— Juliette, tabarnak!

— Quoi?

— Je m'en fous, de ton urgence. Je file pas pantoute, là.

— Honnn, qu'est-ce que t'as?

— Des *fucking* nausées.

— Ah non! Peut-être que tes deux morceaux de tarte au citron ont pas aidé?

Hier, après avoir consolé Marie-Pier dans la ruelle, Clémence et moi avons fait un saut à l'épicerie pour acheter tout ce dont elle raffole: cuisses de canard confites, pommes de terre rattes, mesclun, tomates cerises multicolores, vinaigrette aux framboises et tarte au citron. Nous sommes ensuite allées la rejoindre chez elle pour lui préparer ce repas avec amour. Enfin… C'est Clem qui a cuisiné pendant que je dressais la table. Nous avons poussé la solidarité jusqu'à acheter du vin sans alcool, que nous avons partagé avec notre amie enceinte. OUA-CHE! Dégueu!

Marie, qui a bien vu que nous ne prenions pas notre pied, nous a ouvert une bouteille de sangiovese qui traînait dans son garde-manger. Et elle s'est servie une Beck's sans alcool, avant de vider notre « faux vin » dans l'évier. Ouf !

— Je sais pas si c'est la tarte au citron, mais j'arrête pas de vomir depuis ce matin.

— Mange du gingembre.

Tout en parlant, je bifurque dans une petite rue résidentielle où j'ai garé ma voiture.

— Hein ?

— Ben oui, y paraît que ça soulage les nausées.

— Ah bon !

— Fais sauter des légumes, pis mets plein de gingembre râpé. Je suis certaine que tu vas aller mieux.

— Un sauté de légumes ? À 10 heures du matin ? T'es drôle, toi.

— Bon, bon, c'est une idée comme ça. Une tisane d'abord ?

— Ça, ç'a plus de sens. Qu'est-ce que tu voulais me…

Bing ! Bang ! Boum !

Le tapage que j'entends au bout du fil laisse croire que Marie-Pier vient de lancer son téléphone pour se ruer à la salle de bain. Pauvre chouette !

Le lacet de mon sneaker se défait et m'oblige à m'arrêter. Mais avec ma main gauche qui tient mon cellulaire et la droite occupée par mon cornet de crème glacée, je ne vois vraiment pas comment je pourrais me pencher pour l'attacher. Et comme je sais que je peux être particulièrement maladroite – du genre à marcher sur mon lacet et à piquer une plonge le nez directement dans la crème glacée –, je reste immobile pour finir ma gâterie le plus rapidement possible, en attendant que Marie-Pier revienne. Je n'ai cependant plus du tout l'intention de l'importuner avec le but de mon appel. Pas envie d'ajouter mes histoires à ses tracas.

Si je m'écoutais, je raccrocherais illico pour appeler Clémence. Mon besoin d'obtenir des conseils devient de plus en plus pressant. Vital, même. Mais ce comportement serait indigne de la bonne amie que je souhaite être pour Marie-Pier. Je prends donc mon mal en patience, en essayant de réfléchir à une façon honorable de me sortir du pétrin dans lequel ma patronne m'a placée, quand une voix masculine m'interpelle.

— Attention ! Laisse-nous passer !

Je me retourne et j'aperçois deux gars de mon âge qui transportent un vieux réfrigérateur dans un escalier en colimaçon. Ah, les joies du déménagement du 1er juillet ! Que de souvenirs… pas si lointains, dois-je admettre. Jusqu'à l'année dernière, je changeais d'appart tous les ans.

Au grand désespoir de mes amis et de mononcle Ugo, que je sollicitais de fois en fois pour m'aider à tout transporter et à nettoyer mon nouveau chez-moi. Comme le veut la coutume, bière et pizza étaient à l'honneur. Malgré la fatigue et les mauvaises surprises – comme découvrir que l'ancien locataire nous a laissé en *cadeau* son fidèle ami le lézard, beurk ! –, les déménagements restent pour moi des journées de bonheur.

Peut-être parce que j'aime changer d'air et qu'un nouveau logement m'incite à faire le ménage autant dans mes affaires que dans ma vie. *Out* les jeans démodés qu'on ne porte plus depuis deux ans ! Bye-bye les bijoux *cheap* qui se sont rapidement brisés ! *Ciao* les t-shirts des ex qu'on garde par mélancolie !

Adios aussi les voisins envahissants, les amitiés à sens unique et les colocs qui exposent leur bonheur conjugal à toute heure du jour… et de la nuit.

La dernière fois que j'ai vécu en colocation, ç'a été la cerise sur le sundae. Le gars que j'avais gentiment accepté de dépanner en partageant mon quatre et demi avec lui avait omis de m'aviser que sa blonde faisait partie du *deal*.

Non seulement elle était là TOUT LE TEMPS, mais elle prenait un malin plaisir à se servir généreusement de mes crèmes pour le visage. En plus de finir mon jus de canneberge bio alors que j'étais en pleine infection urinaire et d'installer d'horribles fausses aquarelles aux murs du salon. Et c'est sans compter les films pornos qu'ils s'amusaient à regarder la nuit en baisant comme des malades. Pourquoi faire tant de bruit ? Pour me faire suer, cela va sans dire. Mais tout ça est maintenant fini. Je vis seule et j'ai la paix !

Je m'écarte pour laisser passer les deux déménageurs en herbe. Facile de voir que ces gars-là ne sont pas des pros avec leur short à carreaux trop bien repassé, leur t-shirt blanc et leurs espadrilles Adidas. Un peu trop chic pour des déménageurs. Je ne serais pas du tout surprise que ledit réfrigérateur appartienne à une jeune et jolie Montréalaise dont les gars se disputent le cœur.

Mon intuition est aussitôt confirmée par l'apparition d'une fille dans la vingtaine sur le balcon du deuxième étage. Le pétard, toi ! Sa peau café au lait est trempée de sueur, ses cheveux noirs sont attachés dans une queue de cheval qui ressemble à la mienne et elle a de longues jambes athlétiques… comme celles que je voudrais moi-même avoir.

Vêtue d'un short en coton sport et d'une camisole ultramoulante, elle secoue un petit tapis pour le dépoussiérer.

Mon regard est attiré par ses seins qui rebondissent sous son *top* rose, qu'elle porte visiblement sans soutien-gorge. Elle dépose ensuite le tapis sur la balustrade, attrape une bouteille d'eau sur une chaise, en verse un peu dans sa main et s'asperge la nuque dans un geste terriblement sensuel.

Troublée, je baisse les yeux et je termine rapidement mon cornet de crème glacée. Je rattache mon lacet et je m'éloigne presque au pas de course, pour fuir mes émotions.

Tout ça me ramène à un désir que j'éprouve depuis l'adolescence : celui de faire l'amour avec une femme. Pour le plaisir, la découverte, la curiosité.

Est-ce que je suis lesbienne pour autant ? C'est certain que ça m'a traversé l'esprit, mais, après une discussion franche et ouverte sur le sujet avec Ugo, j'en ai déduit que non. Je suis simplement avide de nouvelles expériences sexuelles, que ce soit baiser avec une femme, faire un *trip* à trois avec deux hommes ou participer à un échange de couples. Des fantasmes que je n'ai jamais encore réalisés.

Ugo est le seul à connaître mon secret, je n'ai jamais osé en parler à personne d'autre. Même Marie-Pier et Clem ne sont pas au courant. Pourquoi ? Je m'étonne moi-même d'avoir autant de pudeur. Pourtant, je ne suis pas la seule fille de ma génération à vouloir vivre une aventure homosexuelle. Ça fait presque partie du CV « normal » d'une *chick* dans la vingtaine. De quoi ai-je peur au juste ? Je suis incapable de trouver une réponse à cette question. Alors je laisse couler et je souhaite qu'un jour la vie me donne l'occasion de jouir dans les bras d'une femme.

La voix de Marie-Pier, qui revient au bout du fil, me tire de mes pensées.

— Excuse-moi, Juliette. Je viens de vomir ma vie. Encore.

— Mais non, voyons. Excuse-toi pas.

— Qu'est-ce que tu voulais me dire ?

— Ah, rien, rien, Marie. Une autre fois.

— OK, d'abord. Je vais aller me recoucher.

— Veux-tu que j'aille te border ?

Marie-Pier émet un petit rire fatigué avant de me répondre que ce ne sera pas nécessaire. Je raccroche, déçue qu'elle n'ait pas accepté mon offre. Une fois à ses côtés, j'aurais pu lui parler de ce qui me tiraille.

Je m'installe derrière le volant de ma Honda avec la ferme intention de me rendre illico au bureau de Clémence, quand je me souviens que nous sommes samedi. Je ne suis tout de même pas pour aller la déranger dans sa montagne à Saint-Hilaire simplement parce que je suis une fille immature, incapable de prendre des décisions toute seule. Du moins, c'est comme ça que je me vois aujourd'hui. La plus nulle des nulles.

Si, pour une fois, je faisais une femme de moi ? Et que je choisissais moi-même ma destinée ? Sans avoir besoin des conseils de personne ? À vingt-six ans, il serait peut-être temps de te faire confiance, Juliette Gagnon ! Je réfléchis à la situation en essayant de déterminer ce qui est pire : perdre mon travail ou retourner dans les bras de Mikaël et vivre une nouvelle peine d'amour ? Parce que je sais que c'est ce qui m'attend, rien de moins.

Si j'étais raisonnable et que je pensais à ma carrière, je céderais au chantage de Mme Malenfant. En contrepartie, je n'ai pas envie de me retrouver le cœur en mille morceaux une fois de plus. J'ai besoin d'une relation saine dans ma vie, pas d'une liaison avec un gars qui cumule les aventures.

Si j'étais capable de donner à ma patronne la preuve qu'elle attend sans m'impliquer sur le plan émotif, si je pouvais laisser de côté mes sentiments et me mettre en mode pilote automatique pendant quelques heures, ce serait l'idéal. Si seulement Mikaël n'était pas aussi *cute*, aussi drôle, aussi attachant. Si seulement nous n'avions pas autant d'affinités. Si seulement il ne faisait pas l'amour comme un dieu. Si, si, si... Que dit le proverbe déjà ? Ah oui ! Avec des si, on mettrait Paris en bouteille... C'est tout dire, n'est-ce pas ?

Perdre ma job ou pleurer un gars des nuits entières ? Branche-toi, Juliette. *Now!* Je réfléchis et je soupire d'exaspération. Non, vraiment, je n'y arriverai pas. Il ne me reste qu'une solution. Je fouille dans mon sac à main à la recherche de l'objet qui décidera de mon avenir. Pile, je me retrouve en chômage. Face, je subis ma... septième, non, huitième peine d'amour à vie.

Je prends une grande inspiration et je fais virevolter la pièce de vingt-cinq cents dans les airs. En découvrant ce que le sort me réserve, je ne peux m'empêcher d'éprouver un réel sentiment de panique et de m'exclamer tout haut.

— Ah non ! Pas ça ! Qu'est-ce qui va m'arriver maintenant ?

13

STATUT FB DE **JULIETTE GAGNON**

Il y a 23 minutes, près de Montréal

Va trop s'empiffrer de son dessert préféré
chez la plus adorable des nonna ☺

— JULIETTE ? EST-CE QUE TU M'ENTENDS ?

— Oui, oui. Pourquoi tu cries, nonna Angela ?

— C'EST À CAUSE DE MON NOUVEAU TÉLÉPHONE. J'AI UN CELLULAIRE.

J'écarte mon iPhone de ma tête, pour éviter que ma grand-mère continue de me casser les oreilles.

— T'es pas obligée de parler fort, même si c'est un cellulaire.

— NON ?

— Non.

— Ah, d'accord.

— Donc tu as acheté un cellulaire ? C'est l'*fun*, ça.

Ma grand-mère paternelle est une femme tout simplement adorable. Veuve depuis des années – en fait, je n'ai jamais connu mon grand-père –, nonna Angela vit seule dans son appartement de la Petite-Italie, où elle cultive ses tomates et ses fines herbes sur son balcon. Je me dis toujours que si je suis aussi en forme, enjouée et jolie qu'elle à son âge, j'aurai réussi ma vie. Je l'admire inconditionnellement.

J'aimerais bien qu'elle me révèle combien de printemps elle compte, mais elle refuse. Et elle a fait jurer à papa de garder le secret. Pourquoi ? « Parce que c'est comme ça », me répond-elle.

— Juliette, est-ce que tu pourrais venir me voir ?

— Aujourd'hui ?

— Oui, aujourd'hui. Faut que tu me montres à écrire avec mon téléphone.

— À écrire ?

— Ben oui ! Comme vous faites, là. Écrire à d'autres.

— Ahhhh. Tu veux envoyer des textos ?

— Des textes, oui. Ou des messages sur les Internets.

— Les quoi ?

— Les Internets. Voyons, Juliette, tu connais ça, les Internets ?

— Pouahhhhh ! On dit « Internet », nonna, pas *les* Internets.

— C'est la même chose. Bon, à quelle heure tu vas arriver ?

— Euhhh…

— J'ai fait des cannellonis aux épinards et à la ricotta, je pourrais les réchauffer pour le dîner.

— Peut-être.

— Et j'ai des semifreddo aux noisettes.

Youhou ! Mon dessert italien préféré. Une espèce de glace hyper onctueuse dont seule ma grand-mère a le secret. Elle sait très bien que je ne peux pas résister… Quelle manipulatrice, tout de même ! Elle sait transmettre sa passion pour la cuisine. C'est grâce à elle que papa est devenu chef et a travaillé comme restaurateur toute sa vie. D'ailleurs, il n'a pas complètement abandonné sa carrière, puisqu'il est toujours copropriétaire d'un resto italien ici, à Montréal. Il y fait son tour quelques fois par année pour s'assurer que tout va bien.

— OK, je m'en viens !

En enfourchant ma bonne vieille Poutine pour me mettre en direction de la rue Saint-Zotique, je repense au plan que je m'étais fait pour la journée et qui vient encore de prendre le bord. Voilà plus d'une semaine que je reporte le moment de passer à l'action et de retourner voir Mikaël pour lui arracher des aveux.

Quand je lui ai annoncé que j'acceptais de me prêter à son petit jeu, ma patronne a eu un sourire aussi troublant que celui du chat du Cheshire, dans *Alice au pays des merveilles*. Brrr… De quoi donner des frissons dans le dos. Elle m'a dit me faire confiance pour la suite et d'arranger ça comme je le souhaitais. Depuis, je ne me suis toujours pas décidée à renouer avec son gendre.

Je pensais bien le faire aujourd'hui, à l'occasion d'un 5 à 7 pré-Festival Juste pour rire, lequel doit débuter la semaine prochaine. Mais nonna Angela a besoin de moi, alors ce sera partie remise.

« Tu ne peux pas toujours reporter ça, me souffle une petite voix intérieure. Un 5 à 7, selon toi, Juliette, ça commence à quelle heure ? » Bon, d'accord, j'ai amplement le temps d'aller luncher avec ma grand-mère ET de me rendre au centre-ville par la suite pour prendre un verre avec les artisans du Festival JPR. Finissons-en une fois pour toutes avec cette histoire !

J'ignore totalement comment je vais me rapprocher de Mikaël, mais une chose est certaine, je ne recoucherai pas avec lui. Je le ferai parler, point. C'est beaucoup trop dangereux, et pas seulement pour mon petit cœur fragile. Quand j'ai raconté à mes amies ce que je m'apprêtais à faire, elles m'ont ouvert les yeux sur un aspect auquel je n'avais pas songé, mais qui est pourtant d'une telle évidence: les réseaux sociaux.

« Tu imagines si ça se retrouve sur Facebook? T'auras beau être en dessous des couvertures tant que tu voudras, tu vas être démasquée quand même », m'a lancé Marie-Pier.

« J'en reviens pas que tu n'y aies pas pensé toi-même », a renchéri Clémence.

Penaude, je décide donc qu'il n'y aura pas de baise avec mon bel humoriste. À la limite, je l'embrasserai, mais ce sera vraiment tout. Et si Danicka n'est pas satisfaite, eh bien, qu'elle me congédie! Il y a des limites au chantage et à l'exploitation!

C'est dans cet état d'esprit que j'entre à la volée dans l'appartement douillet qu'occupe ma grand-mère depuis toujours. D'aussi loin que je me souvienne, je n'ai jamais cogné avant d'entrer. Nonna m'a toujours accueillie les bras ouverts. Que je vienne pour m'empiffrer de tiramisu, pour lui tenir compagnie pendant sa corvée de conserves de tomates ou simplement pour jaser de la vie avec une femme qui en a vu des vertes et des pas mûres… Et je ne parle pas ici de tomates.

— Allô! C'est moi!

— Je suis dans la cuisine, Juliette.

Je me rends tout au bout du logement, non sans avoir au préalable retiré mes chaussures pour enfiler des pantoufles en laine tricotées par nonna elle-même. Une exigence de sa part, à laquelle j'ai fini par adhérer.

En marchant dans le couloir, je constate que les portes du salon double et de sa chambre sont fermées. Bizarre… Nonna Angela a plutôt l'habitude de tout garder ouvert.

J'embrasse chaleureusement ma grand-mère qui, comme toujours, est tirée à quatre épingles. Avec ses cheveux coupés court qu'elle teint en brun, ses lunettes à monture rouge, son discret rouge à lèvres rose et ses éternelles boucles d'oreilles ornées d'un diamant que son mari lui a offertes à l'occasion de leurs noces de rubis, elle est loin de ressembler à une des vieilles mémés acariâtres qui jouent dans *Les Détestables.* Aujourd'hui, elle porte un pantalon marine, une blouse blanc cassé à manches courtes et au col empesé, et des sandales dorées à talons bas.

Nonna m'offre aussitôt un verre de Campari, son apéritif préféré qu'elle boit tous les midis, avec des glaçons. Pour ma part, je déteste ça ! Mais comme je ne veux pas lui faire de peine, je l'accepte en lui demandant de l'allonger avec du jus de pamplemousse.

Sur la table antique, recouverte d'une nappe en dentelle beige, traîne un téléphone intelligent Android. Tout en m'assoyant, je m'en empare pour l'examiner, pendant que ma grand-mère s'active. Une odeur de noisettes se répand et j'en déduis qu'elle me prépare un gâteau que je pourrai rapporter chez moi. Comme à chacune de mes visites. Angela est une femme d'habitude, et ça se reflète dans son appartement qui, pour moi, a toujours été une source de réconfort.

— Qu'est-ce qui t'a décidée à acheter un cellulaire, nonna ?

— Euh... Rien de spécial.

— Juste comme ça ?

— Ben oui.

Je fronce les sourcils, sceptique devant sa réponse. Elle qui n'a toujours acheté que le nécessaire et qui reprise ses vieux bas de laine usés à la corde au lieu de s'en offrir de nouveaux ne s'autoriserait pas une telle dépense sans justification.

— Je te crois pas. C'est quoi, la vraie raison ?

— Juliette, t'es pas venue pour me faire un interrogatoire, hein ? Si tu me montrais plutôt comment écrire des textes ?

— Des textos, nonna. Ou des messages textes. Pas juste des textes.

— Comme tu veux. Alors, c'est facile ? me demande-t-elle en prenant place à mes côtés.

— Très facile. Tu commences par cliquer sur ton petit icône, ici, pour l'ouvrir.

Me voilà lancée dans une démonstration en bonne et due forme de l'envoi de textos. Nonna semble assimiler l'information assez rapidement et, même si ses doigts sont plutôt lents sur l'écran tactile, elle réussit à me faire parvenir un message.

« Juliette c, est tanonna. comment ca va. as = tu faim ? »

Bon, ça mérite quelques ajustements, mais c'est un bon début.

— Ton premier texto, nonna ! Bravo !

Ma grand-mère me demande de lui configurer une adresse courriel, ce que je m'empresse de faire. Elle continue ensuite d'explorer les différentes fonctions de son nouveau joujou, pendant que je feuillette distraitement une revue pour les aînés. Un article sur la lutte contre la perte osseuse… Zzzzz. Un autre texte sur l'incontinence urinaire… Beurk !

Et un troisième sur la nouvelle tendance du bingo en mouvement, qui consiste à faire bouger les participants chaque fois que l'animateur annonce un numéro. BBBBBBBB12 et on lève le bras droit trois fois… IIIIIII29 et on fait une rotation de la cheville gauche. *OMG !* Qu'est-ce qu'on n'invente pas de nos jours ?

— Nonna, pourquoi tu lis ça ? C'est hyper déprimant.

Ma grand-mère m'arrache des mains ladite revue, sans me répondre. Son geste précipité me laisse perplexe.

— Ben voyons, t'es bizarre aujourd'hui. Qu'est-ce qui se passe ?

— Tout va bien, t'as trop d'imagination, *topolino*.

Quand nonna m'a affublée de ce surnom italien il y a quelques années, elle a refusé de m'en dévoiler la signification. J'ai donc fait ma propre recherche pour découvrir que *topolino* signifie souriceau. OUA-CHE ! J'ai exigé qu'elle le change pour *Tesoro mio* ou *Angelo mio* – après tout, je suis beaucoup plus un trésor ou un ange qu'une souris –, mais elle a allégué qu'ils sont déjà attribués à ses enfants. Et puis pour elle, un souriceau, c'est trop mignon. Ouin, on va dire…

— Coudonc, c'est quoi l'idée de t'acheter un cell ? À qui tu veux envoyer des textos ?

— À toi, voyons ! Et à mon fils.

— Ce sera pas possible, ça. Maman et papa n'utilisent pas les textos au Costa Rica. Mais tu pourras les *skyper* si tu veux. C'est ça que je fais, moi.

Toutes les semaines, je rejoins virtuellement mes parents dans leur magnifique appartement situé au bord de l'océan Pacifique. On se donne rendez-vous généralement le dimanche matin, mais quand je suis *hangover*, je prétexte du boulot et je reporte notre entretien au lendemain. Dans ce cas, je fais tout ça par courriel… Pas envie d'inquiéter maman avec mes poches sous les yeux et mon teint verdâtre. Même quand j'ai l'air en pleine forme, elle ne cesse de me bombarder de questions.

« Manges-tu moins de sucre ? Dors-tu sept heures par nuit ? Vas-tu à tes cours de yoga ? » Ce à quoi je réponds oui, oui et oui… Ce qui est totalement faux, mais je sais que ça l'apaise de penser que je me comporte de façon raisonnable.

Le moins que l'on puisse dire de ma mère, c'est qu'elle a une forte personnalité et qu'elle prend beaucoup de place. Je constate aujourd'hui que j'en ai à la fois bénéficié et souffert. En fait, c'est mononcle Ugo qui m'a aidée à analyser ma relation avec maman, lui qui la connaît si bien et qui porte toujours un regard éclairé sur les gens, qu'il les adore ou pas.

Quand je suis venue au monde, j'ai été accueillie comme la princesse que maman voulait avoir depuis qu'elle était toute petite. Durant mon enfance, elle m'a aimée, dorlotée, chouchoutée comme pas une… jusqu'à ce que je me sente étouffée. Trop d'amour maternel, est-ce possible? C'est du moins ce que j'ai ressenti à l'adolescence et que j'ai manifesté en prenant mes distances avec elle. Quelle mauvaise idée! Sentant que je lui échappais, elle s'est faite encore plus envahissante. Il a même fallu que papa intervienne pour qu'elle comprenne que je l'aimais toujours mais que j'avais besoin d'air. De beaucoup d'air.

À l'âge adulte, nous nous sommes rapprochées et j'ai pleuré toutes les larmes de mon corps quand elle m'a annoncé qu'elle et papa partaient vivre au Costa Rica. «Quoi? Vous m'abandonnez?» leur ai-je lancé, furieuse. Ce qui a failli faire changer d'idée maman, qui est partie pour l'Amérique centrale le cœur en morceaux.

Quelques mois plus tard, j'ai réalisé finalement que leur départ m'avait rendue plus autonome, moins dépendante d'eux. Et même si parfois maman et papa me manquent terriblement, je n'éprouve plus ce terrible sentiment d'abandon qui m'a longtemps habitée. Et je suis soulagée que maman ne passe plus son temps à me demander si j'ai mangé le tajine à l'agneau et aux abricots confits qu'elle est venue me porter la veille. Ou si j'utilise à bon escient le bouchon à vin *girlie* qu'elle m'a offert.

J'ajoute, à l'intention de nonna:

— Et par Skype, tu vas pouvoir les voir sur ton écran.

— Hein? Comment ça?

— Je te montrerai.

L'émerveillement que je lis sur le visage de ma grand-mère me fait vraiment chaud au cœur. Elle retourne à ses fourneaux et je m'empresse de reprendre la revue poche. Il y a quelque chose de pas clair dans son attitude aujourd'hui et je veux en savoir plus.

Je profite du fait qu'elle s'est éloignée pour feuilleter discrètement le magazine, à la recherche d'indices. Je commence par la fin. Aussitôt, je tombe sur ce qu'elle voulait me cacher, et mon cœur s'affole…

Des publicités de résidences pour personnes âgées autonomes sont encerclées au stylo rouge, certaines agrémentées d'un astérisque. Nonna y a inscrit quelques infos telles que: « Clientèle italienne, appartements disponibles 1er août, pétanque, forfait un ou trois repas, infirmière de garde vingt-quatre heures sur vingt-quatre. » C'est quoi, tout ça?

— Nonna, tu vas pas aller vivre en résidence?

Ma voix haut perchée et mon ton angoissé font sursauter ma grand-mère, qui échappe sa cuillère de bois par terre. Elle se penche pour la ramasser, tout en évitant de me regarder.

— *Ma no!*

— Ah non? Et c'est quoi, ça? dis-je en me levant, la revue à la main.

— C'est rien, répond-elle en s'emparant du magazine pour le ranger dans son tiroir à crayons et papiers.

— Pourquoi t'as pris des informations sur les résidences?

— Pour rien.

Son obstination à me cacher quelque chose me fait douter du pire.

— T'es pas malade, toujours?

— *Topolino*, tout va bien, arrête de t'inquiéter.

— Je suis pas folle, t'as pas encerclé ces pubs-là pour rien!

— C'est pour plus tard. Quand je vais être vieille.

Et la voilà qui me fait un clin d'œil charmeur. Mais je ne suis pas dupe et je ne la laisserai pas m'embobiner de la sorte. Nonna finit d'un trait son Campari et sort un plat du réfrigérateur pour le placer au micro-ondes.

— Juliette, tu veux bien mettre la table pendant que je réchauffe les cannellonis?

— Hum, hum.

Je me lève pour aller chercher les assiettes en porcelaine à motifs floraux dans le buffet quand mon attention est à nouveau attirée par le couloir… et ses portes closes. Oui, c'est sûr, il se trame quelque chose ici.

Je me dirige rapidement vers le salon double. J'ouvre la porte d'un geste décidé. L'ordre qui règne habituellement dans la pièce sombre est remplacé par une dizaine de boîtes qui traînent par terre, sur lesquelles sont indiqués leurs contenus : livres à apporter, livres à donner, jeux de société et casse-têtes, vaisselle à donner, bibelots et chandeliers, etc.

La bibliothèque couleur noyer est complètement vide et un Post-it a été fixé sur une des portes vitrées. On peut y lire : « 125 $. » Même chose pour la table de salon, qui, elle, se détaille à 45 dollars.

Ce que je craignais depuis quelques minutes se confirme : nonna quitte son appartement. Celui que j'aime tant avec ses boiseries acajou, ses plafonds lambrissés, ses rideaux en dentelle, ses lustres vieillots. Celui qui me rappelle tant de souvenirs d'enfance. Comme ces dimanches soir en famille, passés autour de la table à déguster le meilleur osso buco du monde. Ou bien ces journées de congé pédagogique à jouer aux dominos avec nonna, après une promenade dans le parc Petite-Italie et un arrêt chez Milano.

Depuis que papa et maman ont vendu la maison du Plateau et qu'Ugo a quitté son duplex pour habiter dans un nouvel édifice à condos luxueux du centre-ville, il ne me restait que le logement de nonna comme témoin de mon passé. Je ne peux pas croire que je vais perdre ça aussi.

Je me sens comme si on m'abandonnait une nouvelle fois, comme si on voulait me déposséder de ce qui me relie encore au merveilleux monde de l'enfance. Les larmes me montent aux yeux.

Je me retourne et j'aperçois ma grand-mère, appuyée contre le cadre de la porte, qui me regarde tristement, l'air légèrement coupable.

— Pourquoi ? Pourquoi tu t'en vas ?

— Je suis désolée, Juliette. Je voulais te le dire après le dîner.

— Je comprends pas. T'es plus bien ici ?

— Oui, mais j'ai envie de vivre autre chose. D'être un peu moins seule, aussi.

— Mais t'es PAS toute seule. Je suis là, moi !

— Je sais bien, mais tu peux pas venir visiter ta vieille nonna tous les jours. T'as ta vie à toi.

— C'est ma faute, je t'ai négligée ces derniers temps.

— Mais non. J'ai besoin de changement, comme n'importe qui.

En voilà une bonne ! Une nonna n'a pas besoin de changement. Une nonna, c'est la stabilité, la continuité, l'équilibre. Pas les envies de grandeur. Ça, c'est pour moi !

— Et puis, ajoute-t-elle, je suis un peu fatiguée.

— Fatiguée ? Mais t'as toujours l'air *top shape* quand je te vois.

— Je vieillis, *topolino*, c'est toi qui veux pas l'admettre.

J'observe ma grand-mère qui se tient maintenant droite comme un i – posture qu'elle a héritée de la pratique de la danse sociale – et je me demande bien en quoi elle vieillit. Pour moi, ses traits n'ont pas changé depuis que je la connais. Elle a toujours autour de soixante ans… bien que je sache que c'est mathématiquement impossible. Et qu'elle en a au moins vingt-cinq de plus. Je soupire de nostalgie.

— Et tu vas aller vivre où ?

— Pas loin d'ici, dans une très belle résidence. Tu vas adorer ça, j'en suis certaine.

— Ouin… Je suis pas sûre.

— Mais oui. Y a plein d'activités, une piscine, une salle de cinéma, de la pétanque…

— On dirait que tu parles d'un Club Med.

— C'est ça aussi. Un Club Med de p'tits vieux.

Je me force à sourire devant son enthousiasme presque contagieux. Oui, elle a l'air heureux. Oui, elle le souhaite véritablement. Oui, c'est peut-être ce qui est mieux pour elle. Mais comment me faire à l'idée? Tout simplement en cessant d'être égoïste. C'est pas compliqué, me semble!

— Boooooon, OK, d'abord, si c'est ça que tu veux...

Le soulagement que je lis sur son visage m'indique que je devrais arrêter de ne penser qu'à mon nombril. Je lui réitère mon accord en l'enlaçant tendrement. Et c'est bras dessus, bras dessous que nous retournons à la cuisine pour aller déguster nos pâtes farcies.

— Pis quand est-ce que tu m'emmènes faire des « haut les mains, haut les mains, haut les mains » avec ta gang de p'tits vieux?

Le rire familier de nonna Angela résonne dans la pièce. Comme à son habitude, il est franc, bruyant et terriblement joyeux. Ce qui me rassure et me fait penser que les choses ne changeront peut-être pas tant que ça, finalement. Du moins, je l'espère.

14

STATUT FB DE JULIETTE GAGNON

À l'instant, près de Montréal

Moi, un gars qui a du blanc au coin des lèvres, je suis pas capable #dégueulasse #nausée

— Donc t'es la photographe officielle du festival?

— Euh… Une des photographes, oui.

Ma conversation avec l'ingénieur de son du Festival Juste pour rire est d'un ennui total. De plus, je suis incapable de regarder son visage : il a une espèce de truc blanc à la commissure des lèvres, qui me dégoûte royalement et qui m'empêche de me focaliser sur autre chose. J'en ai tellement mal au cœur que je suis incapable de boire mon Champgria, un cocktail à base de porto rosé qui semble délicieux. Au moins, ça me ferait passer le temps!

Il y a maintenant trente minutes que je suis arrivée sous la grande tente blanche dressée en plein cœur du Quartier latin, pour le 5 à 7 pré-Festival. Et toujours aucune trace de Mikaël. S'il faut qu'il ne se présente pas, lui… Avec tous les efforts que j'ai faits.

Venir ici m'a demandé du courage. Je ne suis pas très 5 à 7 glamour. J'ai souvent l'impression de détonner dans ce genre d'événement. De ne pas être à ma place. Sauf si j'y suis pour prendre des photos. Ce derrière quoi j'aurais pu me réfugier si seulement j'avais pensé à apporter mon appareil. Même pas ! Nerveuse comme j'étais, je suis partie en trombe de chez moi après m'être changée cinq ou six fois, oubliant tout mon équipement photo en plein milieu de l'entrée. *#Fail !*

Il faut dire que le texto que j'ai reçu cet après-midi de ma patronne a décuplé mon angoisse. « Ma patience a des limites », m'a-t-elle écrit. Ce à quoi j'ai répondu : « C'est ce soir que ça se passe. » Mais pour l'instant, il ne se passe absolument rien, sauf une discussion poche avec un gars qui m'intéresse autant que le hamster de mon voisin.

— Tu sais, le son dans un *show*, c'est beaucoup plus important qu'on pense. Nous, on est parfois sous-estimés en tant que techs, mais c'est…

Blablabla… Je laisse mon compagnon du moment se lancer dans un monologue sur son travail ô combien important. J'essaie d'être polie et je lui jette un coup d'œil de temps à autre, en ayant comme objectif de ne regarder que ses yeux… Pas évident, j'aperçois quand même ses lèvres. J'opte finalement pour son front dégarni.

— Les « talents », faut pas trop leur en demander, ils sont tout simplement incapables de…

Bon ! Un autre qui n'aime pas les vedettes et qui *bitche* contre elles. Je déteste les gens qui se plaignent constamment. De leurs collègues de travail qui sont moins compétents qu'eux, de leur conjoint qui ne les comprend pas, de leur voisin qui laisse les mauvaises herbes envahir leur pelouse, du livreur de circulaires qui ne sait pas encore à quoi sert le crochet de la boîte aux lettres, du nettoyeur du coin qui n'a pas pu faire partir la tache sur leur veston préféré... Moi, les belliqueux, pas capable!

— Avec nos horaires de fous, en plus, c'est pas tous les jours drôle à maison...

Je cherche frénétiquement une échappatoire à la situation, en scrutant la foule, espérant y voir un visage connu. Toujours rien. Puis mon regard est attiré par une tête rousse flamboyante... exactement la couleur des cheveux d'Annabelle Malenfant. La jeune femme est entourée de quatre ou cinq personnes, dont Mikaël. *WHAT?* S'il est venu avec sa blonde, mon chien est mort! Je ne pourrai jamais m'approcher de lui.

Déguerpis, Juliette! T'as plus rien à faire ici. Tu te reprendras une autre fois.

J'éprouve un vif soulagement à l'idée de me sauver des griffes de mon interlocuteur et d'une rencontre avec Mikaël. Danicka ne pourra tout de même pas m'en vouloir parce que sa fille s'est pointée au 5 à 7.

— Excuse-moi, faut que j'y aille, dis-je tout de go au technicien râleur.

Et je m'éloigne sans plus de façon. Voulant éviter de me retrouver face à face avec Mikaël ou Annabelle, je me fraie un chemin vers l'arrière de la tente. Il doit certainement y avoir une sortie de ce côté-là aussi. J'atteins une autre partie de l'immense chapiteau, où l'on a aménagé de petits espaces clos.

Au passage, je lis quelques affiches posées sur les grandes toiles qui servent de séparation: « Salle de presse, Salon des artistes, L. Lauzon. » Ah, tiens, le bureau de Louise est ici. Bon à savoir. Je poursuis mon chemin quand une voix derrière moi m'interpelle.

— Juliette?

Je me retourne et j'aperçois la productrice qui vient à ma rencontre.

— Ah! Allô, Louise.

— Tu cherches quelque chose? Le *party*, c'est là-bas, dit-elle en montrant la direction opposée.

— Oui, oui, je sais. En fait, je m'en allais.

— Déjà ?

— Euh, oui, oui. J'ai un autre événement.

— Avant de partir, viens dans mon bureau, faut que je te parle.

Son ton sans équivoque et sa façon brusque de tourner les talons tout en m'indiquant du doigt la porte de son « bureau » m'inquiètent.

— Assieds-toi, m'invite-t-elle aussitôt.

Méfiante, je m'exécute néanmoins tout en croisant les bras, signe que je ne suis pas très ouverte à la discussion.

— Je vais aller droit au but, Juliette. T'avais pas une job à faire, toi, ce soir ?

Sa question me met encore plus sur mes gardes. Et quand je suis en mode défensif il m'arrive souvent de déverser un flot de paroles parfois inutiles.

— Euh, non, non. Pas de photos ce soir. Pourquoi ? Tu l'avais demandé ? Honnn, je suis désolée, Mme Malenfant me l'a pas dit. Sinon c'est certain que j'aurais apporté mon appareil. Je suis professionnelle, tu sais, je ne manque jamais à mon devoir, je ne suis pas…

— Arrête, tu m'étourdis.

Je me tais et j'attends la suite, de plus en plus inquiète. Et si Louise était la traîtresse ? Celle qui nous a espionnés au profit de ma patronne ? Meuhhhhh ! Impossible !

— Je ne parlais pas de photos, ici, mais d'un mandat plus… délicat. Celui que t'a confié Danicka avec Mikaël.

Eh bien, j'aurai tout vu ! Une productrice qui piège un de ses protégés ? Décidément, on ne peut faire confiance à personne en ce bas monde.

— Comment tu sais ça ?

— Je sais tout, moi. Danicka m'a raconté.

— J'en reviens pas ! C'est toi qui nous as enregistrés, à l'auberge ?

— Tu comprendras que je n'avais pas le choix. Je n'en pouvais plus de couvrir Mikaël. Je devais bien ça à Danicka et à ma filleule.

— Hein ? Il m'en manque des bouts.

Louise m'explique que, lors de mon séjour au Saguenay, elle a été témoin de la conversation entre Mikaël et moi. Et puisqu'elle savait que Danicka cherchait à démasquer l'infidèle humoriste, elle a songé qu'au fond ce n'était peut-être pas une mauvaise chose. Elle a mis de côté sa rigueur professionnelle et nous a enregistrés à notre insu.

— Je me suis dit qu'une bonne leçon, ça ne lui ferait peut-être pas de tort.

Je suis étonnée de la réponse de Louise, moi qui croyais qu'elle devait protéger la vie privée de Mikaël. Mon air surpris l'incite à poursuivre.

— J'avoue, Juliette, que je ne pouvais plus l'excuser tout le temps. Danicka ne me le pardonnerait pas. Annabelle non plus.

— Parce qu'il est si pire que ça ?

— Tu te souviens pas de ce que je t'ai dit, le soir du spectacle ?

« Mais pense pas que t'es la seule et unique. » Oui, je me rappelle, mais je n'y ai pas vraiment cru. Honteuse, je baisse la tête. Louise continue son explication.

— Quoi qu'il en soit, Danicka m'a dit que tu allais être ici ce soir pour essayer de lui fournir la preuve qu'elle t'a demandée.

— Ouin, mais elle rêve en couleurs si tu veux mon avis. Voir si je vais nous filmer en train de baiser !

— T'es pas obligée d'aller jusque-là, tu le sais bien.

— J'en ai pas l'intention non plus. À la limite, un peu de *necking*, mais c'est tout.

— Ça devrait être suffisant.

— De toute façon, comment veux-tu que je fasse ça ? Sa blonde est là ce soir.

— Et tu penses que ça va le retenir ?

— Ben là…

— Au contraire, il va voir ça comme un défi.

Tout à coup, j'en ai marre de toute cette mascarade! C'est trop *heavy* pour moi et je n'ai plus du tout envie de participer. Je me lève pour prendre congé de Louise. Et en ce qui concerne ma job... eh bien, advienne que pourra!

— Tu m'excuseras, mais, moi, je ne joue plus.

— Ah bon? T'es certaine?

— Yep! À un moment donné, faut savoir se respecter. Salut!

Je quitte le bureau de la productrice pour aller annoncer la «mauvaise nouvelle» à Danicka. Même si je crains pour mon avenir, j'ai la tête haute et dix tonnes de moins sur les épaules. C'est maman qui serait fière de moi.

*

J'ai droit à un sursis. C'est du moins comme ça que ma patronne m'a présenté la chose quand je lui ai annoncé que je n'allais pas me livrer à ses manigances, hier en fin de journée. Bien entendu, je n'ai pas utilisé ces mots, mais mon message n'en était pas moins clair. Pas question de piéger Mikaël. Pas parce qu'il ne le mérite pas, bien au contraire, mais parce que je me protège, moi, avant tout.

«Très bien, Juliette, c'est ton choix. Le festival commence dans une semaine, je vais te le laisser couvrir et peut-être que tu retrouveras la voie de la raison.»

En clair: «Profite donc du festival pour remplir la mission que je t'ai donnée.» *In your dreams*...

Bon, l'important, c'est que pour l'instant j'ai encore un travail et de quoi payer mes comptes. Pour le reste, on verra plus tard. Et ce soir, j'ai bien l'intention d'oublier toute cette histoire en allant dans mon bar préféré. J'espère rencontrer un gars qui chassera mon écœurantite aiguë de l'espèce humaine.

Je sors de la douche et je sèche mes cheveux à la brosse ronde, en réfléchissant à ce que je vais porter ce soir. Ma nouvelle paire de jeans *skinny super low*, cela va de soi. C'est pour le haut que je suis indécise. Mon petit *top* noir brodé de perles fantaisie ou ma camisole licou qui me dénude le dos ? Sage ou provocante ? Quel bonheur d'avoir des préoccupations aussi légères !

Je dépose mon séchoir à cheveux sur le comptoir de la salle de bain et je gagne ma chambre. Le bruit de la porte d'entrée qui s'ouvre avec fracas me fait sursauter à un point tel que j'en perds la serviette qui me cachait le corps. Me voilà complètement nue !

— Matante Juju !

Une petite boule d'énergie, suivie d'une seconde, s'élance vers moi. Je n'ai pas le temps de me couvrir que Mathis et Matéo m'encerclent les jambes en riant aux éclats.

— On s'en vient faire du camping !

Voulez-vous bien me dire ce que foutent les jumeaux de Clémence dans mon appartement à 10 heures du soir ? En pyjama et en pantoufles !

— Tassez-vous, les gars, et donnez-moi ma serviette.

Ceux qu'on surnomme « les deux M » m'obéissent, en continuant de babiller au sujet d'une expédition de camping dans le salon de matante Juju. Non mais, de quoi parlent-ils ? Je camoufle ma nudité et je me dirige vers la porte quand Clémence entre dans mon appartement, deux sacs de couchage sous les bras, un sac à dos qui pend de son épaule gauche et un toutou de lapin qu'elle tient par les oreilles, entre ses dents.

— Clem ! Qu'est-ce que tu fais ici ?

Mon amie laisse tomber le toutou au sol, mais ne me répond pas pour autant. Elle me fixe de ses yeux tristes et rougis. Immédiatement, je comprends que la situation est grave.

— Qu'est-ce qui se passe ?

— Je t'expliquerai, dit-elle. Est-ce que je peux installer mes enfants dans le salon pour la nuit ?

— Ben oui.

Je l'aide à transporter son matériel pendant que les deux M sautent sur les divans, visiblement très heureux de cette aventure tardive.

— Maman, on veut des guimauves.

— Demain, Mathis. Là, il est tard, c'est l'heure du dodo.

— Nooooooooon ! s'écrient les garçons en chœur avant de nous casser les oreilles en scandant : Des guimauves ! Des guimauves ! Des guimauves !

Je connais les jumeaux de Clémence depuis qu'ils ont un an et je les adore. Même s'ils me déconcertent parfois avec leur complicité unique et le monde bien à eux dont ils nous excluent souvent.

Ils se ressemblent beaucoup, tellement qu'il est facile de les confondre. Leur mère a eu la bonne idée de les différencier avec leur coupe de cheveux. Très courte pour Mathis et de belles boucles pour Matéo.

Les deux M ont un caractère fort et forment une redoutable équipe quand vient le temps des négociations. Mais le leader, c'est Mathis. C'est lui qui impose sa vision à Matéo, pour lequel, je l'avoue secrètement, j'ai une plus grande affection.

— J'ai dit : au lit ! Vous êtes sourds ou quoi ?

Oh là là... La maman n'a pas de patience ce soir. Et ses enfants semblent l'avoir compris puisqu'ils se glissent dans les sacs de couchage que nous avons déposés sur mon sofa.

Je laisse la porte du salon entrouverte et j'entraîne Clémence dans la cuisine, où je lui sers un verre de rouge. Elle décompresse quelques instants, le temps que j'aille enfiler ma robe de chambre. Bye-bye, soirée olé olé... Mais je m'en fous, mon amie a besoin de moi et c'est tout ce qui compte.

À mon retour, le verre de Clémence est vide. Je le remplis à nouveau et je m'en verse également un.

— C'est Arnaud ?

Clémence hoche la tête, et des larmes inondent ses yeux.

— Qu'est-ce qu'il t'a fait ? Il a une maîtresse ?

— *Kind of.*

— Comment ça, *kind of* ? Il te trompe, oui ou non ?

— Ah ça, pour me tromper, il me trompe.

— Il couche avec un gars ?

— T'en reviendras pas. Même moi, j'ai de la misère à y croire.

— C'est quoi ? Clémence, s'il te plaît, parle-moi.

Elle prend une autre grande gorgée de vin, inspire et expire bruyamment avant de lâcher le morceau.

— Il va dans des clubs échangistes.

— *WHAT ?*

— T'as bien compris.

— Mais… Faut pas être un couple pour aller dans ces endroits-là ?

— Ben oui. Il fait ça avec sa script-éditrice. Il leur dit que c'est elle, sa femme.

— C'est un ostie d'écœurant !

— En plus, il a essayé de me convaincre que c'était pour faire de la recherche pour son scénario. Eille ! C'est un film pour ados !

C'en est trop ! Les larmes que Clémence retenait depuis plusieurs minutes coulent maintenant à flots sur ses belles joues rondes.

— Ah, pauvre chouette, tu mérites tellement pas ça.

Je m'abstiens de lui dire que je me doutais bien que son Arnaud n'était pas blanc comme neige. Inutile d'en rajouter. Je l'enlace plutôt tendrement.

— Je voudrais vraiment t'aider, Clémence. Dis-moi ce que tu veux que je fasse.

— Tu viendrais pas en camping avec nous autres, demain ? Ça fait un mois que je l'ai promis aux gars, mais là je peux pas leur dire qu'on y va plus, puis j'ai pas le courage d'y aller toute seule avec eux.

Du camping ? À manger dans le bois, avec les moustiques qui nous dévorent ? À dormir sur un matelas dur qui donne mal au dos ? À faire pipi dans des toilettes sèches ? À faire la file pour prendre sa douche à l'eau froide ? *OMG !* Jamais !

— Ben oui, Clémence, tu peux compter sur moi.

— Vraiment ? Ahh, t'es trop chou.

Et pour tenter de me convaincre, je me lance dans une envolée dithyrambique sur les bienfaits du camping.

— À nous le grand air, les grands espaces, les randonnées en montagne, l'eau claire des lacs, la tranquillité de la forêt.

— Mets-en pas trop, Juju. On s'en va quand même juste au camping Sainte-Germaine.

— Celui au bord de l'autoroute ? T'es pas sérieuse ?

— Ben oui, c'est Arnaud qui avait *booké* ça. Parce qu'il y a plein d'activités pour les enfants.

— Lui, si je l'avais devant moi, je lui *kickerais* son *ass*.

— *Be my guest*, Juju. *Be my guest !*

15

STATUT FB DE **CLÉMENCE LEBEL-RIVARD**

Il y a 52 minutes, près de Boucherville

En route pour le camping Ste-Germaine
avec mes deux amours et mon amie Juju.
Au programme : baignade et rigolade.
Bon week-end !

— Mathis, c'est pas un javelot, ça !

Monter une tente avec des enfants turbulents constitue une mission que Clémence et moi avons peine à exécuter. Depuis que nous sommes arrivées au camping, tout va de travers. Et quand je dis tout, c'est tout, tout, tout.

Mon amie s'empare du mât de la tente avec lequel son flo s'entraîne pour les Jeux olympiques, risquant à tout moment de blesser son frère. Ce qui provoque une énième crise de larmes de l'un et l'exaspération de Clémence envers l'autre. Le week-end va être long…

Il a bien mal commencé quand on nous a assigné un terrain minuscule, coincé entre de vieux *rockers* qui écoutent CHOM à tue-tête et un petit couple qui se chicane pour savoir s'il va cuisiner des hot-dogs ou des hamburgers pour le dîner. En plus d'être à deux pas des toilettes… et de leurs odeurs nauséabondes.

On nous a aussi appris que la piscine était fermée temporairement pour cause de « contamination inconnue ». Une façon détournée de nous dire que trop d'enfants ont fait pipi dans l'eau ? Ouache ! En compensation, on nous offre des laissez-passer pour le souper du Noël des campeurs, qui cette année a lieu un peu plus tôt puisque l'organisateur en chef doit subir une opération de la cataracte vers le 20 juillet. Non mais, on n'en a rien à foutre de manger de la dinde et de la tourtière en plein été ! On veut la piscine pour occuper les enfants et nous permettre, à leur mère et à moi, d'imaginer une vengeance envers Arnaud.

Hier, quand Clémence s'est pointée chez moi, elle venait tout juste d'apprendre la double vie que mène son mari depuis environ six mois. Elle cuisinait des muffins aux pommes et au miel en vue de leurs petites vacances familiales quand un texto s'est affiché sur le téléphone d'Arnaud. Curieuse, elle a jeté un coup d'œil à l'appareil que son mari avait laissé traîner sur le comptoir.

« C'est bon pour mercredi soir au Jade Club. » Découvrant que le message provenait de Josiane, la collègue d'Arnaud, Clémence ne s'est pas inquiétée outre mesure. Mariée et mère de deux ados, Josiane lui a toujours inspiré confiance. D'autant plus que, selon Clem, elle est plutôt quelconque physiquement. Que son mari aille prendre un verre avec sa collaboratrice ne pouvait pas lui mettre la puce à l'oreille.

Tout en versant le mélange à muffins dans des moules, Clémence n'arrivait pas à se défaire d'une curieuse impression. Une fois le tout au four, elle a relu le texto et c'est là qu'elle a commencé à avoir des doutes. Le Jade Club ? Elle n'avait jamais entendu parler de cet endroit. De plus, elle s'est rappelé que, mercredi soir, elle serait à Québec pour le boulot et qu'elle ne dormirait pas à la maison… Louche, tout ça, s'est-elle dit.

En consultant le site du Jade Club sur Internet, Clémence a découvert le pot aux roses. « Cercle privé pour couples libérés et avant-gardistes. *Partys* sensuels dans un cadre douillet. » Eille ! Un club d'échangistes ! Méchant choc !

Elle a confronté son mari qui, après avoir inventé des excuses abracadabrantes, a fini par avouer. Il a ensuite tenté de lui faire porter le chapeau, en lui disant : « Je t'ai déjà dit que je voulais essayer ça, mais t'as fait la sourde oreille. C'est ta faute. » Quel être abject ! Je l'ai toujours détesté et je le déteste encore plus aujourd'hui.

J'observe Clémence, avec qui je finis de dresser la tente, et, une fois de plus, je suis émerveillée par sa résilience. Moi, à sa place, je me serais effondrée depuis longtemps. J'aurais annulé le camping, fait garder les deux M chez la première personne disponible pour me rouler en petite boule dans mon lit et pleurer toutes les larmes de mon corps. Mais pas elle. Pas ma Clémence, si solide, si fière, si responsable.

Je ne sais pas où elle prend ce courage. D'autant plus qu'elle n'a pas fermé l'œil de la nuit.

— Qu'est-ce qu'on va faire avec eux autres aujourd'hui ? dis-je à mon amie en pointant les enfants du doigt.

Clémence jette un coup d'œil découragé à ses jumeaux qui ont commencé à se déshabiller pour enfiler leurs maillots de bain.

— Je sais pas trop. J'ose pas leur dire pour… *you know, the pool.*

— Hum, hum.

— Ça va mieux passer si on a quelque chose d'autre à leur proposer.

— OK, je regarde ça.

Je consulte le dépliant qu'on nous a remis à l'entrée, afin d'y dénicher un sport fait sur mesure pour les garçons. « Badminton, volley-ball, tournois de fers, de dards, de pétanque… » Rien de trop excitant pour des enfants de cinq ans. Elles sont où, toutes les formidables activités dont a parlé Arnaud ? Je poursuis ma lecture : « Bingo, bricolage, visite en voiturette avec la mascotte Guille-Mauve. » Quel jeu de mots pourri ! Tout comme le programme du camping, d'ailleurs.

— Je veux aller à la piscine ! hurle Mathis.

— La piscine ! La piscine ! La piscine ! ajoute son frère.

J'interviens pour essayer de les distraire.

— Vous voudriez pas vous promener en voiturette à la place ? Vous savez, comme au golf ?

Mathis et Matéo se jettent un coup d'œil complice et me fixent ensuite comme si j'étais une extraterrestre. Ils sont maintenant vêtus de leurs maillots de bain jaune et bleu et sont en train de remettre leurs espadrilles vertes décorées de dragons. Tout un look !

— Avec la mascotte du camping, elle s'appelle Guille-Mauve.

Toujours aucune réaction des deux M.

— Vous allez voir, ça va être *cool* !

Là, ils me tournent carrément le dos pour aller chercher leurs fusils à eau, qu'ils reviennent braquer directement sur moi.

— C'est toi qu'on va tuer dans l'eau, affirme Mathis.

— Oui, c'est toi, matante Juju, ajoute Matéo.

— Pff, si vous pensez que vous me faites peur !

Je lorgne du côté de Clémence. Il est vraiment temps de leur annoncer la mauvaise nouvelle, mais elle semble totalement absorbée par le gonflement d'un matelas pneumatique. Je décide de prendre les devants.

— Écoutez, les gars, on pourra pas se baigner aujourd'hui.

Et les voilà qui se lancent dans des jérémiades insupportables, autant pour mes oreilles que pour celles de nos voisins. Seule Clémence paraît imperméable aux récriminations de ses garçons. Jusqu'à ce que je la voie perdre patience en renversant d'un coup de pied la petite pompe à matelas. Oups… Notre Clémence n'est pas de bonne humeur. Attention, les gars, ça va chauffer !

Elle se dirige vers sa minifourgonnette, y saisit des trucs sur la banquette et revient vers les deux M. Ils deviennent subitement silencieux et laissent immédiatement tomber leurs fusils à eau. Avec leurs grands yeux écarquillés, ils convoitent les objets que Clémence tient dans ses mains.

Elle les fait languir un instant, puis elle donne son iPad à Mathis et offre le mien à Matéo. Ils s'en emparent comme si c'étaient les huitièmes merveilles du monde.

— Dans la tente, tout de suite. Pis que je vous entende plus !

Sans se faire prier, les jumeaux obéissent à leur mère, qui pousse un énorme soupir de soulagement.

— Bon, on va avoir la paix pour quelques heures.

— Quelques heures ? D'habitude, tu…

Le regard d'acier que me lance mon amie me fait comprendre que j'ai intérêt à la fermer et à ne pas lui rappeler les règles de vie qu'elle impose généralement à ses fils. C'est clair que cette fois-ci ils seront autorisés à jouer plus de trente minutes avec les tablettes. Et ce n'est pas moi qui vais m'en plaindre.

— J'ai le droit d'être une mauvaise mère aujourd'hui, affirme Clémence avec le ton de celle qui veut se convaincre.

Même si je sens qu'elle éprouve un sentiment de culpabilité, je suis soulagée de constater qu'elle ne veut pas jouer à la femme parfaite. Pour une fois.

Clémence est d'une maturité peu commune qui, m'a-t-elle raconté, lui vient d'un drame vécu à l'adolescence.

À quatorze ans, elle a perdu sa maman dans un accident d'auto. Chaque fois que j'y pense, mon cœur se serre et je me demande comment elle a fait pour survivre à une telle épreuve. Non seulement elle n'a pas sombré dans une profonde dépression comme moi je l'aurais fait, mais elle a pris toute la peine de son père et de sa jeune sœur sur ses frêles épaules d'adolescente. En plus de remplacer sa mère dans l'organisation de la maison. Mon amie Clémence Lebel-Rivard a toute mon admiration.

— T'as tous les droits aujourd'hui, Clem.

— Même celui de boire un verre à… Quelle heure il est, là?

— Onze heures et demie. Tu veux du vin?

— Ça me tente, mais… Ah non, je devrais pas.

— Pourquoi? Tu conduis pas.

— Ouin, mais les gars? Faut que je m'en occupe!

— Je vais t'aider, fais-toi-z'en pas!

Je fouille dans la glacière à la recherche d'une bouteille de rosé bien froid, que je dépose sur la table à pique-nique. Je sors aussi quelques provisions préparées la veille par mon amie. J'imagine qu'elle doit être affamée, puisqu'elle s'est contentée d'un seul café pour déjeuner.

— Et puis si t'étais fine, tu irais porter les sandwiches aux gars, avec des jus de raisin.

— Mais bien sûr!

— Ah, pis des petites carottes aussi.

Je m'exécute aussitôt, pendant que Clémence débouche le vin et en verse dans deux gobelets en plastique. En sortant de la tente, je la vois remplir à nouveau son verre. *Damn!* À ce rythme-là, elle va être soûle avant midi.

— Viens trinquer, Juju.

— Euh… Je vois pas trop à quoi on pourrait trinquer… À toi, la cocue, ou à moi, la fille qui va perdre sa job après le Festival Juste pour rire?

— Bah, arrête donc de dramatiser. Ta *boss* veut seulement te faire peur. C'est des menaces, rien d'autre.

— Elle est capable de les mettre à exécution si tu veux mon avis.

— T'es bien trop talentueuse pour qu'elle se passe de toi. Allez, prends ça !

Clémence me tend le gobelet, porte un toast à « l'amitié qui, elle, au moins, est vraie » et vide son verre en deux gorgées. Pour immédiatement se resservir. En quatre ans, je ne l'ai jamais vue ivre. À peine pompette parfois, mais c'est tout. J'ai l'impression que c'est maintenant que ça va arriver et je ne suis pas certaine que ce soit une bonne idée. Je comprends aussi qu'aujourd'hui les rôles sont inversés : c'est moi qui vais devoir veiller sur elle.

— On va manger un peu, OK, Clem ?

— J'ai pas faim, finalement.

— T'as rien avalé depuis hier. À boire comme ça, l'estomac vide, tu vas tomber soûle morte bien vite.

Mon amie hausse les épaules comme si elle s'en foutait, avant d'avaler une autre grande gorgée de rosé. Je ne la reconnais pas et ça m'inquiète un peu. Beaucoup, en réalité. Ce n'est pas tant qu'elle ait décidé de se soûler à 11 heures et demie du matin qui m'angoisse. Non. C'est plutôt que son comportement cache un profond désarroi.

Et le mieux que je puisse faire à l'heure actuelle, c'est de m'occuper d'elle et de son âme blessée. Et comme me disait maman, la meilleure façon de remettre quelqu'un sur le piton, c'est de lui servir à manger. Je prépare donc une assiette que je dépose devant elle : végépâté, biscottes de grains entiers et salade de maïs grillé, tomates et coriandre. Tout ça a l'air délicieux, mais Clémence regarde son lunch avec dégoût.

— Eille ! Je peux-tu manger d'autre chose que des trucs santé pour une fois ?

Depuis l'adolescence, Clémence se bat pour rester mince, elle qui a une propension naturelle à l'embonpoint.

C'est d'ailleurs ce qui l'a amenée à devenir nutritionniste. Elle a une alimentation exemplaire et je ne l'ai jamais vue manger de la *junk*. C'est pas moi qui aurais cette discipline-là !

— Ben oui, Clémence. Je te l'ai dit, t'as tous les droits.

Je cherche à nouveau dans la glacière, mais, comme je le prévoyais, je ne vois rien qui ressemble à un aliment qui n'est pas santé.

— Tu trouveras rien là-dedans, Juju.

— Je vois ça.

— Il doit bien y avoir un casse-croûte ici ?

— Peut-être, oui.

Mon amie se lève en titubant et m'annonce qu'elle s'en va acheter une poutine.

— Euh… Trop pas ! Toi, tu restes ici. Moi, je vais aller voir.

— Ahh, t'es fine, dit-elle en se rassoyant lourdement.

Je m'éloigne vers le sentier, non sans avoir fait promettre à Clémence de *slaquer* un peu sur le vin. Pas certaine qu'elle va tenir sa promesse, cependant.

En circulant dans l'allée des roulottes, j'ai l'impression d'être dans un monde surréaliste ! Une banderole de petits triangles rouges et bleus est suspendue à la clôture blanche qui borde l'allée, des boîtes aux lettres en forme de chien, de vache noire et blanche ou même de mouffette sont plantées sur des piquets le long du sentier, et des nains de jardin décorent les terrains des campeurs. Ohhh, que ça ferait des photos intéressantes ! Je compte bien en prendre quelques-unes plus tard.

Et c'est sans parler des vacanciers eux-mêmes, qui sont drôlement inspirants pour la photographe que je suis. Comme cette femme, vêtue d'un maillot de bain rouge et d'un chapeau de cowboy blanc, orné de quelques breloques dorées. Étendue sur une chaise longue à côté de sa roulotte joliment décorée de dessins de fers à cheval, elle lit une revue en écoutant de la musique country. J'adore !

Je ralentis le pas et je finis par m'arrêter non loin d'elle pour mieux l'observer. Dans la vie, j'aime les gens qui s'assument. Et cette femme-là semble le faire sans aucune gêne. Sentant que je l'étudie, la campeuse dépose son magazine et lève la tête. Elle a de grands yeux marron pétillants, de belles pommettes saillantes, le teint clair et pimenté comme celui des rousses, mais la bouche beaucoup trop grande et le menton dominant. Immédiatement, j'ai envie de photographier ce visage aux traits atypiques. Ne serait-ce qu'en raison de son regard. De ceux qui incitent au bonheur.

Un peu gênée d'être prise en flagrant délit de contemplation, je me détourne et je poursuis mon chemin.

— Je peux t'aider ? Tu cherches quelque chose ?

La voix de la campeuse est chantante comme celle d'une Américaine du sud des États-Unis.

— Oui, le casse-croûte.

— Ohhh, t'es pas dans la bonne direction. C'est à côté du *miniputt*.

— Ah ? Et c'est où, ça ?

— À pied, c'est loin. Viens, je vais te donner un *lift*, dit-elle en désignant du menton un véhicule biplace à deux roues.

C'est un genre de *cart* électrique de golf, mais plus petit et plus sophistiqué. Il est décoré d'un drapeau que je ne reconnais pas. Rouge, avec un cercle bleu et trois étoiles blanches. *Not a clue !*

— C'est le drapeau de quel pays, ça ?

— Celui de l'État du Tennessee, me répond-elle en enfilant un paréo blanc et des gougounes en paille avec une fleur rouge sur le dessus.

— Là où Elvis…

— Yep ! Mais moi, c'est surtout Nashville que j'aime. Pour la musique. Bon, tu viens ?

— Euh, oui, oui.

Nous montons à bord de son drôle de véhicule, qu'elle fait démarrer au quart de tour. Une vraie cowgirl!

— Moi, c'est Sherley. Toi?

— Juliette.

Pendant que Sherley me vante les mérites du camping Sainte-Germaine en roulant un peu trop rapidement, j'essaie de deviner son âge. Quarante? Quarante-trois, peut-être? Difficile à dire avec le large chapeau qui lui couvre la tête et les lunettes fumées à montures blanches qu'elle vient de se mettre sur le nez.

Sherley semble adorer le rouge, comme en témoignent son *gloss* pétant et ses ongles couleur de feu. Le moins qu'on puisse dire, c'est qu'elle est « raccord » et qu'elle est plutôt bien foutue: mince et légèrement musclée. Cette femme-là entretient son corps, c'est l'évidence même.

— Moi, ça fait trois ans que je viens ici.

— Tout l'été?

— À part ma semaine à Nashville en août, oui.

— Ah bon.

L'idée de passer trois mois à tourner en rond dans un *parking* de roulottes multicolores, à faire les mêmes activités jour après jour, avec le même petit noyau de gens me déprime totalement. Pas pour moi, la vie de camping.

Véritable moulin à paroles, Sherley me raconte ensuite que, tous les étés, elle accroche sa roulotte à son bon vieux *pick-up* et qu'elle se rend dans le sud des États-Unis pour assister au festival de musique et participer au concours de barbecue.

— Je cuisine les meilleures *chops* de porc à l'hickory.

— Wow… Et tu vas là seule?

— Non, non, on est toute une gang. Toi, tu viens souvent camper?

— Jamais. J'accompagne mon amie et ses deux enfants.

— Ah bon.

— Son mari lui a fait un ostie de coup de cochon, pis elle voulait pas venir toute seule.

— Encore un.

— Encore un quoi?

— Qui trompe sa femme.

Je hoche la tête pour acquiescer, en gardant pour moi les détails de la trahison d'Arnaud.

Nous poursuivons notre chemin en silence, jusqu'à ce que Sherley décide de transformer la balade en tour guidé. Elle me décrit ce qui, pour elle, est la plus belle attraction du Québec.

— Ça, c'est l'aire de jeux pour les enfants. Au début, ma roulotte était ici, mais ça criait tout le temps, fait que j'ai demandé de changer de site.

À ma droite, j'aperçois un parc pour enfants, avec des glissades, des balançoires et des jeux d'eau. Bon, enfin une bonne nouvelle! Je sais comment on va occuper notre après-midi.

— Et derrière, t'as un sentier pédestre si tu veux faire un peu de randonnée. C'est la meilleure place pour avoir la paix, y a jamais personne.

— C'est bon à savoir.

Nous arrivons devant le stand à patates frites et je suis heureuse d'y être venue avec Sherley; c'était finalement assez loin de notre site.

— Tu manges ici? me demande-t-elle.

— Non, je retourne à ma tente.

— OK, je vais t'attendre.

— Ouin, t'es fine, toi!

Sherley retire ses lunettes et me lance un clin d'œil complice… euh, complice de quoi au juste? Elle croise les jambes et s'empare d'un petit étui doré qui traîne sur le siège. Langoureusement, elle en sort une longue et mince cigarette au filtre blanc, qu'elle porte ensuite à ses lèvres ultra-maquillées. Elle l'allume et aspire une grande bouffée avant d'expirer la fumée en faisant un rond avec la bouche. Un peu comme si elle sifflait.

Décidément, cette femme est un phénomène, et l'envie de l'immortaliser sur photo est de plus en plus forte.

Je commande deux poutines et me rassois à côté de ma chauffeuse. Elle tire une dernière fois sur sa cigarette, dont le filtre est maintenant barbouillé de rouge. D'une chiquenaude, elle l'envoie dans les buissons et reprend la route, tout en replaçant ses verres fumés sur son nez.

— J'ai quelque chose à te demander, Sherley.

— Vas-y !

— Je suis photographe professionnelle. Est-ce que t'accepterais de poser pour moi ?

Sherley ne répond pas et se tourne vers moi. Son chapeau et ses lunettes m'empêchent de voir sa réaction, que je guette avec inquiétude. Puis un grand sourire se forme sur ses lèvres. Ouf ! Elle ne l'a pas mal pris.

— Tu veux faire des photos de moi ? Pour mettre sur Facebook ?

— Euh… Non, pas vraiment. Pour mon site internet, mais peut-être pour une exposition ou des concours, éventuellement.

— Des concours ? Wow ! Tu me trouves si belle que ça ? me demande-t-elle en ôtant ses lunettes pour me regarder de ses grands yeux de biche.

Visiblement, j'ai flatté mon prochain sujet. Ce qui n'est pas sans me faire plaisir. Un modèle bien disposé donne toujours de meilleurs résultats.

— Je suis convaincue que tu es photogénique. Et t'as un petit quelque chose de différent, d'unique.

— Ah, ouin ? Je sais que je suis pas mal, mais de là à me faire poser comme un mannequin…

— Je fais pas de la photo de pitounes, Sherley. C'est la personnalité, le charme des gens qui m'intéressent.

— Tu trouves que j'ai du charme ?

Soit elle prend plaisir à m'entendre lui chanter ses louanges, soit cette femme-là ne reçoit pas souvent des compliments.

— Ben oui !

Sherley semble satisfaite, ce qui lui donne envie d'appuyer un peu plus fort sur l'accélérateur. Posé au sol, le sac brun qui contient mes deux poutines tombe à la renverse. Je me penche pour l'emprisonner entre mes pieds. En me redressant, je m'aperçois que Sherley a le regard fixé sur le bas de mon dos et sur la dentelle de mon *string* rouge cerise. Immédiatement, je rabats ma camisole sur mon capri en jeans.

La cowgirl esquisse un léger sourire, que j'ai peine à interpréter. Est-ce que la belle campeuse est lesbienne ? Naaah ! Mon instinct me dit que non. J'ai l'impression qu'elle est plutôt du genre séductrice sans conséquence.

— Tu vas-tu me faire des copies des photos ?

— C'est sûr !

— OK, c'est un *deal*.

— *Yes*, merci ! Tu le regretteras pas.

J'indique ensuite à Sherley où est ma tente et elle m'y amène directement. Quand nous arrivons au site, l'endroit est étrangement calme. Aucune trace de Clémence. Inquiète, je remercie ma conductrice distraitement en l'informant que je lui ferai signe plus tard pour les photos.

— Clem ? T'es là ?

Je dépose notre lunch sur la table à pique-nique, à côté de l'assiette encore intacte de Clémence et de la bouteille de rosé… maintenant presque vide. Je cours vers la tente et j'écarte la porte moustiquaire pour pointer mon nez à l'intérieur. Mon amie est étendue de tout son long sur le matelas pneumatique et ronfle à plein nez. Seule.

— *Fuck !* Ils sont où, les deux M ?

Je jette un coup d'œil aux alentours, espérant de tout cœur voir les jumeaux. Rien. *OMFG !* Ils ont disparu. Je retourne à la tente, où Clémence dort profondément. Je donne de petits coups de pied sur ses espadrilles.

— Clem ! Réveille-toi !

Aucune réaction. Je me penche pour la secouer par les épaules, mais tout ce que j'obtiens, c'est un grognement. Elle est ivre morte, celle-là ! Il faut que je trouve un moyen de la tirer des limbes. Je sors pour fouiller dans la glacière. J'attrape une bouteille d'eau de source et dévisse le bouchon. Aux grands maux les grands remèdes !

Une fois dans la tente, je fais tomber délicatement quelques gouttes d'eau sur la joue de mon amie, qui sourcille à peine. Bon, elle va m'en vouloir, mais je n'ai pas le choix. Je verse à grands flots la bouteille d'eau sur son visage et ses cheveux. Clémence sursaute et se réveille.

— Eille, *quessé* ça ?

Elle s'essuie du revers de la main, s'appuie péniblement sur ses coudes et me jette un regard mécontent.

— Les jumeaux ont disparu.

Clémence met quelques secondes à enregistrer l'information et à sortir des vapes.

— QUOI ? crie-t-elle, reprenant un peu ses sens.

— Est-ce qu'ils étaient avec toi dans la tente ?

— Ben oui, ils jouaient tranquillement avec les tablettes.

— Les tablettes ! Ils sont partis avec les tablettes, dis-je en m'apercevant qu'elles ne sont pas dans la tente.

Cette information me rassure. J'imagine les deux M, assis à l'ombre sous un arbre, le nez collé chacun sur nos iPad, à jouer à Angry Birds.

— C'est ma faute, Juliette. Me suis endormie.

— Regarde, c'est pas le moment de chercher un coupable. On va les retrouver, ils doivent pas être loin.

— J'espère.

Clémence tente de se lever, mais elle retombe lourdement au sol. Je lui offre une main, qu'elle prend de mauvaise grâce, tout en s'insultant mollement.

— Suis donc ben conne. Boire de même en plein jour, c'est nul, mon affaire.

— OK, Clem, arrête de faire la victime et de jouer à la Juliette Gagnon, pis *move*.

J'entraîne mon amie à l'extérieur de la tente et aussitôt je remarque que le sac brun qui contenait nos deux poutines s'est lui aussi volatilisé. Au moins, les gars ne mourront pas de faim.

— Mathis, Matéo ! Ici, tout de suite !

— Ils sont partis par là, m'informe la voisine, qui mange un immense hamburger dégoulinant de sauce à la couleur saumon un peu suspecte.

Je cours dans la direction indiquée et Clémence essaie de me suivre, mais elle y arrive difficilement. Tout son corps est alourdi par l'alcool.

— Clem, va de l'autre côté. Y a une roulotte blanche avec des fers à cheval, c'est celle d'une femme que j'ai rencontrée tantôt.

— Une femme ? Quelle femme ?

— Sherley, une cowgirl. Je te raconterai. Va la voir, pis dis-lui de t'emmener à l'accueil.

— À l'accueil ? Pourquoi ?

— Pour leur demander de nous aider à chercher tes enfants, c't'affaire !

Clémence, habituellement si rapide et si organisée, ne semble pas encore comprendre l'urgence de la situation. J'ai beau croire que les deux M ne sont pas très loin à manger une poutine refroidie, je ne serai pas tranquille tant que je ne les aurai pas solidement engueulés. En fait, je vais plutôt laisser ça à Clémence quand elle aura dégrisé. C'est elle, la mère, après tout.

— T'es sûre qu'on a besoin de les aviser tout de suite ? Tu sais, les jumeaux vont jamais bien loin.

Là, j'avoue que je ne reconnais pas la maman si responsable et la femme d'action qu'est généralement Clémence. Elle semble complètement désemparée et incapable du moindre geste.

— Clem, c'est grand, ce camping-là. On pourra jamais le ratisser juste toutes les deux.

— Ouin... Mais qu'est-ce qu'ils vont penser de moi ? Une mère soûle qui laisse ses enfants sans surveillance...

J'observe mon amie un instant. Avec ses grands yeux vitreux, son haleine d'ivrogne et ses cheveux trempés qui lui collent sur le front, elle fait vraiment pitié. Je reviens vers elle pour la serrer dans mes bras.

— Pauvre chouette. Ça va aller, tu vas voir.

— En plus, y en a sûrement qui vont me reconnaître. Veux-tu bien me dire ce qui m'a pris ?

— Clem, arrête ! On a assez perdu de temps !

Mon ton impérieux la secoue, et elle retrouve un peu de vigueur. Enfin ! Il n'est pas trop tôt.

— T'as raison. J'y vais.

Je m'éloigne pendant que Clémence en fait autant, d'un pas encore un peu chancelant. Heureusement, j'ai espoir que Sherley la mène à bon port. Maintenant, à nous deux, les jumeaux. Vous allez arrêter de nous niaiser et ça presse !

— MATÉO ! MATHIS ! MONTREZ-VOUS LA FACE TOUT DE SUITE !

Alertés par mes cris, des vacanciers me proposent leur aide. Avec un aplomb que je ne me connaissais pas, je leur explique qu'on cherche deux jumeaux de cinq ans, cheveux châtains, grands yeux noisette avec de longs cils, portant un maillot de bain jaune et bleu et des espadrilles vertes.

— Ils sont super rusés, faut se méfier. Le leader, c'est Mathis.

Je me sens comme un commandant de police qui donnerait les consignes à ses agents sur le point d'entamer de vastes recherches pour retrouver de dangereux fugitifs. Pour appuyer mon énoncé, je fais circuler mon iPhone, sur lequel j'ai affiché une photo des deux évadés.

Quelques campeurs se joignent à moi pour fouiller tous les recoins du camping. Pendant que certains s'assurent que les deux M ne sont pas cachés derrière des tentes ou des roulottes, d'autres explorent les toilettes publiques. Pour ma part, je me rends à l'aire de jeux qui, avec sa fontaine, peut être très attrayante pour des garçons qui ont chaud.

Je marche d'un pas rapide vers le parc en question quand un petit véhicule freine à mes côtés, me faisant sursauter.

— Sherley ? T'es pas avec mon amie ?

— Ta chum, parlons-en, de ta chum.

— Quoi ? Qu'est-ce qui s'est passé ? Elle est où ?

— Elle cuve son vin dans ma roulotte.

— Ben là ! On cherche ses jumeaux !

— C'est moi qui l'ai obligée à rester là.

— Pourquoi ?

— Juliette, tu veux-tu que la DPJ lui enlève ses enfants ?

— Hein ? Comment ça, la DPJ ? Y a pas de DPJ ici.

— Pas encore, non. Mais si quelqu'un la voit soûle de même, est faite, ta chum !

— Ben voyons ! Clem, c'est la meilleure mère que je connaisse.

— Peut-être, mais elle a pas l'air de ça aujourd'hui, laisse-moi te dire. En plus qu'elle est célèbre.

— Pis ça ?

— Sa réputation ! Non, faut pas qu'elle se montre. Au moins, elle a compris ça.

Sherley m'informe qu'elle a immédiatement reconnu Clémence Lebel-Rivard, « la fille qui donne des conseils sur la bouffe le matin à la télé », quand elle s'est pointée chez elle. Légèrement incohérente, mon amie lui a raconté la disparition de ses garçons. La cowgirl a alors décidé qu'il n'était pas question que Clémence ait des problèmes à cause de son état d'ébriété, « dû à un autre salaud d'infidèle ».

— Fait que je lui ai donné deux pilules pour dormir, puis je lui ai interdit de quitter ma roulotte tant qu'on les aura pas retrouvés.

Tout en discutant, j'obéis à Sherley, qui m'enjoint de monter à bord de son *cart*. Je lui indique que je me rendais au parc, et elle se met aussitôt en route.

— Mais, Sherley, comment on va justifier son absence?

— On va dire qu'elle était au spa, puis que c'est toi qui as perdu les enfants.

— Ouin, c'est fin pour moi, ça.

— Toi, t'es pas soûle. Faut protéger ta chum.

— Hum, hum… Et pourquoi au spa?

— Parce que, au spa, t'as pas ton téléphone avec toi. Fait qu'on va dire qu'on était pas capables de l'avertir.

— C'est pas bête, ça!

— Tu vois, j'ai pensé à tout.

Je suis une fois de plus émerveillée par cette femme aux mille ressources. C'est clair que Sherley a l'habitude des situations corsées, elle qui a tout mis en place en quelques minutes. Cacher Clémence, ordonner à un voisin d'aller aviser la direction du camping et se lancer à ma poursuite. Tout ça en claquant des doigts. Organisée et intuitive, cette Sherley… Beaucoup plus que moi.

— J'avoue que j'ai jamais pensé que Clem pourrait avoir des problèmes parce qu'elle est soûle… Une chance que t'étais là.

— C'est l'expérience qui parle, ma Juliette.

— En tout cas, merci.

— Bon, on les retrouve-tu, astheure, ces deux petits monstres-là?

*

— Je pense qu'il faut appeler les policiers, maintenant. On a pas le choix.

Le directeur du camping, M. Rouleau, se tient devant moi. Bien droit et l'air décidé. Cet homme à la carrure imposante pourrait m'impressionner s'il n'était pas vêtu d'un bermuda fleuri qui lui monte jusqu'au nombril, de bas blancs et chaussé de Crocs jaune serin. Avec cet accoutrement, il est impossible de le prendre au sérieux.

— Non, non. Je suis certaine qu'on va les retrouver bientôt.

Pas envie de voir les flics débarquer au camping et me harceler de questions sur les circonstances de la disparition des flos. En plus de m'interroger sur la mystérieuse absence de leur mère.

— Ça fait une demi-heure qu'on les cherche. Là, c'est assez.

— Il a raison, approuve un vacancier qui participe à la fouille.

Depuis une trentaine de minutes, tous les campeurs sont sur un pied d'alerte pour retrouver les jumeaux. En circulant dans les sentiers, M. Rouleau a lancé l'avis de recherche à l'aide de son porte-voix. Ce qui nous a amené de nombreux volontaires, prêts à donner un coup de main. Mais maintenant, le directeur croit que ce n'est plus suffisant et qu'il faut passer aux choses sérieuses.

Affolée, je me tourne vers Sherley pour l'implorer de venir à mon secours. Immédiatement, elle comprend le signal. Elle crache au loin la gomme qu'elle mâchait frénétiquement, enlève son chapeau et s'approche du directeur. En fait, elle entre carrément dans sa bulle.

— Johnny, Johnny, Johnny… Laisse-nous encore un peu de temps, mon beau. Si, dans quinze minutes, on les a pas retrouvés, tu appelleras la police, OK ?

— Sherley, t'es pas raisonnable.

La cowgirl avance d'un autre pas pour lui parler à deux pouces du visage.

— Fais-moi confiance… comme d'habitude, susurre-t-elle en lui tapotant la joue.

— Un quart d'heure. Pas plus.

Sherley se détourne subito, replace son chapeau sur sa tête et regagne son véhicule.

— Envoye, monte ! m'ordonne-t-elle.

Je m'exécute et nous repartons en trombe vers notre section quand elle freine brusquement et fait demi-tour.

— Je viens d'avoir un flash, m'informe-t-elle.

— Ah oui ? Quoi ?

— Tu m'as bien dit qu'ils voulaient se baigner, hein ?

— Ce matin, oui.

— Bon, ben j'ai ma petite idée.

— Ah non ! Dis-moi pas qu'il y a un lac proche d'ici ? Ils vont se noyer !

— Hé, que tu dramatises tout, toi ! Mais non, c'est pas un lac. Pis s'ils sont là, crois-moi qu'il n'y a pas de risque qu'ils se noient.

Je ne comprends pas trop les propos de la campeuse, mais je lui fais confiance. Nous traversons un quartier résidentiel, que Sherley appelle « l'arrondissement de Westmount » parce que c'est là qu'est installée la clientèle la plus huppée du camping. En réalité, la seule différence que je remarque avec notre section, c'est que les roulottes sont un peu plus grandes et qu'elles sont agrémentées de spacieux *gazebos*.

La cowgirl stationne son véhicule devant un bâtiment en bois brun, un peu délabré. Nous descendons et j'entends un chien japper bruyamment. Puis un deuxième. Tout ça commence à m'inquiéter horriblement et je me demande bien ce que nous faisons ici.

— Viens-t'en, Juliette !

Sherley contourne le bâtiment à la course et je lui emboîte le pas. Des cris d'enfants parviennent à mes oreilles, mais je suis incapable de dire s'il s'agit des jumeaux ou pas.

Quand nous arrivons à l'arrière, le spectacle me rassure… et me désole. Les deux M pataugent dans une minipiscine en forme d'os, avec deux chiens blonds, un reste de poutine… et mon iPad.

— Câlisse !

— Ayoye ! Ils sont tannants, eux, remarque ma compagne.

Je m'approche de Mathis et Matéo, qui se tournent vers moi, tout sourire. Le premier m'asperge d'eau sale et le deuxième attrape une frite qui flotte à côté de ce que je crois être… un excrément de chien.

— OUACHE ! Mange pas ça, Matéo !

Le petit hésite une seconde et s'apprête à se débarrasser de son aliment peu appétissant quand son frère interrompt son geste et lui fourre la frite dans la bouche.

— Eille ! Toé, là ! Calme-toé ! lance Sherley à Mathis.

L'intervention de la cowgirl me fait sursauter. Elle semble vraiment en colère. À un point tel que les jumeaux, impressionnés comme je les ai rarement vus, se figent dans l'eau nauséabonde.

— Sortez de d'là ! Tu suite !

Les garçons obéissent en silence et, moi, je suis pressée d'aller leur faire prendre une bonne douche.

16

STATUT FB DE **SHERLEY COWGIRL TREMBLAY**

À l'instant, près de Ste-Germaine

Trop hâte de vous montrer les photos prises
par ma nouvelle amie.
Dolly Parton peut aller se rhabiller.

— Matéo a passé l'après-midi à vomir ! C'était dégueu !

Les dernières heures ont été pénibles. Excessivement pénibles. Mon jumeau préféré n'a pas digéré sa poutine à l'eau de chien, et son frère n'a pas cessé de l'achaler avec ça. Ce qui faisait pleurer Matéo et sortir de ses gonds Clémence. Le reste du temps, elle était encore un peu dans les vapes de l'alcool et des médicaments.

Je suis maintenant heureuse d'avoir un peu de répit et de pouvoir profiter de la lumière de fin de journée pour me livrer à ma passion.

— Tourne ton visage légèrement à gauche, Sherley… Non, ça c'est trop, reviens un peu.

J'ai installé mon modèle sur un petit banc, avec, en arrière-plan, sa roulotte, dont j'ai laissé la porte entrouverte. On y aperçoit son banjo que j'ai posé dans les marches de l'entrée. J'essaie de créer l'illusion *road movie* plutôt que camping quétaine. Et ça fonctionne très bien. En noir et blanc, je pense que ça va faire de superbes photos.

J'ai demandé à Sherley d'enfiler des vêtements qui se rapprochaient le plus possible de la tenue traditionnelle country. Elle s'est donc transformée en cowgirl hyper sexy, avec une chemise rouge à manches courtes qu'elle a nouée sous sa poitrine, laissant apparaître un ventre lisse et musclé, une minijupe en jeans effilochée, des bottes de cowboy beiges aux motifs bruns et un chapeau noir bien enfoncé sur la tête. Elle m'a aussi proposé le p'tit foulard dans le cou et le lasso attaché à la ceinture, mais je craignais la caricature.

— OK, on va en faire sans chapeau maintenant.

— Ah non, mes cheveux vont être tout aplatis.

— Je vais te le dire si c'est pas correct… Allez.

Sherley me fait une moue boudeuse.

— *Pleeeeease !*

Dans mon métier, j'ai appris à me montrer persuasive. C'est nécessaire quand on dirige des gens. Mon modèle acquiesce finalement à ma demande, dévoilant ainsi une courte chevelure bouclée, qu'elle avait emprisonnée sous son chapeau. La couleur de ses cheveux, un peu trop orangée à mon goût, va néanmoins donner beaucoup de punch à mes photos, qui, celles-là, seront bien colorées.

J'indique à Sherley d'ébouriffer sa chevelure et j'en profite pour changer quelques éléments de mon décor. La porte de la roulotte se referme et le banjo disparaît, puis je déplace deux flamants roses pour qu'ils soient bien visibles dans mon axe. Nous voilà de retour au camping kitsch. Avant de poursuivre, je troque mon grand-angle pour le téléobjectif de mon appareil.

— Qu'est-ce qui te fait rire dans la vie, Sherley ? Les humoristes ? Les films comiques ?

Quand j'essaie d'obtenir un visage illuminé et joyeux, j'utilise toutes sortes de techniques. Dont celle de faire parler mon sujet de ce qu'il aime. En général, c'est suivi d'un rire généreux qui me laisse quelques secondes pour prendre des photos qui sont souvent très spontanées.

— Non ! Les *jokes* de cul.

Et là voilà qui éclate d'un rire bien gras, à ma grande satisfaction. Sa bonne humeur va faire un malheur.

Je termine la séance en demandant à Sherley de prendre des airs taquins. Ce qui ne semble pas trop difficile pour elle, ses poses étant tout simplement parfaites. Elle s'amuse avec la lentille, fait un clin d'œil, puis un sourire complice. J'avoue que je ne sais pas trop si tout ça s'adresse à l'appareil ou à la photographe. Mais on s'en fout ! Le résultat est fabuleux.

Sherley est de plus en plus sexy et aguichante. Et contrairement à la plupart des filles qui ont déjà essayé de jouer les frivoles devant mon objectif, on ne sent pas qu'elle feint. Cette femme-là est d'un naturel presque déconcertant, et c'est avec regret que je dépose mon appareil sur la table à pique-nique.

— Génial ! Merci mille fois, Sherley, t'es vraiment *cool.*

Mon sujet se lève précipitamment. Toute trace de séduction a quitté son visage.

— De rien. Tu m'en montres quelques-unes ?

— Bien sûr !

— On fait-tu ça en buvant un Lynchburg Lemonade ?

— Un quoi ?

— Un cocktail. C'est fait avec du Jack Daniel's.

— Euh… Je suis pas très whisky.

— Tu vas voir, c'est super bon.

Et sans même attendre une réponse positive de ma part, elle entre dans sa roulotte et referme derrière elle. Elle me laisse en plan sans plus d'explications. Bizarre…

Je patiente quelques minutes en m'interrogeant sérieusement sur les aptitudes sociales de mon hôte. Pour la politesse, c'est raté. Les secondes passent et je n'ai toujours aucune nouvelle de Sherley. Quelques notes de guitare s'échappent de la roulotte et je reconnais une vieille chanson country.

I keep a close watch on this heart of mine
I keep my eyes wide open all the time
I keep the ends out for the tie that binds
Because you're mine, I walk the line

Je n'ai jamais vraiment aimé ce genre musical, mais j'avoue que cette toune et la voix caverneuse du chanteur dont j'oublie le nom me plaisent beaucoup.

Je ne sais plus trop sur quel pied danser et je songe que je devrais plutôt aller retrouver Clémence pour l'aider à cuisiner le souper au lieu de perdre mon temps à attendre Sherley qui fait je ne sais quoi! Mélanger un *drink* ne peut pas être si long!

Qu'est-ce qu'elle peut bien fricoter dans sa roulotte? Je repense à la séance photo et je ne peux pas m'empêcher de me demander si Sherley a voulu me séduire. Serait-elle en train de me préparer une grosse surprise? Comme revêtir un *baby doll* avec des lanières tressées, allumer des bougies à la vanille et parsemer des pétales de rose sur un couvre-lit démodé qui sent l'humidité?

Quoi qu'il en soit, si j'ai une aventure avec une femme, ce ne sera pas avec elle. Sherley ne m'attire pas une miette! Elle n'a rien de la fille avec qui je rêve de coucher. L'image que je me suis faite d'elle dans ma tête n'est pas du tout celle d'une cowgirl qui manque de classe. Ça gâcherait tout mon fantasme.

Mieux vaut partir, finalement. Elle la boira seule, sa limonade je-sais-plus-quoi! J'empoigne mon sac de travail et je m'apprête à quitter l'endroit quand la porte de la roulotte s'ouvre enfin. Oui, Sherley s'est bien changée, mais elle n'a pas enfilé de déshabillé affriolant. Elle a simplement rabattu sa chemise sur ses hanches et troqué sa jupe contre un jeans. Ouf ! Juliette, t'as vraiment trop d'imagination parfois…

— Tu t'en allais ?

— Euh… Je savais plus trop si tu m'avais oubliée.

— Bon non, voyons. Viens m'aider !

Sherley me fait signe de la rejoindre. Je monte les marches et, aussitôt, elle me met un plateau dans les mains. Il contient un pichet d'une boisson jaune éclatant et deux pots Mason, ornés d'un petit parasol en papier et munis d'une paille. J'apporte le tout sur la table pendant que Sherley me suit avec un deuxième plateau où sont déposés des chips au barbecue, des crevettes cocktail avec une sauce rouge, des dés de fromage marbré et des bâtonnets de carottes avec une trempette rose.

— Tiens, je voulais te préparer une surprise.

— Ahhh, c'est chou ! T'es fine !

C'est d'autant plus apprécié que je suis vraiment affamée, puisque je n'ai rien avalé depuis mon déjeuner. L'indigestion de Matéo, qui a vomi partout dans la tente, m'avait complètement coupé l'appétit.

Tout en savourant notre apéro, nous regardons les photos prises un peu plus tôt. Sans vouloir me vanter, je dois admettre que certaines d'entre elles sont vraiment fabuleuses. Sherley ne cesse de me remercier d'avoir fait d'elle « une vraie star qui a même pas besoin de Photoshop ».

Je range mon équipement et presse Sherley de me parler de ce qui la branche dans la vie. À part le country.

Pas grand-chose, me confie-t-elle. Toute sa vie est liée au country. Depuis quelques années, son gros *kick*, c'est de participer à des rodéos.

— Hein ? Avec un taureau méchant ? Comme dans les films de cowboy ?

— Ben oui !

Elle éclate de rire devant mon air à la fois effrayé et admiratif.

— Veux-tu que je te montre des photos ? me propose-t-elle.

— Ah oui !

Elle retourne à la roulotte pour en revenir avec un objet qu'on voit de moins en moins de nos jours : un mini-album photo. Celui-ci, à la couverture en cuir rouge et décoré d'étoiles argentées, ne date pas d'hier. Tout comme les assiettes *vintage* La vache qui rit, disposées sur le plateau. Je constate que Sherley est le genre de femme qui tient à ses objets. Ce qui la rend encore plus sympathique à mes yeux.

— Je suis contente de t'avoir rencontrée, Sherley !

Ma confidence inattendue me surprend moi-même et j'éprouve un léger sentiment de gêne. Ce qui ne semble pas du tout son cas.

— Moi aussi, Juliette. Je pense qu'on va trèèèèèès bien s'adonner.

Tout en me fixant d'un regard envoûtant, elle se rassoit de mon côté de la table à pique-nique. Elle colle sa cuisse contre la mienne et ouvre son petit cahier.

Encore une fois, le doute revient hanter mon esprit. Et si Sherley voulait « s'adonner » avec moi d'une façon qui ne me tente pas du tout ? Tout ça est confus dans ma tête et ce n'est pas mon *drink* hyper alcoolisé qui va m'aider à y voir clair. Par mesure de précaution, je m'éloigne de quelques centimètres.

Sherley me décrit les photos de piètre qualité, où on la voit se débattre pour rester en place sur un taureau qui, même en image, me terrorise.

— T'es bonne. Moi, j'aurais bien trop peur de me faire piétiner.

— C'est rare que ça arrive.

— Mais c'est hyper dangereux, non ?

— Mais non… Coudonc, t'es peureuse dans la vie, toi ?

— Pantoute. Pourquoi tu dis ça ?

— Je sais pas. J'ai comme l'impression que t'aimes pas trop prendre des risques.

Vexée, je marmonne qu'il n'en est rien et que je suis loin d'être une poule mouillée. Et que oui, je sors parfois de ma zone de confort. Pour appuyer mes dires, je lui raconte comment je me suis mise en danger lors de la séance photo avec Mikaël sur son bateau.

— Ça brassait peut-être pas autant que sur un taureau en furie, mais c'était pas super stable, je peux te le dire !

J'avale le reste de mon cocktail sucré et rafraîchissant. Elle me ressert immédiatement. Nous trinquons une nouvelle fois et Sherley en profite pour se rapprocher à nouveau. Cette fois, c'est son bras qui effleure le mien. Puis sa hanche vient exercer une légère pression sur la mienne, presque imperceptible, mais bel et bien réelle. Est-ce l'effet de l'alcool ou bien l'abstinence sexuelle des dernières semaines qui font que tout à coup je sens une grande chaleur envahir mon corps ?

Encore une fois, je prends mes distances. Il y a quelque chose de pas net dans le comportement de la cowgirl, une ambiguïté qui m'incite à me tenir loin.

Sherley fait comme si de rien n'était et relance la discussion.

— Es-tu tombée à l'eau ?

— Qu'est-ce que t'en penses ?

— Noooooon ! Ça devait pas être beau à voir.

— Je sais pas. Mikaël m'a frappée avec sa planche.

— Hein ? lance-t-elle, horrifiée.

Je poursuis le récit de ma mésaventure devant une Sherley tout ouïe. Ses grands yeux marron me regardent avec empathie. Mis à part ma nuit torride avec le bel humoriste, je n'omets aucun détail des heures qui ont suivi l'accident. Même mon refus d'aller à l'hôpital.

— Pourquoi t'as peur comme ça des hôpitaux ?

— Euh… Je sais pas vraiment. J'ai toujours été comme ça.

— Est-ce qu'il t'est déjà arrivé quelque chose de malheureux dans un hôpital ?

— Comme quoi ?

— As-tu pogné la C. difficile ? As-tu été victime d'une erreur médicale ? As-tu été traumatisée par un médecin ? Une infirmière ?

— Ben non ! J'y suis juste allée deux fois dans ma vie. J'ai tellement paniqué que j'ai jamais voulu y retourner.

— Ah bon.

— Ah bon, quoi ? dis-je, irritée par l'arrogance de son ton.

— Ça rejoint ce que je disais, t'as une personnalité de peureuse.

— Bon là, ça suffit, les insultes.

Je me lève pour m'en aller, mais je ne peux pas me résoudre à gaspiller mon Lynchburg Lemonade. J'en avale donc une immense gorgée avant de tourner le dos à Sherley et de me pousser.

— Et là, me lance-t-elle, tu t'en vas parce que t'as peur de moi.

Elle commence sérieusement à me taper sur les nerfs. Je reviens vers elle, bien décidée à lui dire ma façon de penser.

— Non mais pour qui tu te prends ? Tu me fais pas peur !

— Ah non. Répète-moi donc ça en me regardant droit dans les yeux.

Sherley se lève et s'avance vers moi. Je me rends compte qu'elle a déboutonné le haut de sa chemise, qui laisse entrevoir une poitrine… sans soutien-gorge. Pas gênée, la Sherley ! Elle semble avoir oublié qu'on est dehors et que les voisins risquent de la surprendre. La cowgirl s'arrête à dix centimètres de mon visage et me toise. Ça me rend nerveuse, mais la proximité de son corps, la naissance de ses seins que je devine bien ronds et son souffle sur ma peau me troublent. La tension sexuelle monte d'un cran entre nous deux.

Voilà peut-être finalement l'occasion que je recherche… Mais pourquoi alors ai-je cette étrange intuition ? Celle que Sherley n'est pas la femme qu'il me faut. Une baise, c'est une baise, après tout.

La cowgirl attend toujours que je lui répète que je n'ai pas peur d'elle, ce qui est de plus en plus vrai. Devant mon silence, elle reprend la parole.

— T'en as autant le goût que moi, avoue-le donc.

Peut-être pas à ce point-là, mais j'admets qu'elle m'émoustille. Je sens la pointe de mes mamelons se durcir et j'ai terriblement envie de les serrer fermement entre mon pouce et mon index pour amener mon excitation sexuelle à son comble. Sherley semble comprendre parfaitement où je me situe. D'un regard, elle m'indique la roulotte.

Je lui fais un petit signe convenu et j'attrape mon équipement photo.

— Tu vas prendre des photos cochonnes ?

— Ben non ! Franchement. C'est juste pour pas le laisser traîner.

— Dommage, ça m'aurait fait un beau souvenir…

Elle se détourne et c'est à la fois terriblement excitée et légèrement anxieuse que j'accepte de la suivre à l'intérieur.

*

Ça ne se passe pas du tout comme prévu. Ma libido est tombée d'un coup. Je suis loin, mais très loin de *tripper*. Tout d'abord, je me disais qu'une fille saurait faire des super cunnis. Mais ce n'est vraiment pas le cas. La langue de Sherley est toujours nichée au mauvais endroit. Trop molle, pas assez vigoureuse ni assez exploratrice.

Et puis Sherley ne baise pas, elle fait l'amour. Ce dont je n'ai nuuullement envie !

J'aurais donc dû écouter mon instinct et ne pas m'aventurer sur ce terrain avec elle. À l'heure actuelle, je cherche seulement un moyen de crisser mon camp. Couchée sur le dos à regarder le plafond dont la peinture beige est légèrement craquelée, je me demande comment mettre un terme à ce pénible épisode sans froisser ma partenaire. Je dois admettre qu'elle a été très chic avec moi et je n'ai pas l'intention de lui faire de la peine. J'essaie une fois de plus de comprendre pourquoi j'ai accepté de suivre Sherley dans la roulotte.

Est-ce que j'éprouverais ce que Lisa LeBlanc chante dans la petite chambre ? *Y a tellement pus rien qui s'passe dans ma vie…* Est-ce que je trouverais ma vie sexuelle et affective ennuyante au point de vouloir la pimenter dans les bras d'une cowgirl ? Une fille qui, de surcroît, est loin de correspondre à *Ze* fantasme féminin ? J'ai toujours imaginé que celle qui me ferait jouir aurait la peau foncée et non pas blanche avec des taches de rousseur comme c'est le cas présentement. Juliette… C'est *fucké*, ton affaire !

— Relaxe, beauté… T'es trop tendue.

Sherley relève le menton pour me regarder, me sourire et me murmurer à quel point elle me trouve belle. « Noooooon ! » ai-je envie de crier. J'en ai rien à foutre de tes compliments. Je veux du sexe, c'est tout. Quelque chose de brutal, de primitif. Rien de sentimental. Tout ça me complique encore plus les choses. Je vais vraiment passer pour une salope si j'arrête tout et que je la laisse sécher. À moins que…

— Sherley, t'as pas un vibrateur ?

— Peut-être, me répond-elle, énigmatique.

— Tu sais ce qui me ferait plaisir ?

— Quoi donc ?

— Que tu continues et que tu le prennes… pour toi. Je veux qu'on vienne en même temps.

Si je suis chanceuse, elle va jouir en deux temps, trois mouvements. Et moi, je n'aurai qu'à faire semblant.

— J'ai une bien meilleure idée.

Sherley se lève, retire sa petite culotte noire en dentelle et je devine qu'elle veut s'offrir à moi dans la position du soixante-neuf… Ah non ! Pas ça ! C'est au-dessus de mes forces.

— Écoute, Sherley…

— Chuuut… Assez parlé, toi !

Elle s'avance à quatre pattes sur le divan converti en lit, toute langoureuse, complètement inconsciente de la claque dans la face qu'elle va recevoir. Tout à coup, son corps se fige et elle bondit par terre.

— Vite, habille-toi !

— Hein ? Qu'est-ce qui se passe ?

— Mon mari arrive. J'ai entendu son char.

— Ton mari ? T'es pas lesbienne, toi ?

— Penses-tu qu'une cowgirl comme moi peut être gouine ? Allume !

Sherley me lance ma camisole, que j'enfile sans soutien-gorge. Elle fait de même avec sa chemise, qu'elle boutonne nerveusement.

— Ça veut dire quoi, ça ?

— Ça veut dire que oui, j'aime les femmes, mais il le sait pas ! Mes bobettes sont où ?

La panique que je sens chez Sherley me gagne peu à peu. Si elle est angoissée de la sorte, ça signifie que son mari ne doit vraiment pas nous prendre sur le fait. Est-ce qu'il est du genre à perdre les pédales et à tout casser dans la roulotte, y compris l'amante de sa femme ? *OMG !* J'aime mieux ne pas le savoir !

Sherley met la main sur son sous-vêtement pendant que je cherche encore le mien dans les draps emmêlés.

— Tiens, mets ton jeans, m'ordonne Sherley tout en me lançant un vêtement.

Je commence à l'enfiler – au diable mon *string* – quand je me rends compte que ce n'est pas mon capri en jeans. Je le retire rapidement et le redonne à Sherley.

— Il est où, le mien ?

— Il a dû glisser en dessous du divan, va voir. Dépêche !

Je m'accroupis et je soulève la couverture blanche décorée de dessins de coquillage. Rien.

— Il est pas là !

Tout à coup, j'entends la porte de la roulotte s'ouvrir et un homme lancer un gros rot. Ouache ! Sherley semble maintenant au bord de la crise de nerfs. En bobettes, avec sa chemise boutonnée en jaloux, le bas de son visage barbouillé par son rouge à lèvres et ses yeux remplis de frayeur, elle me fait pitié.

— Il est soûl en plus ! Faut pas qu'il te voie, il va péter sa coche, c'est sûr !

— Ma tigresse ?

J'entends la voix et les pas du prédateur se rapprocher de la chambre et j'ai soudainement une vision : celle d'une Juliette défigurée à jamais par les poings d'un colosse enragé. Ce n'est pas vrai que je vais gâcher ma vie à cause d'une cowgirl qui a peur de son ombre !

— Cache-toi sous le sofa, m'ordonne Sherley, en murmurant.

— Es-tu malade ? Je vais être obligée de rester là toute la nuit.

— Mais non. Je vais le faire sortir de la roulotte.

Je jette un regard mécontent à Sherley, qui joint ses mains en silence pour m'implorer de lui obéir. Ne voyant pas d'autre solution, je plonge sous le divan en espérant m'évader le plus rapidement possible.

*

Ça y est ! Je vais éternuer. Je le sens. Je ne pourrai plus me retenir plus longtemps et je serai découverte. Si Sherley faisait le ménage, aussi ! C'est ce tas de poussière sur le plancher qui va me trahir.

Il y a maintenant une éternité que je suis prisonnière sous le sofa de la cowgirl. Et j'ai droit à tout un spectacle en deux D… J'ai le son et les vibrations. Heureusement, je n'ai pas le visuel!

En entrant dans la chambre, le mari de Sherley, qui a trouvé sa femme en bobettes, a eu la «bonne» idée de s'envoyer en l'air. Et elle de ne rien faire pour l'en dissuader. *WHAT?*

Sauf que le bonhomme, qui est soûl – et peut-être vieux et obèse –, met un temps fou à aboutir. Et ça, malgré tous les efforts de la cowgirl, que j'entends se démener corps et âme. Est-ce que ça va finir un jour? D'autant plus qu'il me lève le cœur avec ses rots déplacés et ses pets puants! Et c'est sans compter son haleine de bière et de Doritos. J'ai presque peur qu'il lui vomisse dessus.

Je me concentre pour ne pas éternuer. Si seulement Sherley avait pensé à remettre de la musique, ça créerait une trame de fond pour étouffer le bruit que je m'apprête à faire. Mais là, tout ce qu'on entend dans la petite chambre, c'est: «Ahhh oui… Envoye, ma tigresse, montre à mononcle ce que tu sais faire… Plus vite…» Je n'en peux plus!

Et si je rampais doucement jusqu'à la porte pour m'enfuir? Ce serait une très bonne idée si je portais autre chose qu'une simple camisole. Pas envie de donner un *show* aux campeurs. Même si je n'ai plus aucune notion du temps, j'ai l'impression que la nuit n'est pas encore tombée et qu'il fait trop clair pour me promener nu-fesses.

Ce qui me préoccupe aussi, c'est la réaction de Clémence. Elle doit s'inquiéter de mon absence prolongée. Elle va me chercher, ne pas me trouver et peut-être appeler les policiers.

Je regrette de ne pas lui avoir précisé que j'étais ici. Je lui ai simplement dit que j'allais me balader pour photographier ce qui m'inspirerait. Si j'avais su…

— At… at… atCHOUM !

Damn ! Je me fige, guettant la réaction des deux amants au-dessus de moi. Le divan cesse de grincer soudainement et plus personne ne bouge.

— C'est quoi, ce bruit-là ?

— Quoi donc, mon tigre ? J'ai rien entendu.

— Y a quelqu'un qui a *atchoumé.*

— Ça doit être dehors.

— Tu penses ?

— Ben oui, oublie ça. Tu deviens mou, là !

— Pas grave. Tu vas m'arranger ça, hein, ma tigresse ?

Là, c'est de rire que j'ai envie de pouffer. Mais ma crise d'éternuements n'est pas terminée.

— At… choum !

Non, non, non ! Je retiens mon souffle, en espérant être passée inaperçue.

— Eille, chus pas fou, crisse ! Y a quelqu'un *icitte* !

— Mais non, voyons. Laisse faire ça ! Ça te tenterait-tu que je te mette ton *cockring* ?

— Ah ben là, si tu me prends par les sentiments…

OK… *Too much information for me !* Il faut que je m'en aille au plus sacrant. Je lève un pan de la couverture et j'observe le sol en espérant y repérer mes jeans. Rien ! Je cherche un autre vêtement, une serviette, un linge à vaisselle, n'importe quoi pour me couvrir, mais je ne vois absolument rien. Elles sont où, leurs fringues à eux ? De l'autre côté du sofa, faut croire !

Prouttttttt !

Un autre pet dégueulasse ! Cette fois-ci, je ne peux pas m'empêcher de ressentir un haut-le-cœur, qui se traduit par un puissant son guttural. Au-dessus de moi, tout s'arrête. Je retiens ma respiration, mais je sens que dans quelques secondes je serai repérée. Mieux vaut décamper.

Rapide comme un lièvre, je sors de ma cachette et je me rue vers la sortie.

— Eille, c'est qui, ça ? Viens *icitte* !

Il ne m'en faut pas plus pour atteindre la porte de la roulotte à la vitesse de l'éclair. Accrochés au mur, deux chapeaux de cowboy me sauvent la vie. Je m'en empare et je sors en trombe de cet enfer dans lequel je me trouve depuis trop longtemps. Tout en courant vers mon site de camping, je place un chapeau devant mon pubis et le second sur mes fesses. C'est sous le regard intrigué de deux fillettes à vélo, celui scandalisé d'un couple de personnes âgées qui jouent à la pétanque et celui amusé d'un jeune homme qui promène son chien que je traverse les quelques mètres qui me séparent de la tente de Clémence.

17

STATUT FB DE **MARIE-PIER LAVERDIÈRE**

Il y a deux heures, près de Montréal

Parfois, vendre des chars, c'est dangereux...
#PseudoFastAndFurious

— Juju, c'est ton troisième verre de sangria, arrête !

— Clem, *come on*. Y a presque pas d'alcool là-dedans.

— N'empêche. Tu veux pas être soûle le soir de l'ouverture du Festival Juste pour rire, hein ?

— Mais non, je vais être correcte.

— Clem a raison, intervient Marie-Pier. Fais attention.

Nous sommes assises toutes les trois sur mon minuscule balcon qui donne sur la rue mi-commerciale, mi-résidentielle. Clémence et moi, on sirote de la sangria, tandis que Marie-Pier se contente d'un jus de mangue. Tout ça accompagné de nachos, de salsa et de guacamole, qui constitueront mon repas du soir.

Depuis l'épisode du camping, il y a une semaine, Clémence vit avec moi. Pour combien de temps? Je l'ignore, mais je l'ai rassurée: elle peut prendre tout le temps qu'il lui faudra pour décider de son avenir. Et savoir si elle veut laisser une chance à son homme ou pas.

Les deux M sont d'ailleurs chez leur père. Mais dès demain, ils seront avec nous pour quelques jours. Je préfère ne pas y penser.

Mon amie est formidable. En me voyant arriver presque nue l'autre jour au camping, avec les deux chapeaux de cowboy qui cachaient mes parties intimes, elle ne m'a pas engueulée. Ni jugée quand je lui ai tout raconté, moi qui croyais qu'elle interpréterait de travers mon désir pour une femme. Mais non. Elle m'a simplement dit: « Tu fais les expériences que tu veux, Juju. Mais la prochaine fois, assure-toi donc que la personne est libre. »

Anyway, il n'y aura pas de prochaine fois avec une femme. Toute cette histoire m'a complètement enlevé le goût de récidiver. Je dirais même que, pour l'instant, j'ai plutôt envie d'être tranquille, côté sexe.

Quant à Sherley, j'ai eu de ses nouvelles le lendemain, quand elle est venue me porter mon appareil photo qui était resté chez elle. Occupée à jouer au *frisbee* avec les garçons, je l'ai remerciée froidement et j'ai coupé court à ses excuses. Elle attend toujours les photos d'elle que j'ai promis de lui envoyer. Quant à moi, elle va les attendre longtemps.

— Tes nausées, ça va mieux? demande Clémence à Marie-Pier.

— Yep! C'est pas mal moins pire.

— Tant mieux.

J'observe mon amie d'enfance et j'essaie d'y voir les signes de ses quelques semaines de grossesse. Ils ne sont pas perceptibles. Son visage n'est pas plus rond.

Son ventre et ses seins non plus. Elle ne semble pas baigner dans cet état de béatitude dont m'ont déjà parlé certaines mamans enceintes qui prenaient la pose devant moi. Elle n'a pas non plus ce visage illuminé de bonheur que j'ai si souvent photographié. Et elle ne mange pas de cornichons avec de la crème glacée aux fraises non plus.

— Marie, ça paraît pas pantoute que t'es enceinte. C'est bizarre, non?

— Coudonc, tu penses-tu que je fabule?

Ne voulant surtout pas l'offusquer et créer un autre malentendu, je m'excuse prestement.

— Les signes, c'est plus tard, Juliette. Moi, ça fait juste un peu plus de deux mois.

— Ah, OK, je savais pas. En tout cas, je trouve ça super beau, tes cheveux comme ça, dis-je pour essayer de me racheter.

Marie-Pier a décidé de se laisser pousser les cheveux, qu'elle a attachés dans une très mini-queue, qui tombe sur sa nuque. Ça lui donne beaucoup de style. Revenant du boulot, elle arbore sa tenue *straight*: chemisier blanc, petit blazer coupé court et jupe noire droite... dont un long fil pend sur le côté.

— Eille, qu'est-ce qui est arrivé à ta jupe?

— Ah? Je vous ai pas raconté?

— Ben non, quoi?

Marie-Pier se lève et fait tourner sa jupe sur ses hanches. Elle la replie pour nous montrer les épingles à couche qui se trouvent à l'intérieur, tout le long de la couture.

— C'est quoi? Elle est fendue?

— Exactement!

— Hein? Qu'est-ce qui s'est passé? demande Clémence.

— Écoute, deux tatas, toi!

Dans son métier de vendeuse d'autos, Marie-Pier en voit de toutes les couleurs. Les clients qu'elle déteste le plus sont les machos qui disent connaître ça beaucoup mieux qu'une femme. Elle est d'une patience infinie avec des gens que, pour ma part, j'enverrais promener en les traitant de parfaits imbéciles.

— Dès qu'ils sont arrivés, poursuit-elle, j'ai su que j'allais avoir des problèmes avec eux.

— Ouin, ça partait bien.

— Deux p'tits *bums*. La casquette à l'envers. Ils voulaient essayer une Civic. Un modèle coupé, celui plus sportif.

— Comme le mien ?

— Non, plus performant encore. Le SI. Donc on est allés faire un essai sur l'autoroute. Les deux étaient à l'avant, moi à l'arrière. C'étaient des frères, à peine dix-huit et dix-neuf ans. Leur premier char qu'ils voulaient acheter à deux.

— *Oh my God !* T'aurais dû laisser ça à ton frère.

— Ben voyons, Juliette, je suis aussi capable que Vince de faire ma job.

— Bon, bon, j'ai rien dit.

— Je leur ai donné les recommandations habituelles, mais eux ils ont décidé de n'en faire qu'à leur tête.

— Comment ça ?

— Ils se sont mis à rouler en malades sur l'autoroute. Ils ont monté ça à cent quatre-vingts ou deux cents ! Je leur ai dit d'arrêter, que j'étais enceinte, mais ils ne voulaient rien savoir.

— Ils se foutaient que tu sois enceinte ?

— Ç'a l'air à ça !

— Des dangers publics, ces gars-là ! s'indigne Clémence.

— Mets-en ! En plus, ils mettaient la musique super fort. J'avais beau leur faire signe de ralentir, ils ne m'écoutaient pas.

— T'aurais dû appeler les flics ! dis-je. Qu'ils viennent les arrêter !

— C'est ce que je voulais faire. Mais avant, j'ai tenté de les raisonner.

— Comment ?

— Je me suis levée et je me suis penchée pour fermer la radio.

— C'était pas hyper prudent, ça, te détacher, note Clémence.

— J'avais pas le choix. Pis là je leur ai crié par la tête qu'y était pas question que je meure sur la 40 à cause de deux caves !

— Tu les as vraiment traités de caves ? dis-je.

— Yep ! Pis sur un ton assez sec, merci.

— T'as bien fait.

— Pis je me suis rassise dans le milieu, pour les avoir à l'œil. Le conducteur a été tellement terrorisé qu'il a ralenti.

— Fiou !

— Ouin, mais pas assez. Il a pris la première sortie en roulant encore pas mal en fou. Mes deux jambes se sont écartées, pis ma jupe s'est fendue de tout son long.

— Meuuuh !

— Je te dis ! Y avait une petite fente, en arrière, comme sur toutes les jupes droites. Ben là, elle est rendue presque à la ceinture.

— *Shit !* Ç'a donné un méchant coup.

— Tu dis ! Mais là, fallait que je débarque.

— Oups…

— Oups, oui. En plus, j'avais un *string*.

— Noooooon !

— Pis mon veston était dans mon bureau.

Devant le ridicule de la situation, Marie-Pier éclate de rire. Clémence et moi, on l'imite… même si cet événement aurait pu être très tragique.

— Qu'est-ce que t'as fait, finalement ? T'es pas sortie les fesses à l'air ?

— Ben non. J'ai appelé *dad*, il est venu me porter mon veston, que j'ai noué autour de ma taille.

— Gentleman comme toujours.

Marie-Pier me lance un regard noir. Je fixe le fond de mon verre de sangria et j'essaie d'attraper les quartiers d'orange avec ma paille. Technique complètement bidon et inefficace. L'évocation de David met un terme à la discussion. Clémence, mal à l'aise, se lève pour aller chercher d'autres nachos.

Mon amie se sent tellement coupable d'occuper la deuxième chambre de mon appartement qu'elle en fait trop. Trop de ménage, trop de lavage, trop de bouffe. Comme ces burritos végés qu'elle voulait cuisiner ce soir. Quand je lui ai dit que je préférais manger léger, elle a sorti les croustilles de maïs et préparé un guacamole. Tout ça me met mal à l'aise ; elle n'est pas ma servante. Surtout que j'apprécie sa présence, même si je la craignais un peu.

Depuis sa cuite mémorable au camping, Clémence est redevenue sage comme une image. Moi qui croyais qu'elle continuerait à se soûler pour oublier la trahison de son chum. Mais non ! Il semble que ma recette ne soit pas celle de toutes les filles. Moi, à sa place, je m'éclaterais.

Je ne sais pas comment elle soigne sa peine d'amour. Malgré mon insistance, elle ne veut pas en parler. « Pas tout de suite, dit-elle. Ça fait trop mal. Je vais digérer ça avant et essayer d'y voir clair. » Mais pour ça, il faut verbaliser ce qu'on ressent, non ?

Clémence revient s'asseoir avec nous à la petite table bistro et j'en profite pour lui demander ce qu'elle compte faire de sa soirée.

— Je sais pas trop. Je vais rester tranquille.

— Tranquille, tranquille... T'es trop tranquille, justement. Pourquoi vous sortez pas, toutes les deux ?

— Je peux pas, dit Marie-Pier. J'ai promis à ma mère de l'aider à poser ses cadres dans son nouvel appartement.

L'éclair de tristesse que je vois passer dans ses yeux fait renaître mon sentiment de culpabilité quant au divorce de ses parents. Sans me donner de détails précis, elle m'a informée que sa mère vivait des moments difficiles. Je préfère changer de sujet.

D'autant plus que, depuis sa grossesse, je ne sais pas toujours comment me comporter avec elle.

Ce qui me laisse perplexe dans cette histoire, c'est que Marie-Pier semble à la fois heureuse et malheureuse d'être enceinte. Parfois, elle jubile devant la vie à deux qu'elle va s'offrir avec son petit. À d'autres moments, elle angoisse carrément, remettant même en question sa décision de le garder.

En fait, tout serait plus simple si elle pouvait compter sur le père de l'enfant. Mais elle refuse de partager la bonne nouvelle avec lui. Étienne Paquin-Paré n'existe plus. Point final. J'ai beau avoir détesté cet homme de toutes les fibres de mon corps, je ne peux pas m'empêcher de penser qu'il devrait être au courant. Ne serait-ce que pour que mon amie obtienne une aide financière. Mais Marie ne veut rien, mais rien savoir !

Revenant à Clémence et ne voulant pas qu'elle passe la soirée à la maison encore une fois, je lui propose de sortir seule.

— Seule ? Où ça ?

— Je sais pas, moi. Va prendre un verre sur une terrasse. J'irai te rejoindre après le gala, si tu veux.

— C'est vrai que ça me ferait du bien de me changer les idées. Mais seule dans un bar… non.

— Va au cinéma d'abord.

— Ouais, c'est pas bête.

— Et on se retrouve après pour aller boire un verre. Marie, tu vas venir avec nous ?

— Peut-être, je sais pas. Ça dépend de ma mère. Tu me texteras pour me dire où vous êtes.

Satisfaite de ces réponses, je quitte mes deux copines pour aller revêtir une tenue un peu plus appropriée que ma robe soleil à bretelles spaghetti. Un important contrat m'attend, après tout. Et c'est peut-être mon dernier pour Danicka Malenfant.

*

Mômaaaaaaan, c'est finiiiiiiiiiiiii!

C'est sur le slogan bien connu de Juste pour rire que le rideau du premier gala du festival d'humour vient de tomber. Un spectacle animé avec brio par Mikaël Duval, qui, je dois l'avouer, était dans une forme resplendissante. Mes photos vont être époustouflantes.

Debout en retrait dans la salle qui se vide tranquillement, je me demande si je ne devrais pas faire une dernière approche auprès de Mikaël pour satisfaire ma patronne. Toute l'équipe de production est conviée sous la grande tente pour célébrer ce premier gala. J'y suis invitée aussi. Est-ce que je m'y pointe ou pas?

Je regarde l'heure sur mon iPhone. Le film de Clémence se termine dans une quarantaine de minutes. J'ai un peu de temps devant moi. Si je songe à relancer le bel artiste, c'est que je me sens plus détachée, moins vulnérable, moins encline à retomber sous son charme. Je le vois tel qu'il est: un être trop séducteur et narcissique qui s'amuse aux dépens des autres. Bon, allons voir si je peux vous arracher une quelconque confidence, monsieur l'humoriste. Histoire de garder ma job.

Dix minutes plus tard, je suis appuyée contre le bar, un mojito à la main, observant sans gêne Mikaël qui discute avec Louise. D'ailleurs, je compte sur elle pour me l'amener. Parce qu'il a envie de venir me saluer, je le vois dans son regard.

Depuis tantôt, il me jette des coups d'œil. Ils sont furtifs mais remplis de désir. Je ne me fais pas d'idées, je sais bien que c'est parce que je lui ai dit non la dernière fois que Mikaël souhaite me reconquérir. Et là, c'est son *ego* qui l'empêche de s'approcher. Mais le petit coup de pouce que Louise va – je l'espère – lui donner devrait tout changer.

Je patiente encore un peu, en jouant la totale. Tout en continuant de le fixer, j'écarte sensuellement une mèche de cheveux de mon visage et je laisse mes doigts s'attarder sur mon cou. S'il ne réagit pas dans quinze secondes, je me mordillerai la lèvre inférieure. Ça, c'est d'une efficacité redoutable. Mais bon, restons dans les limites du raisonnable pour l'instant.

Je compte jusqu'à quinze dans ma tête et c'est au chiffre treize que Mikaël fait un pas vers moi. Sans même avoir eu besoin de l'aide de Louise. Au moment où il se place à mes côtés, je lui offre mon plus beau sourire.

— Salut, me dit-il simplement.

— Salut !

— Je pensais pas te voir ici.

— Euh... Pourquoi ?

— Sais pas. J'étais certain qu'on t'avait *flushée*.

— Eille, pour qui tu te prends ?

Mon ton offusqué semble faire plaisir à Mikaël. Revanchard, le comique.

— En tout cas, t'es là. C'est ça qui compte.

Il me gratifie de son sourire de tombeur et je ne sais plus sur quel pied danser. Et ils disent que c'est nous, les femmes, qui sommes compliquées, hein ? Pff... Parfois, les hommes sont bien plus difficiles à suivre que nous !

— T'as aimé le gala ? lance-t-il.

Ah, les vedettes ! Toujours ce besoin pressant de plaire. Mais oui, j'ai aimé, j'ai adoré même. Tu étais formidable, mais je ne te le dirai pas. Pas comme ça, du moins.

— C'était *cool*.

— *Cool ?*

— Ouais... *cool*.

Mikaël soupire, m'arrache mon verre presque vide des mains, le dépose sur le comptoir en faisant signe à la barmaid de nous apporter deux mojitos et m'en offre un.

— Viens avec moi.

Eille, le dictateur, ça suffit ! C'est quoi, ces manières ? Ça, c'est ce que j'ai envie de lui crier par la tête. Mais je me retiens. D'abord, voilà peut-être l'occasion d'obtenir la preuve tant recherchée par ma patronne. Ensuite, je suis curieuse de savoir ce qu'il me veut.

Je marche derrière Mikaël, en essayant de ne pas avoir l'air de la fille qui le suit. Les rumeurs partent tellement vite dans ce milieu. Je ne sais pas où il m'emmène, mais c'est loin. Nous passons devant les bureaux de la production et la salle de presse pour nous rendre jusqu'au bout du chapiteau, où se trouve sa loge. Il y entre et m'y invite d'un signe. J'hésite. Il fait la moue, je cède.

— Écoute, commence-t-il. Je comprends que tu veuilles te protéger, éviter d'avoir de la peine, mais là…

— Hein ? De quoi tu parles ?

— De ce qui s'est passé la dernière fois qu'on s'est vus au Saguenay.

Il va revenir là-dessus maintenant. Oh non ! Il faut que je filme le tout ! Où avais-je la tête ? Il est trop tard pour me servir de mon iPhone. À moins que je fasse semblant de recevoir un texto urgent ! Oui, c'est ça !

Je feins la surprise et sors mon cellulaire de la poche de ma veste. Je regarde l'écran et je mime la contrariété.

— Excuse-moi, Mikaël, faut que…

Je n'ai pas le temps de finir ma phrase qu'il m'enlève mon appareil des mains, me colle contre lui et pose ses lèvres sur les miennes. Brusquement, sans que je puisse faire ou dire quoi que ce soit. Il m'embrasse passionnément, avec toute la fougue de la dernière fois, et je me laisse faire. Parce que c'est bon. Parce qu'il goûte bon. Parce que j'aime quand il tremble de désir. Et parce que je ressens la même chose dans chacune des parcelles de mon corps.

Pendant quelques minutes, je cesse de m'interroger et je m'abandonne au jeu des caresses. Elles sont comme dans mon souvenir. Pressantes, presque violentes… J'adore.

C'est au moment où Mikaël tente de dégrafer mon soutien-gorge que je me ressaisis. « Éloigne-toi de cet homme de malheur », me souffle une petite voix. Ce que je fais immédiatement, en replaçant mon chemisier dans mon jeans.

— Wô, ça va trop vite.

— Mais non ! T'as plus de raisons d'être sur les *breaks.*

— Qu'est-ce que tu veux dire ?

— Je suis célibataire.

— Quoi ? Comment ça ?

Il se rapproche à nouveau et prend ma main gauche dans la sienne, en me caressant doucement la paume avec son pouce.

— Ça marchait plus entre Annabelle et moi.

— T'es sérieux ? Quand est-ce que vous vous êtes laissés ?

— La semaine dernière.

— C'est toi ou elle ?

— C'est moi.

Je retire ma main et je fixe le sol. Est-ce qu'on peut appuyer sur « *rewind* » pour que je sois certaine d'avoir bien compris ? Il a quitté Annabelle Malenfant ? La semaine dernière ? Et ma patronne ne m'a rien dit ! Quelle *bitch* finie !

Et puis pourquoi Mikaël a-t-il rompu comme ça, *out of the blue* ? Est-ce que j'aurais quelque chose à voir là-dedans ? Un sentiment d'euphorie et de légère angoisse m'envahit. La situation devrait être plus simple, mais à mes yeux elle se complique. Mikaël est tout de même l'ex de la fille de ma patronne. Et un gars que je sais désormais être porté sur l'infidélité.

— Ça va être plus facile de se voir maintenant, ajoute-t-il en posant ses mains sur mes hanches pour m'attirer à lui.

Se voir à quel titre ? Comme des amoureux ? Des amants ? Des amis « avec bénéfices » ? Tant de questions sans réponse…

— Mikaël, je sais pas trop, là. Je suis un peu confuse.

— Tu penses trop, Juliette. Profite donc du moment présent.

Et voilà qu'il saisit mon menton fermement entre ses doigts pour m'embrasser à nouveau. Cette fois-ci, je ne fais pas que me laisser aimer. Je soulève son t-shirt et je caresse tout doucement son ventre du revers de ma main. Pressé, il détache sa ceinture et déboutonne avec facilité mon chemisier qui glisse au sol. Il a bien raison, les réponses attendront.

Alors que je suis en train de lui retirer son chandail, une voix féminine résonne dans le couloir.

— Mikaël, c'est l'heure de la présentation de l'équipe!

Paniquée, j'essaie de redescendre le vêtement qui lui emprisonne la tête, mais mes mouvements sont gauches et je n'y parviens pas. Trop tard, Louise entre dans la loge. Elle me regarde et me lance un air interrogatif. En soutien-gorge et les cheveux en bataille, je me sens honteuse.

Pendant que Mikaël se débat avec son t-shirt, Louise me dit silencieusement: « Il n'est plus avec elle. » Ce à quoi je réponds de la même façon: « Je le sais », tout en récupérant mon *top* sur le plancher.

Elle hausse alors les épaules et m'observe, complètement découragée, l'air de se demander ce que je fais là. Elle n'est pas la seule.

Mikaël réussit à rabattre son chandail, salue Louise d'un regard sans la moindre gêne du monde. Alors que moi je veux disparaître six pieds sous terre.

— J'arrive, Louise.

Tout en glissant son t-shirt dans son pantalon et en rattachant sa ceinture, Mikaël me donne un rapide baiser sur la bouche.

— On se voit bientôt, promis!

Il me laisse en plan avec toutes mes questions, et je le suis des yeux pendant qu'il s'éloigne avec sa productrice. Louise se retourne et me jette un regard noir qui ne m'ébranle pas autant que je l'aurais cru.

*

Le lendemain matin, je me pointe au studio à 8 heures. Je veux tout d'abord faire le tri dans mes photos de la veille tranquillement, sans être dérangée par les deux M qui, dans peu de temps, doivent envahir mon appartement, après un séjour chez leur père.

Ensuite, je dois parler à ma patronne. Sans me fâcher, sans pogner les nerfs, sans l'envoyer promener. Comme je l'ai promis hier à Clémence et Marie-Pier, que j'ai rejointes à la terrasse d'Edgar après ma soirée au Festival JPR.

J'ai tout raconté à mes amies. Elles n'ont pas apprécié et j'ai regretté. J'aurais dû garder pour moi l'état de griserie dans lequel je flottais encore quand je me suis assise avec elles. Malgré les interrogations et les craintes, je ne pouvais m'empêcher de ressentir un grand bonheur.

Peut-être que ça va être possible avec Mikaël maintenant qu'il est célibataire ? Peut-être que je suis celle avec qui il aura envie de s'investir totalement et exclusivement ? Peut-être que nous pourrions former un couple formidable, très heureux et équilibré ?

Clem et Marie n'y croient pas. Pas du tout. Quelles rabat-joie ! Eh bien, moi, j'ai décidé de laisser la chance au coureur. Je ne vais rien précipiter, mais je ne vais surtout pas me priver de le fréquenter. J'ai déjà hâte à son prochain texto coquin. Parce qu'il y en a eu un premier hier soir, que je suis allée lire en cachette dans les toilettes d'Edgar.

« Je te love. » Trois petits mots qui m'ont fait tourner la tête. Je sais bien que ce n'est pas une déclaration d'amour. Tout le monde dit ça à tout le monde sur les réseaux sociaux. Ça n'a rien à voir avec le fameux « je t'aime ». Ça, c'est du sérieux. Avec « je te *love* », on en est encore au stade de la frivolité. Et moi, ça me convient parfaitement. Pour l'instant du moins.

J'examine une à une mes photos d'hier et je suis vraiment satisfaite du résultat. Le visage souriant de Mikaël, les mimiques comiques de ses invités, les airs ravis et étonnés des spectateurs… tout ça respire le bonheur. Et ça me rend heureuse !

D'aussi loin que je me rappelle, j'ai toujours aimé faire des photos d'événements joyeux. De Marie-Pier qui fêtait ses sept ans entourée de nos amies d'école à mononcle Ugo qui organisait un barbecue pour ses employés à l'occasion des trente ans de sa boucherie, jusqu'à mes parents qui se sont mariés après plus de vingt ans de vie commune… des moments que je veux garder vivants le plus longtemps possible. Et c'est par la photo que j'y parviens.

Tout occupée à ma tâche, je sursaute quand j'entends un étrange bruit dans le studio. Moi qui croyais être seule… Je quitte la pièce réservée aux pigistes pour aller voir de quoi il retourne. J'arpente le long couloir en inspectant rapidement les environs. Personne dans le bureau de Danicka, ni dans celui de son adjointe, ni dans la cuisinette. Ne reste que l'atelier de photo, vaste pièce au parquet de bois franc dont l'éclairage naturel nous permet de tirer des portraits vraiment authentiques.

La lourde porte de bois qui y mène est fermée. Étrange. Danicka insiste toujours pour qu'on la garde ouverte à part pendant les sessions de photos. Et ça m'étonnerait beaucoup qu'on y ait prévu une séance à 9 heures du matin. Curieuse, je pousse doucement la porte.

Vêtue de son ensemble Lululemon bleu métallique, ma patronne est assise sur un tapis de yoga, dans la position du lotus, sauf qu'elle n'est pas droite du tout. Elle me tourne le dos et je ne peux pas bien voir pourquoi elle est penchée de la sorte. Bon, laissons-la à sa méditation.

Je m'apprête à refermer la porte quand j'entends : « Wouf, wouf. » Je sursaute. Où est ce chien qui aboie ?

— Ta gueule, David Gandy ! Respire ! lance Danicka.

WHAT? Ma patronne fait du yoga avec son chien? Qu'elle appelle en plus David Gandy, ce célèbre mannequin qui pose en slip pour Dolce & Gabbana? Je connais son yorkshire-terrier, elle l'amène souvent au studio. Mais devant nous, elle lui donne le nom de Négatif, en référence au terme utilisé en photographie, pas celui du *top model*. Je dois me retenir à deux mains pour ne pas éclater de rire.

J'essaie d'allonger le cou pour voir la position qu'a prise David Gandy, qui, visiblement, se trouve devant elle. J'arrive à apercevoir une petite touffe de poil entre les mains de Danicka. Elle semble lui faire faire des étirements… Trop drôle!

« Wouf! Wouf! Wouf! »

Sentant ma présence, le chien s'arrache à sa maîtresse et se précipite vers la porte entrouverte. J'ai tout juste le temps de la refermer avant qu'il me saute dessus. Et c'est son petit museau qui heurte violemment la lourde porte de chêne massif.

« Ouh! Ouh! Ouh! Ouh! Ouh! »

Il hurle à mort et je songe que je ferais mieux de déguerpir si je ne veux pas m'attirer les foudres de ma patronne. Je marche à grandes enjambées, mais pas assez rapidement pour éviter l'affrontement avec Danicka. Encore!

— Juliette! Qu'est-ce que t'as fait à Négatif? dit-elle en sortant de la pièce, son yorkshire terrorisé dans ses bras.

— Hein? J'ai rien fait, voyons!

— Pourquoi il souffre le martyre, alors?

— Mais j'en sais rien, moi.

Danicka s'approche et son chien se met à grogner contre moi.

— Tu vois bien qu'il t'en veut!

Là, elle m'énerve solide! Si j'ai juré à mes amies de ne pas me fâcher contre elle, je n'ai jamais promis de ne pas me moquer d'elle.

— Pauvre petit David Gandy! T'es fâché parce que t'as pas tes sous-vêtements Dolce & Gabbana?

Le visage de l'ex-mannequin se décompose d'un coup. Baveuse, j'en remets en la narguant du regard. Je suis assez fière de moi, dois-je avouer. Et tant pis si elle décide de se venger, j'en ai trop sur le cœur. Pour l'instant, elle semble sans voix. Mais c'est mal connaître Danicka Malenfant que de penser qu'elle se laissera faire sans riposter.

— Qu'est-ce que tu dis là ? Il ne s'appelle pas David Gandy.

Je change de sujet et lui parle plutôt de ma rencontre d'hier avec Mikaël. La version épurée, bien sûr.

— Vous auriez pu me dire que votre fille n'était plus avec Mikaël !

— Pourquoi ? Je pensais que tu ne voulais plus me rendre service, de toute façon.

— J'étais pas certaine, mais j'avais pas dit non officiellement.

— C'est du passé, maintenant. Je suis contente qu'Annabelle se soit débarrassée de cet hypocrite.

— Débarrassée ? C'est elle qui...

— Qui l'a quitté, oui. Elle a enfin compris le bon sens.

— C'est pas lui ?

— Non, c'est elle. Et j'en suis très fière !

— Ah bon...

J'avoue que je ne sais plus trop qui croire. Pourquoi Mikaël m'aurait-il menti à ce sujet ? Il n'avait aucune raison de le faire, si ce n'est par orgueil. Ça doit être ça, l'explication. Quoi qu'il en soit, il ne semblait pas du tout en peine d'amour quand je l'ai vu hier. Et c'est ça qui compte, non ?

— Qu'est-ce qui se passe, Juliette ? T'as l'air démontée tout à coup.

— Non, non, ça va. Tout va très bien, madame Malenfant.

— T'es certaine ?

— Sûre à 100 %. Aucun problème à l'horizon, je vous jure.

Sur ces paroles, je m'éloigne pour retourner à mon travail de triage. Derrière moi, David Gandy-Négatif aboie de toutes ses forces. Et je me dis qu'il faudra bien des séances de yoga pour venir à bout de l'hystérie de ce chien.

18

STATUT FB DE JULIETTE GAGNON

Il y a une heure, près de Laval

Revoir un ami d'enfance par hasard… trop nice ☺

— Achète celle-là !

— Non, celle-là ! Elle est bien plus belle.

Clémence et moi ne sommes pas d'accord sur le choix de la poussette du futur bébé de Marie-Pier. Et toutes les deux, nous tentons d'imposer notre landau préféré à notre amie.

— Avec celle-là, tu vas pouvoir courir avec le bébé. Ça va être pratique quand tu voudras recommencer à t'entraîner, suggère Clémence.

— Ouin, mais elle est déprimante, dis-je. Non, il te faut quelque chose de coloré, pas un truc noir et gris.

Une fois de plus, je désigne une belle poussette vert lime, avec de larges bandes décoratives jaunes.

— Voyons, Juliette, ç'a l'air d'un citron deux couleurs. Et elle ne semble pas très solide.

— Solide en masse, regarde !

Je roule avec le landau dans les allées du magasin à grande surface, en conduisant nerveusement et en zigzaguant d'un côté à l'autre.

— Elle prend super bien les courbes ! Malade, la tenue de route !

Je continue ma démonstration, pendant que mes deux amies m'observent, au loin. Je ne saurais dire si elles sont catastrophées ou amusées, mais je n'espère qu'une chose : détendre Marie-Pier. Elle est tellement stressée à l'idée de préparer la venue de Bébé Laverdière qu'elle souffre d'insomnie. C'est pourquoi Clémence et moi lui avons offert de magasiner en avance. Maintenant que les fatidiques trois premiers mois de grossesse sont passés, on peut se permettre de faire des achats.

Et puis, ça fait sortir Clémence de mon appart, où elle crèche toujours, n'ayant pris aucune décision quant à son avenir familial. Je ne la presse pas, même si moi je sais exactement ce que je ferais. Ce serait bye-bye Saint-Hilaire et *arrivederci* le mari qui joue au repentant ! Parce que je ne crois pas une minute à ses remords et à ses regrets.

Je dois admettre également que magasiner avec mes copines me change les idées et m'évite de trop penser à mon bel humoriste. Ces dernières semaines, je ne l'ai revu que deux fois. Bon, d'accord, nous avons chacun de notre côté été fort occupés avec le festival, mais maintenant que l'événement est terminé nous pourrions rattraper le temps perdu, non ?

Il semble toutefois qu'on joue de malchance avec des horaires de travail qui ne concordent pas toujours. Mikaël est souvent en tournage très tôt le matin pour une émission de télé, tandis que pour ma part les mariages m'occupent jusque tard en soirée. Mais bon, c'est la vie et je suis patiente.

Parce que même s'ils ne sont pas assez fréquents à mon goût, les moments avec Mikaël sont d'une rare intensité.

Il y a aussi notre statut qui n'est pas très clair pour l'instant. Sommes-nous des amoureux ou des amants ? Je ne sais trop comment qualifier ma relation avec Mikaël, alors je prends ce qui passe. Les soirées se comptent sur les doigts d'une main, mais les textos sont abondants. Ça compense.

Poussant toujours mon landau à fond de train, je songe à faire demi-tour pour rejoindre mes amies quand un client surgit au bout de l'allée, arrivant du rayon cuisine.

Bing ! Bang ! Boum !

Je ne peux éviter la collision avec l'homme en question, qui laisse échapper ce qu'il s'apprêtait à acheter. Visiblement, de la vaisselle en porcelaine… qui gît en mille morceaux au sol.

— Tabarnak ! Vous pouvez pas faire attention ! dit-il en regardant les dégâts sur le plancher.

Cette voix… Elle ne m'est pas étrangère ! Elle me rappelle un gars que j'ai connu, il y a bien longtemps. Est-ce que, par hasard, ce serait lui ? Après tant d'années, ce serait quand même incroyable.

Le client lève les yeux sur moi et sa surprise est aussi grande que la mienne.

— F-X ?

— Juliette ?

— Ah ben, tu parles !

— Toute une coïncidence, hein ?

Alertées par les bruits de vaisselle, Marie-Pier et Clémence accourent près de moi. Pour mon amie d'enfance, c'est la même stupéfaction !

— F-X ? F-X Laflamme ?

— Marie-Pier ! Vous êtes encore chums, toutes les deux ?

— Ben oui, pourquoi pas ? dis-je, légèrement vexée.

— Pour rien, pour rien, c'est juste la surprise.

— Eille, je suis contente de te revoir, lance Marie-Pier en l'embrassant sur les joues.

Je l'imite aussitôt, pour ensuite le présenter à Clémence.

— Clem, c'est François-Xavier Laflamme. On allait à l'école ensemble tous les trois.

— Ah oui ? Au primaire ou au secondaire ?

— Les deux. On habitait la même rue, on s'est suivis jusqu'à ce qu'on entre au cégep, répond-il.

— F-X, dis-je, c'était le gars le plus *hot* de la polyvalente.

— Ah oui ! Je me rappelle, vous m'en avez déjà parlé. Moi, c'est Clémence Lebel-Rivard. Heureuse de te rencontrer.

— Moi aussi, Clémence. Et faut pas croire tout ce que dit Juliette. Elle exagère !

— Pff, pantoute !

Pendant que Clémence lui serre la main, j'observe celui qui, pour moi, a été plus qu'un simple ami d'école. F-X ne le sait pas, mais il a été le premier gars avec qui j'ai couché. À l'époque, je ne lui avais pas dit que j'étais vierge. Nous étions de très bons amis et nous nous sommes égarés un chaud soir d'été.

Après, nous sommes restés copains, mais c'est devenu plus froid entre nous deux. Ni l'un ni l'autre ne savait trop sur quel pied danser. Aujourd'hui encore, j'ignore pourquoi nous n'avons pas décidé de sortir ensemble. Ç'aurait pu être chouette. Mais parler d'amour avec un ami d'enfance, ça sonnait bizarre.

F-X est aussi beau que dans mes souvenirs. Il a la même chevelure brune très épaisse, les mêmes grands yeux vert clair, le même nez fin et délicat, le même sourire… *OMG* que j'ai été charmée par ce sourire franc et contagieux, révélant des dents parfaites.

F-X répond maintenant à la question que vient de lui poser Clémence, la classique : « Que fais-tu dans la vie ? »

— Je suis architecte.

— Oh, wow !

Je suis impressionnée, il va sans dire. J'ai perdu F-X de vue après le secondaire, j'ignorais donc ce qu'il était devenu.

— Toi, Juliette, t'es photographe, comme tu le voulais ?

— Tout à fait.

— C'est tellement bizarre de te rencontrer aujourd'hui.

— Pourquoi ?

— T'as pas vu, sur Facebook ?

— Non, quoi ?

— Je t'ai envoyé une demande d'amitié. Ce matin.

— Meuuuuh ! Tu me niaises ?

— À moi aussi ? demande Marie-Pier.

— Euh… J'allais t'en faire une, justement.

Un léger malaise s'installe, et je vois Marie se rembrunir. Entre elle et moi, ç'a toujours été un peu la compétition pour obtenir l'attention de F-X, qui était la coqueluche de la polyvalente. Quand j'ai fait l'amour avec lui, à quinze ans, elle l'a très mal pris. Je la soupçonne même d'avoir tenté d'en faire autant, mais sans succès. C'est peut-être ça aussi qui m'a découragée de pousser plus loin l'aventure avec lui.

— Mais j'y pense, F-X, tu viens quand même pas juste d'arriver sur Facebook ?

— Non, non, me répond-il, hésitant.

— D'ailleurs, me semble que je t'ai même déjà fait une demande d'amitié.

— Ça se peut.

— Pis tu l'as pas acceptée ?

— Euh… Je m'en souviens plus.

— Ouin… On va dire ! Et là, qu'est-ce qui t'a décidé à renouer ?

— Eille, c'est un vrai interrogatoire, ton affaire !

— Il a raison, intervint Marie-Pier, laisse-le respirer un peu. Si on allait boire un café plutôt ? Tous les quatre ?

— Ouiiiii !

— Ah, c'est plate, mais je peux pas. J'ai un rendez-vous, répond F-X en se penchant pour commencer à ramasser les dégâts au sol.

Marie-Pier et moi, on pousse un soupir de déception, sous l'œil interrogatif de Clémence. À voir son air, elle essaie de deviner quel rôle exact F-X a joué dans nos vies.

— On se reprendra, les filles.

— Cette fois-ci, comptes-tu encore disparaître dans la brume ?

Ici, je lui lance une allusion au fait qu'il n'a plus jamais donné de nouvelles, une fois le bal des finissants passé. Parti, enfui, volatilisé, le F-X. Il a pris un appart dans le nord de la ville pour être plus proche du cégep qu'il fréquentait et nous a laissées en plan. Nous, ses deux amies d'enfance ; celles sur qui il fonçait avec son tricycle dans la ruelle où nous avons grandi, celles à qui il a appris à jouer à la PlayStation, celles avec qui il a partagé sa première bouteille de vodka dérobée en douce à son père et celles qu'il choisissait toujours dans son équipe de soccer pendant les cours d'éducation physique, même si j'étais hyper poche. Et puis il a oublié celle qu'il a *déviergée* avec douceur et… un peu trop de pudeur. Peut-être parce qu'on se connaissait trop, parce que notre relation ressemblait trop à celle d'un frère et d'une sœur. Enfin, je pense que je ne le saurai jamais.

F-X ne répond pas à ma question sur son hypothétique nouvelle disparition et se contente de faire un petit tas avec la vaisselle cassée.

— Attention, tu vas te couper, l'avise Clémence. Je vais aller chercher de l'aide pour ça.

Elle s'éloigne et F-X se relève. Il regarde la poussette vert lime et se tourne vers moi, l'air légèrement troublé.

— C'est pour toi ? T'es enceinte ?

— Non, non, pantoute ! C'est pour…

— Une de nos copines, m'interrompt Marie-Pier à la volée.

— Euh... C'est ça.

Je ne comprends pas pourquoi Marie refuse de parler de sa grossesse à F-X, mais je respecte son choix.

— Ah, OK.

Je rêve ou j'ai cru voir un éclair de soulagement passer dans ses yeux? Hummm... Bien embêtant, tout ça. Pendant qu'il s'informe de ce qu'est devenue Marie-Pier, je poursuis mon observation. Veston et pantalon noir, chemise blanche légèrement entrouverte et derbys aux pieds.

Je suis étonnée de constater que F-X s'habille plutôt *straight*. Avec le look *cool* qu'il privilégiait au secondaire, je me serais attendue à ce qu'il devienne un *hipster*. Mais tout ce qu'il affiche de ce style et qui est un peu moins *straight*, ce sont ses grandes lunettes à monture noire. Qui lui vont très bien, d'ailleurs.

— Va falloir que j'y aille, annonce-t-il. J'ai rendez-vous avec un nouveau client ici, juste à côté.

— Et tu lui achetais de la vaisselle?

F-X éclate de rire devant ma supposition, un peu idiote, je l'avoue. Son rire me réchauffe le cœur et je constate qu'il m'a manqué, mon ami d'enfance, pendant toutes ces années.

— Non, j'avais un peu de temps devant moi. C'est pour le... en tout cas, peu importe. Mais j'aimerais vraiment ça qu'on se revoie, tous les... tous les trois.

— Ben oui, super! Fais-nous signe. Nous, on est toujours dispos pour aller prendre un verre, hein, Marie?

— Pourquoi pas ce soir? propose-t-elle.

— Euh... Je regarde mon horaire, puis je vous tiens au courant, répond-il.

— T'as juste à le regarder tout de suite sur ton téléphone, insiste Marie-Pier.

— Je vous en reparle, OK?

— Ou sinon demain soir, en remet-elle.
— Peut-être, oui.
— Oublie-nous pas, là.
— Promis, Marie !

Après nous avoir fait la bise à nouveau, F-X s'éloigne vers la sortie. Je me tourne vers ma copine, un peu déroutée par son attitude.

— Coudonc, Marie ! Qu'est-ce qui t'a pris d'insister comme ça ?

— J'ai pas insisté tant que ça.

— Dahhhhhh ! Tu t'es pas entendue ?

— Bah, j'étais contente de le revoir, c'est tout. Fais-en pas toute une histoire !

— Et pourquoi tu voulais pas lui dire que t'étais enceinte ?

— Parce que… Je suis pas obligée de dire ça à tout le monde !

Le ton défensif de Marie-Pier me met en alerte et m'incite à la laisser tranquille. Je ne veux surtout pas perturber mon amie aux hormones visiblement détraquées.

— Tu te rends compte, Juliette, on l'avait pas vu depuis à peu près dix ans !

— Yep ! Pis y a presque pas changé. Il est toujours aussi beau.

— Plus beau encore, ajoute Marie-Pier, rêveuse.

Est-ce que F-X lui plairait ? Ou bien est-ce la faute de ses hormones ? Quoi qu'il en soit, je décide de ne pas poser de questions.

Clémence revient vers nous, accompagnée du responsable de la sécurité du grand magasin. Il a l'air très mécontent.

— Ouin, beau dégât ici. Qui va régler la facture ?

— Euh… Je suppose que c'est moi, hein ?

Le gérant du rayon cuisine m'attend à la caisse afin que je paie la vaisselle brisée. Je passe tout près de la crise cardiaque quand on m'annonce que les trois assiettes à service que s'apprêtait à acheter F-X valent… 280 dollars ! Elles étaient destinées à la reine d'Angleterre ou quoi ? Je me promets bien de le lui demander quand je le reverrai et, surtout, quand je tenterai de lui refiler la facture.

19

STATUT FB DE JULIETTE GAGNON
À l'instant, près du Vieux-Montréal
Besoin de votre énergie et d'une bonne dose de courage. Pleaaaaaase !

Nerveuse et préoccupée, je marche d'un pas rapide dans les rues du Vieux-Montréal pour aller au café où j'ai rendez-vous avec Mikaël. Un rendez-vous qui ne sera pas comme les autres. L'heure est à la franchise.

Après un mois et demi de « fréquentations », j'estime que j'ai le droit de lui poser LA question. C'est-à-dire : « Qu'est-ce que je suis pour toi ? » Ça me terrorise un peu, mais j'ai besoin de savoir, d'être fixée pour aller de l'avant dans ma réflexion.

Est-ce que voir un gars une fois par semaine, deux au maximum, c'est ce que je souhaite dans la vie ? C'est bien beau, les textos dix fois par jour, mais ça ne remplace pas la chaleur des bras de son chum-amant-je-ne-sais-plus-trop-quoi.

Pour le moment, peu de gens savent que je suis intime avec lui. Surtout pas ma patronne, car je fais tout pour le lui cacher. Ça ne la regarde pas et je n'ai pas envie qu'elle me juge. J'ai assez de mes deux amies qui le font jour et nuit.

« Ça mènera à rien, cette histoire-là… T'es mieux d'arrêter ça tout de suite avant d'avoir trop de peine… Tu sais bien qu'il voit d'autres filles… C'est évident qu'il t'a menti sur la fin de sa relation avec Annabelle. »

Clémence et Marie-Pier ne cessent de m'énumérer des arguments que j'estime plus ou moins valables. Oui, c'est vrai que Mikaël ne m'a pas dit la vérité sur sa séparation récente, mais il l'a candidement reconnu quand je lui en ai parlé. « Je suis trop fier et j'aime pas avoir l'air *loser* », a-t-il expliqué. Et je peux parfaitement le comprendre.

J'entre dans le café et je me heurte à Mikaël, qui vient à ma rencontre. Sans même me saluer, il m'entraîne à l'extérieur.

— Viens, on va ailleurs !

— Mais pourquoi ? Je viens juste d'arriver.

— Ça me tente plus.

Surprise, je lui obéis néanmoins. Nous nous dirigeons vers la rue Saint-Paul. Je le prends par la main pour marcher et il se laisse faire. Tiens, un signe d'avancement. C'est la première fois qu'il se prête à un geste intime en public. Ça me ravit !

— Pourquoi tu voulais pas rester au café ?

— Bah, c'est plus l'heure de l'apéro que du café, tu trouves pas ?

— Euh… C'est parce qu'il est juste trois heures et quart.

— Pis ça ?

En effet, qu'est-ce que ça change ? On est en congé tous les deux, à ce que je sache. Pour une rare fois en plus. Je devrais en profiter et oublier cette petite voix qui me souffle qu'une discussion sérieuse est toujours plus efficace devant un café qu'un cocktail.

— Et puis j'ai envie de boire du champagne, ajoute-t-il.

— Ah oui ? On fête quoi ?

— On a-tu besoin d'une raison pour fêter ? Après, on ira souper si tu veux.

Je me colle sur lui et je lui donne un bisou sur la joue. Cette sortie imprévue me réjouit et je lui en suis reconnaissante. Il a compris que j'avais envie d'avoir du temps avec lui.

Une fois installée devant ma coupe de champagne, je me lance pendant que je ne suis pas encore ivre.

— J'aimerais ça, Mikaël, qu'on parle un peu de nous deux.

— C'est pour ça que tu voulais qu'on se voie ? Pour parler ?

— Pour ça et pour autre chose aussi, mais avant…

— Autre chose comme celle que j'ai en tête en ce moment même ?

Je baisse les yeux et rougis de la tête aux pieds. Assis face à moi, Mikaël retire un de ses souliers pour venir me caresser le mollet de son pied nu.

— Et que je ferais si nous étions seuls ici ?

Je sens son pied s'aventurer sous ma robe, jusqu'à l'intérieur de ma cuisse. Un peu gênée, je jette un œil aux alentours pour être certaine qu'on ne nous voit pas. Heureusement, le bar est tranquille à cette heure-ci et nous avons la paix. Du regard, je l'encourage à poursuivre.

Bip !

Le signal annonçant l'arrivée d'un texto m'importune. Pas envie de le consulter maintenant, mais comme je me doute que c'est ma patronne qui m'envoie les infos pour mon affectation de demain, je vérifie pour m'assurer que je ne dois pas partir aux aurores. J'aperçois alors une photo et, au début, j'ai du mal à comprendre ce qu'elle représente. Puis je bondis sur mes pieds, renversant du coup ma flûte de champagne sur la table.

— *Shit!* Elle est complètement folle!

Je fixe mon téléphone, sous le regard éberlué de Mikaël.

— Quoi? Qu'est-ce qui se passe? dit-il en se levant à son tour pour éviter que le vin coule sur son jeans.

— Rien, rien!

— Comment ça, rien?

Il s'approche. Prestement, je dissimule mon cellulaire dans mon dos.

— C'est pas important, je te dis!

— Si c'est pas important, pourquoi tu le caches?

— Parce que… parce que… c'est gênant, bon!

Le regard de Mikaël brille de curiosité. Ah non! J'ai empiré les choses en disant n'importe quoi.

— J'aime ça, moi, les affaires gênantes. Ça m'inspire tout le temps.

— C'est pas vraiment gênant, c'est pas ça que je voulais dire.

— Montre-moi donc, ça va être plus simple.

— Nooooon! T'es tannant!

Mikaël ne se laisse pas démonter et, d'un geste vif, empoigne mon poignet et m'arrache mon cellulaire des mains. Il regarde la photo et s'esclaffe!

— C'est qui, ça?

Je reprends mon appareil pour regarder à nouveau la photo qui montre une fille les seins nus, le chapeau de cowboy rabaissé sur son visage. Sherley. Depuis notre « aventure », elle ne cesse de m'envoyer des messages. Au début, des mots d'excuse, des remerciements pour les photos que je lui ai fait parvenir, des petits coucous. Mais depuis une semaine, elle est plus insistante. Elle veut me revoir, me donner un petit cadeau, jaser entre « copines ». *No fucking way!*

Et aujourd'hui, cette photo… Qui, j'espère, ne sera pas la première d'une longue série.

— C'est rien. Une folle!

— Pourquoi elle t'envoie ça?

— Je pense qu'elle est en amour avec moi.

— Ah ouin ? Raconte ! J'aime ça, les histoires bizarres.

Mikaël se rassoit, me verse un nouveau verre de champagne et me fait signe de le rejoindre. Je décide de lui décrire de long en large l'épisode du camping. Mikaël se bidonne comme je l'ai rarement vu faire et, moi, je suis assez fière d'amuser un des humoristes les plus populaires du Québec.

*

— Il est parti ?

— Oui, il vient de partir. On t'a pas réveillée, j'espère ?

— Non, non.

Je vois bien que Clémence me ment. Pourtant, Mikaël et moi, on a tenté d'être le plus silencieux possible pendant nos ébats amoureux ce soir. Après notre long apéro au champagne et notre souper sur l'une des plus belles terrasses du Vieux-Montréal, je l'ai emmené chez moi. En espérant que cette fois-ci il resterait toute la nuit. Mais non, il m'a quittée peu de temps après l'amour et ça me rend un peu triste.

— Alors, votre conversation ? Ç'a bien été ? me demande Clémence en mettant de l'eau à bouillir pour préparer une tisane à la lavande.

— Notre conversation ?

— Ben oui ! Tu voulais pas lui parler de votre relation ?

— Ah ça ? Euh... On a pas eu le temps, finalement.

Ma copine me lance un regard sceptique. Bon, d'accord, elle a raison, ce n'est pas faute de temps. L'atmosphère était si extraordinaire entre nous deux que je n'ai pas voulu tout gâcher en le pressant de questions. J'ai donc remis ça à plus tard.

— Alors... t'es pas plus avancée ?

— Ahhh, Clem, ça me tente pas de me faire faire la morale ce soir.

— Comme tu veux, Juju. C'est ta vie, mais tu sais ce que j'en pense.

— Je le sais, inquiète-toi pas.

Clémence verse l'eau bouillante dans ma tasse Hello Kitty, y ajoute un sachet de tisane et la pousse vers moi.

— Tiens, prends ça. Ça va t'aider à dormir.

— Merci, t'es fine.

Elle se sert à son tour et propose qu'on aille s'installer au salon. Je la suis en me disant que je suis somme toute heureuse de cette cohabitation. La présence de Clémence me réconforte quand je me sens seule ou abandonnée. Comme ce soir.

Nous nous assoyons côte à côte sur le sofa et je pose ma tête contre son épaule. Elle me flatte doucement les cheveux et, si j'étais un chat, je ronronnerais de satisfaction.

— As-tu eu des nouvelles de ton ami F-X, finalement?

— Bon! Ça aussi, c'en est un autre qui est bizarre! Ça fait deux semaines que Marie et moi, on essaie d'organiser un souper ou un 5 à 7 avec lui, mais ça marche jamais.

— Comment ça?

— Je sais pas trop. Il est jamais dispo, on dirait.

— Ah bon…

— Pis ça rend Marie super fru. Je pense qu'elle veut vraiment le revoir.

— Dommage, je l'aime bien, ce gars-là.

— Tu le connais même pas!

— Non, mais il m'a fait une bonne impression. Il inspire la confiance.

Après notre rencontre fortuite avec F-X dans le grand magasin – duquel nous sommes ressorties les mains vides, Marie-Pier n'arrivant pas à fixer son choix sur une poussette –, Clémence m'a bombardée de questions sur l'architecte.

Je lui ai tout raconté: l'ami d'enfance, le premier amant, puis le gars qui disparaît pendant près de dix ans. Clémence n'a pas été du tout étonnée d'apprendre que j'avais eu une aventure avec F-X. « Ça se sentait », a-t-elle simplement dit.

— Moi, je lui en veux encore d'avoir disparu comme ça. Pis d'avoir refusé ma demande d'amitié Facebook.

— As-tu répondu à la sienne ?

— Pas pour le moment.

— Tu te venges ?

Je hausse les épaules. Au fond, je ne comprends pas pourquoi ça m'importe tellement qu'il m'ait ignorée pendant dix ans. Ça ressemble à de l'orgueil mal placé.

— Et au secondaire, t'étais amoureuse de lui ?

Nouveau haussement d'épaules. Décidément, quand il s'agit de F-X, les réponses ne sont pas évidentes.

— Peut-être un peu, en y pensant bien. Mais on était trop comme frère et sœur, ç'aurait pas pu marcher.

— T'es certaine ?

— Pas mal, oui. D'ailleurs, le soir où on a couché ensemble, ça allait pas du tout, y avait rien de naturel.

— T'en connais, toi, des premières fois où c'est l'extase totale ?

— Ouin, vu comme ça.

— Moi, j'ai l'impression qu'il n'est pas revenu dans ta vie par hasard.

— Ah non ?

— Non, je sais pas ce que c'est exactement, mais il veut quelque chose.

— Clem, tu te fais des idées !

— Penserais pas, moi !

— Si c'était ça, il se serait organisé pour que ça marche, notre sortie. Là, il *boque* tout le temps.

Clémence prend une grande gorgée de tisane à la lavande, semblant réfléchir à la suite.

— Je pense que c'est parce qu'il veut te voir, toi. Toute seule.

L'hypothèse de Clémence m'alarme tout entière. Je revois le visage joyeux de Marie-Pier quand elle a croisé le regard de F-X, les yeux doux qu'elle lui a faits quand il est parti. Je repense à son insistance à vouloir planifier un rendez-vous, à sa déception devant son manque de disponibilité. C'est clair qu'elle a des visées sur lui. Et sa grossesse ne semble pas l'arrêter.

— Non, non, non, ça se peut pas, ton affaire, Clem. Faut pas que ce soit vrai !

J'imagine la peine de Marie-Pier s'il fallait que F-X la rejette. Déjà qu'elle s'est sentie écartée et trahie à l'époque de nos quinze ans…

— Tu dis ça à cause de Marie-Pier ?

— Oui ! Elle m'en voudrait à mort.

— Ce serait pas ta faute, Juliette.

— Je suis certaine que tu te trompes. Et puis j'ai Mikaël.

— Ah oui… Je l'oubliais, celui-là. Faut dire que c'est facile, il est jamais là !

Vexée, je me lève et enfile mes gougounes roses en tissu éponge.

— T'es pas fine, Clémence Lebel-Rivard !

— Pas fine, mais réaliste.

— Clémence, *come on* ! Je te mets pas de pression, moi, pour que tu quittes Arnaud, hein ? Fais pareil, s'il te plaît.

— T'as raison, Juju. Excuse-moi. J'arrête.

— Bon… Enfin !

— Et puis, pour Arnaud, je voulais te dire que j'ai pris ma décision, m'annonce-t-elle en se levant à son tour.

— Ah oui ? Qu'est-ce que tu vas faire ?

— C'est décidé. Je le quitte.

— Oh, wow !

— Et je vais lui proposer la garde partagée.

Devant tout le courage qu'il lui a fallu pour en arriver à cette conclusion, j'éprouve à nouveau une profonde admiration pour elle. Que je lui témoigne en la serrant longuement dans mes bras.

— Tu penses que je fais le bon choix? me demande-t-elle.

— C'était le seul choix à faire. Je suis fière de toi.

Et tout en berçant mon amie doucement contre moi, je prends aussi une décision importante. Celle de faire mariner François-Xavier Laflamme aussi longtemps que lui l'a fait. Soit pendant dix ans. Minimum.

20

STATUT FB DE ANGELA LOMBARDI-GAGNON

Il y a deux jours, près de Ahuntsic

J'adore ma nouvelle vie et mes nouveaux amis.

J'ai beaucoup de projets pour eux…

— Nonna Angela, c'est moi !

J'entre dans le nouvel appartement de ma grand-mère, situé au onzième étage de la résidence. Ce n'est qu'hier que j'ai appris que le déménagement de nonna était chose faite !

« J'ai pas voulu te déranger avec ça. Je me suis organisée, finalement », m'a-t-elle expliqué quand je l'ai jointe sur son cellulaire.

Nonna devait déménager aujourd'hui, le 1er septembre. Je lui ai donc passé un coup de fil hier, pour savoir à quelle heure elle m'attendait. Quelle n'a pas été ma surprise d'apprendre que non seulement elle n'avait plus besoin de mes services, mais qu'en plus elle habitait son nouveau chez-soi depuis cinq jours déjà.

Et me voici chez elle aujourd'hui, non pas pour l'aider à s'installer, mais bien pour visiter son nouvel environnement.

— T'es où ?

Ohhh, c'est beau ici, me dis-je en avançant jusqu'au fond du petit trois et demie. Tout est joliment décoré, à l'image de nonna. Je remarque de nouveaux cadres sur une étagère dans la pièce qui sert de salon, salle à manger et cuisine. Elle y a mis plusieurs de mes photos, dont celle de papa et maman, prise l'année dernière quand je suis allée les visiter au Costa Rica. Même après toutes ces années passées ensemble, ils ont toujours l'air aussi amoureux.

— Nonna, je suis là !

Je me rends sur le balcon, mais tout ce que j'y trouve, c'est un pot de basilic bien odorant. Au moins, ma grand-mère n'a pas renoncé à tout.

Bon, elle n'y est pas. Allons inspecter les environs. Je sors dans le couloir en refermant derrière moi. Pas peureuse, ma grand-mère, de laisser ainsi sa porte déverrouillée ! Je ne sais pas où je vais, mais je finirai bien par tomber sur quelqu'un qui pourra me renseigner. J'arrive devant la salle à manger et j'observe le menu du jour écrit à la craie sur un tableau noir. « Stracciatella, pasta di Giuliano et tiramisu. » Hein ? Un repas complètement italien ? À mon avis, il y a du Angela Lombardi-Gagnon derrière tout ça. Même pas arrivée depuis une semaine que, déjà, elle a pris possession de la cuisine ! C'est bien elle, ça !

Je poursuis mon exploration en longeant le couloir beige et j'examine le nom des résidants sur chacune des portes : Germaine Thériault, Yvonne Laprade, Yolande Bégin, Huguette Simard, Jean-Paul Côté, Thérèse Rhéaume… Un monsieur pour cinq madames ! Ce n'est pas ici que nonna va se trouver un compagnon. De toute façon, ça fait longtemps qu'elle se passe d'homme dans sa vie, et il n'est pas né celui qui lui fera oublier son Marcel Gagnon. *Dixit* Angela Lombardi-Gagnon elle-même !

Après avoir scruté à la loupe l'étage au complet, je retourne au rez-de-chaussée. Peut-être qu'Angela est à la piscine, à la chapelle ou au cinéma. Rien là non plus. Je me rends à l'extérieur, où d'adorables petits vieux disputent une partie de *shuffleboard*, mais toujours pas de nonna.

Exaspérée, je reprends l'ascenseur jusqu'au onzième pour vérifier si elle est rentrée chez elle. Quand j'ouvre la porte de son appartement, des rires parviennent à mes oreilles. Des rires différents, que je ne connais pas.

En arrivant dans la grande pièce du fond, je constate que ma grand-mère est en bonne compagnie. Elle joue aux cartes avec trois autres personnes âgées, dont un homme.

— C'est à ton tour, Lucette.

— Nonna ?

Ma grand-mère sursaute en m'entendant. Elle se lève pour venir m'embrasser, mais je la sens tendue.

— Je t'attendais pas aujourd'hui, *topolino*. Je suis un peu occupée, là.

J'éprouve un pincement au cœur à l'idée que je ne pourrai peut-être plus débarquer chez elle comme bon me semble. Moi qui espérais que les choses ne changeraient pas avec son déménagement, me voilà bien déçue.

— Tu peux au moins me présenter tes amis ?

— Oui, oui, bien sûr. Lucette, Arthur et Germaine, voici Juliette, ma petite-fille.

J'observe les deux dames et je constate que, tout comme ma grand-mère, elles sont sur leur trente et un : vêtements impeccables, cheveux parfaitement coiffés, léger maquillage bien appliqué et grand sourire aux lèvres. Elles sont loin de l'image triste que je me faisais des petits vieux en résidence avant de venir ici : celle de gens déprimés et vêtus de façon négligée. Nonna a bien raison, sa nouvelle demeure n'a rien d'un mouroir.

Lucette et Germaine se lèvent pour venir m'embrasser pendant qu'Arthur, lui aussi au look soigné, s'empare d'un paquet de cartons multicolores sur la table. Je le vois essayer désespérément de les dissimuler sous sa cuisse… Bizarre. Est-ce que les cartons représentent de l'argent et qu'Arthur est en train de tricher? Quoi qu'il en soit, il s'y prend d'une bien drôle de façon; tout le monde peut le voir!

Soudainement, les cartons glissent par terre. Paniqué, Arthur se lève pour les ramasser.

— Attendez, je vais vous aider.

— Non! Touche pas à ça! lance fermement nonna, à qui je jette un coup d'œil abasourdi.

Est-ce que sa nouvelle vie l'a fait virer sur le *top*? Je ne tiens pas compte de son interdiction et je me mets à la tâche. Et c'est là que je comprends. Sur chacun des cartons, on retrouve quelques mots… qui en disent long. Du genre: « petit bec dans le cou », « main dans la main pendant cinq minutes », « caresse de la nuque », « danser sur *La Chanson des vieux amants* » ou encore « long baiser sur la bouche ».

J'éclate de rire et je me tourne vers nonna, qui baisse les yeux, gênée. Tout comme ses trois amis, qui détournent le regard. C'est trop *cute*! On dirait des enfants qui jouent à la bouteille en cachette. J'ignore si ma grand-mère s'attendait à ce que ça me choque, mais au contraire. Je trouve ça terriblement mignon. Ce sont des adultes libres et consentants. Et ils ne font de mal à personne.

— Ouin… Y en a un qui est chanceux ici!

Je m'adresse au vieux monsieur encore digne avec son pantalon gris et sa chemise blanche. Même si je ne connais pas les règles de leur jeu, je suppose que c'est Arthur qui en bénéficie le plus.

— C'est pas ce que tu penses, intervient Angela.

— Non, pas du tout, renchérit Arthur.

— C'est des cartons d'un ancien jeu que ma fille avait, ajoute Germaine.

Seule Lucette ne semble pas embarrassée de ma découverte. En voilà au moins une qui s'assume.

— Vous n'avez pas à vous justifier. À votre âge, vous devez bien savoir ce que vous faites.

— Absolument, répond Lucette.

Encore mal à l'aise, Angela se réfugie à la cuisine, où elle s'occupe à couper en morceaux une tarte à la frangipane et aux poires. Je la rejoins et je tente de la rassurer.

— Voyons, nonna, ça me dérange pas. T'as le droit de t'amuser.

— J'aurais préféré garder ça secret.

— C'est pas grave, je te jure !

Ma grand-mère change de sujet et me demande si je veux du café ou du thé avec mon dessert, mais moi j'ai envie d'en savoir plus sur le fonctionnement de leur jeu.

— Mais là, comment ça marche ? Vous pigez une carte, pis vous faites ça avec Arthur devant les autres ?

Nonna hésite à répondre, mais avec les yeux doux que je lui fais, elle ne peut me résister.

— Non, c'est plus compliqué que ça. On joue à différents jeux et on accumule des points. Quand on a cent points, on prend une carte.

— OK, et ensuite ?

— Ensuite, on décide d'utiliser tout de suite notre cadeau ou de le garder en réserve pour quand on sera seule avec Arthur. Mais faut faire attention, parce que les autres peuvent nous le voler.

— Ben voyons donc !

— Faut qu'il y ait du *challenge* un peu.

— Pis Arthur, lui ?

— Arthur, il échange des cartons. Mais ça lui prend deux cents points.

— Attends, je comprends pas. Il fait ça comment ?

— Il le donne à qui il veut.

— Fait que si t'as un carton « long baiser », il peut décider de le donner à Lucette ?

— Oui… mais c'est plutôt l'inverse qui se produit généralement.

— Ah, parce que t'es sa chouchoute en plus !

— Chuuut, faut pas en parler ! Elles aiment pas ça.

Vraiment, c'est trop drôle ! Jamais je n'aurais imaginé nonna en train de fricoter de la sorte.

— C'est toi qui as pensé à ça ?

— Hum, hum. Et c'est moi qui ai fait tous les règlements.

Je pouffe de rire à nouveau. Oui, je savais que ma grand-mère était une originale, mais pas à ce point-là. Je l'adore encore plus.

— Quand je vais raconter ça à papa, il va trop être crampé !

— Juliette, tu dis un mot de ça à tes parents et je te cuisine jamais plus de dessert.

— Bon, bon, c'est beau. Je la ferme.

— *Tu prometti ?*

— Oui, oui, promis !

Nous retournons auprès des invités de ma grand-mère, qui me font une place à la table et mettent leur jeu de côté quelques instants. Pendant que nous dégustons notre douceur, un léger malaise s'installe. Je le romps en m'y attaquant directement.

— Nonna, tu devrais commercialiser ton jeu et le vendre dans toutes les résidences pour personnes âgées.

— Pas question.

— Bah, c'est une *joke*. N'empêche…

— Ta grand-mère a raison, appuie Germaine. Nous, ici, on veut pas que ça se sache.

— Faut que ça reste entre nous, ajoute Lucette.

— Pourquoi ? Y a pas de honte. C'est juste des petits gestes mignons…

Les trois dames restent silencieuses et jettent un coup d'œil vers Arthur, qui rougit.

— Ah ! Vous voulez pas partager ?

— T'as tout compris, ma fille, répond Germaine.

— Les hommes comme Arthur sont assez rares ici, ajoute mon adorable grand-mère.

— Et on a décidé qu'il y avait juste nous trois qui allions en profiter. Personne d'autre, affirme Lucette en guise de conclusion.

C'est qu'elles savent ce qu'elles veulent, les mamies! Je lance un coup d'œil à Arthur, qui semble bien satisfait d'être ainsi manipulé comme une marionnette. Et je me dis que j'aimerais bien avoir autant de pouvoir sur Mikaël. Mais moi, ce n'est pas « petit bec dans le cou » que j'écrirais sur un carton. Ni « long baiser sur la bouche ». Mais bien « engagement à être mon chum » et « dormir ensemble toute la nuit ». Et il ne pourrait surtout pas m'échanger contre une autre!

*

Je quitte la résidence pour personnes âgées, et mon sourire s'efface d'un coup au moment où je consulte mes textos. Mikaël annule le rendez-vous qu'on s'était fixé à la fin de la soirée et ça m'enrage. Déjà qu'on ne se voit qu'une fois ou deux par semaine, s'il se défile au dernier moment en plus! Il faut vraiment que nous ayons cette conversation qu'il reporte à chacune de nos rencontres. La prochaine fois, ce sera ma condition pour baiser. Pas de discussion, pas de sexe. Point final.

L'autre message qui me met en rogne vient de Sherley. Encore! Mon amante d'un jour s'est mis en tête de me séduire à nouveau. Deux ou trois fois par semaine, elle m'envoie non seulement des photos osées, mais aussi des mots qu'elle croit cochons. Daaaah! C'est parce que tu ne m'intéresses pas pantoute, cowgirl quétaine!

« Je t'ai dit de me laisser tranquille. »

« Je peux pas. Je t'ai trop dans la peau », répond-elle.

« M'en fous. Pas mon problème. »

« Tu peux pas me faire ça… T'as pas le droit. »

Hein ? Quoi ? Pardon ? Qu'est-ce que je lui fais au juste ? Absolument rien ! Et j'ai tous les droits. « Ça suffit, les menaces voilées. Arrête de m'envoyer des textos, c'est du harcèlement. »

« Non, c'est de l'amour. »

Ahhhh, la conne ! Irritée au plus haut point, je ferme mon cellulaire et je monte sur ma zézette pour me rendre au centre-ville. Je dois rencontrer F-X pour un 5 à 7. Seule avec lui. Clémence avait raison, c'est moi que F-X voulait voir. Sans Marie-Pier. Au début j'ai refusé, puis j'ai cédé à la curiosité. Et aux pressions de Clémence. Nous avons toutefois convenu de garder pour nous deux ma rencontre avec F-X, pour ne pas chagriner notre amie.

En zigzaguant entre les autos, rue Saint-Denis, histoire de rattraper mon retard de quinze minutes, je me demande bien ce que F-X a derrière la tête. Est-ce qu'il souhaite simplement se rappeler le bon vieux temps ? À moins qu'il veuille me confier un mandat professionnel ? Ça, ce serait chouette !

Je stationne ma fidèle Poutine directement devant le bar populaire, entre deux voitures. Voilà l'avantage de circuler en scooter quand je viens au centre-ville.

J'enlève mon casque. J'ébouriffe mes cheveux, que je sens tout collés sur mon front à cause de l'humidité. J'ai l'impression que je fais dur… pas à peu près. Je sors un miroir de poche de mon sac à dos et je me regarde. La catastrophe ! Mes cheveux sont aplatis et légèrement gras. Ouache !

J'avais oublié cet énoooorme bouton rouge sur le menton, que je n'ai même pas pris la peine de dissimuler sous du fond de teint. D'ailleurs, je ne suis pas maquillée. Décidément, je suis partie trop vite de la maison. Je cherche en vain un *gloss* ou un mascara dans mon sac, mais rien à faire. J'ai vraiment été négligente. Et que dire de ma tenue ? Ce n'est guère mieux. Je porte un t-shirt blanc affichant le pouce « J'aime » de Facebook et mon plus vieux jeans, que je ne trouve pas assez ajusté mais qui est trop confo pour que je m'en débarrasse. C'est rare que je sois aussi négligée, mais ça arrive à tout le monde.

Tant pis ! F-X devra s'en contenter. *Anyway*, c'est seulement un 5 à 7 avec un ami d'enfance, pas une *date* avec le futur homme de ma vie.

J'entre à l'intérieur et je constate qu'il y est déjà. Attablé devant un verre de je ne sais quoi et vêtu de façon beaucoup plus décontractée que la dernière fois. J'adore son chandail à rayures nautiques, un peu ample.

— Salut, F-X ! Excuse-moi, je suis en retard.

— Pas grave.

Mon ami se lève pour me faire la bise et ce que je devine chez lui me surprend. J'ai le curieux sentiment qu'il est nerveux, chose que j'ai rarement ressentie lorsqu'on est ensemble. Sauf peut-être après notre épisode sexuel… Est-ce qu'il repenserait à ça ?

Je prends place en face de lui et je m'empare aussitôt de son verre, que je porte à mon nez.

— Ça sent bon ! C'est quoi ?

— Scotch.

— Tu bois du scotch ?

— De temps en temps. T'en veux un ?

— Sais pas. Ça fait pas un peu mononcle comme *drink* ?

— Peut-être que je suis rendu un peu mononcle, ironise-t-il.

— Bah ! Franchement. On a le même âge.

F-X ne relève pas et me propose plutôt de goûter à son apéritif. Timidement, je trempe mes lèvres dans son verre. Immédiatement, je fais la grimace ; le scotch, ce n'est pas pour moi.

— Trop d'alcool, pas assez sucré.

Je commande une téquila sunrise et, une fois ma première gorgée avalée, je décide de ne pas y aller par quatre chemins.

— J'avoue, F-X, que je comprends pas trop.

— Qu'est-ce que tu comprends pas?

— Tu donnes pas de nouvelles pendant dix ans, puis là, tout à coup, tu veux me revoir.

— Quoi? J'ai pas le droit?

— Oui, oui. Mais pourquoi maintenant?

— Ben... euh... parce que je trouvais ça poche que notre amitié se soit terminée comme ça.

— C'est pas moi qui ai disparu à l'autre bout de la ville.

Tout en parlant avec F-X, je me rends compte que ce que j'ai vécu avec lui, c'est ni plus ni moins qu'un grand sentiment d'abandon.

— Je suis désolé, Juliette. J'étais un peu mêlé à l'époque.

— Mêlé, mêlé, tout le monde est mêlé à cet âge-là. C'est pas une raison.

Mon ton légèrement agressif n'échappe pas à F-X, qui joue nerveusement avec le bracelet en métal de sa montre noir et argent Guess. Je suis moi-même surprise d'éprouver encore de la colère pour une vieille histoire qui date de plusieurs années, mais j'attends des explications.

— Juliette, j'ai pas envie qu'on se chicane.

— Moi non plus. N'empêche qu'on était de super bons amis... Pis là, pouf! Plus rien.

Je me souviens de toute ma peine quand F-X a quitté le quartier sans même me dire au revoir. C'est par hasard que j'ai appris qu'il avait fait ses valises pour aller vivre dans le nord de Montréal avec deux colocs. Certes, nous n'étions plus aussi proches qu'avant notre baise d'un soir, mais il avait tout de même été comme un frère pour moi. Et qu'il parte comme ça, sans m'avertir, m'avait sincèrement attristée. Aujourd'hui, je m'aperçois que mon chagrin a fait place à un profond sentiment de colère.

— Tu sais très bien pourquoi on s'est éloignés, Juliette. Et c'était avant mon déménagement.

— Ah oui, ça!

F-X et moi n'avons jamais abordé le sujet de notre aventure. Peut-être que nous aurions dû le faire depuis longtemps au lieu de laisser un malaise aussi grand s'installer entre nous.

— Tu t'en souviens ? me demande-t-il, tout doux.

— Si je m'en souviens ? C'est sûr ! On oublie pas ça, une première fois.

F-X, qui s'apprêtait à boire une gorgée de scotch, suspend son geste et me fixe d'un regard étonné. Je baisse les yeux, furieuse contre moi-même d'avoir révélé cette information.

— Ah oui ? C'était moi, ton premier… ton premier amant ?

Je ne réponds pas. Il me semble que c'est clair. Inutile d'en rajouter.

— Ah ben, je suis touché, là. Si j'avais su…

Je constate en relevant la tête qu'il paraît vraiment secoué. Même que ses yeux sont humides… Qu'importe ! Le passé, c'est le passé.

— Bof… Qu'est-ce que ça change maintenant ?

— J'aurais juste aimé le savoir. C'est important, non ?

Me revoilà en mode attaque. Je le regarde franchement, un air de défi dans les yeux.

— T'avais juste à me poser la question, si ça t'intéressait tant que ça.

— Je te l'ai demandé, Juliette.

— Trop pas.

— Oui.

— NON !

— Oui. Et tu m'as répondu que t'avais eu plein d'amants.

— T'es certain ? Comment tu peux te rappeler aussi précisément ? Ça fait onze ans.

— Je m'en souviens parce que c'est à ce moment-là que je t'ai menti.

— Comment ça ?

— Quand je t'ai répondu que c'était la même chose pour moi.

— Tu veux dire que…

— Oui. Moi aussi, c'était ma première fois, Juliette.

Un lourd silence s'invite à notre table. C'est bizarre comment j'aurais préféré ne rien savoir. Comme si d'avoir joué franc-jeu à l'époque aurait pu changer la suite des événements. Comme si nous étions passés à côté de quelque chose à cause de nos mensonges.

Je secoue la tête pour chasser ces idées saugrenues. F-X a toujours été un ami, rien de plus. Et aujourd'hui, ce qui me manque, c'est notre relation amicale. Pas autre chose.

— *Anyway*, ça sert à quoi de brasser tout ça? On a fait une erreur. C'est pas la fin du monde.

— Parce que, pour toi, c'est une erreur?

— Oui.

Mon ami ne dit rien et vide le reste de son verre d'un trait. À voir son air triste, je sens que je l'ai blessé.

— Ahhh, prends pas ça personnel, F-X. Je garde de beaux souvenirs de cette nuit-là.

Bon, peut-être pas si fantastiques que ça, mais ce qui me revient en mémoire, à part nos gestes maladroits, c'est l'incroyable douceur de F-X. Et toute l'attention qu'il prêtait à me faire plaisir, à ne pas me faire mal, à combler mes attentes. Si je le compare avec la plupart de mes amants, il était dix fois plus généreux. Je me demande s'il l'est encore autant.

— J'ai repensé souvent à toi, Juliette.

— Ah oui?

— Oui. Je me suis demandé si on aurait pas dû essayer de sortir ensemble. Ça m'est passé par la tête plus d'une fois.

Je ne peux pas nier que moi aussi j'y ai songé. F-X était tellement beau, gentil et populaire. Mais je n'arrivais pas à le voir comme mon chum.

— Ç'aurait pas marché. T'étais trop comme mon frère.

— Peut-être, mais on le sait pas.

— Non. Et on le saura jamais. Pis t'étais pas malheureux, à ce que je sache ?

— Non, non, je m'ennuyais pas trop.

Des blondes, F-X en a eu des tonnes. Avant et après moi. D'ailleurs, ça m'étonne d'apprendre que je suis sa première amante. Faut croire que les filles qui m'ont précédée n'ont pas eu droit au même traitement. Flatteur, quand même.

— De toute façon, c'est bien loin, tout ça. On est rendus ailleurs, hein ?

— Peut-être, répond-il.

— Comment ça, peut-être ?

— Euh… Je veux dire, t'as quelqu'un dans ta vie, Juliette ?

— Hum, hum.

— Et c'est du solide ?

Est-ce que c'est sérieux avec Mikaël ? Comment répondre franchement à cette question ? Je l'ignore moi-même.

— Si on veut, ouais.

— Drôle de réponse.

— C'est compliqué, on se *date*. Pas souvent par contre.

— Mais c'est ton chum ou pas ?

— Yep ! Sauf que lui, il le sait pas encore.

J'appuie ma remarque d'un petit clin d'œil coquin. F-X semble sceptique.

— Ouin, ça promet, ton affaire.

— Nahhhh… Je niaise. On est bien ensemble.

— Si tu le dis.

— Pourquoi tu me demandes ça ?

— Euh… Par curiosité. Vu que ça fait longtemps qu'on s'est vus.

— Et toi ?

— Quoi, moi ?

— Ben, t'as une blonde ?

— Oui, oui.

— Raconte.

— Si on en commandait un autre avant ? suggère F-X en montrant nos verres vides.

— Pas un deuxième scotch ? Je vais avoir l'impression d'être avec un vieux *big shot* !

Il éclate de rire et prend une mine faussement outrée. Qu'est-ce qu'il peut être mignon quand il fait cette face-là ! Il m'a manqué, mon ami qui mettait des grenouilles dans mes bottes de caoutchouc.

— OK, pas de scotch. Une bière, je peux ?

— Ça, c'est mieux. Une pour moi aussi.

F-X commande deux Boréale dorées et j'en profite pour l'observer à nouveau. Derrière ses lunettes à monture noire, il a toujours le regard vif et allumé, mais quelque chose a changé. Il n'a plus ce petit air taquin qui le caractérisait si bien, ce côté espiègle qui charmait et exaspérait les filles de la poly. Il semble assagi. D'accord, nous avons tous vieilli et pris de la maturité. Mais lui plus que les autres, à mon avis. Un peu trop, peut-être.

— Tu te serais pas un peu embourgeoisé, F-X ?

— En tout cas, toi, t'as pas changé. Toujours aussi directe !

— Réponds.

— Mais non. Pourquoi tu dis ça ?

— Je sais pas, un *feeling*. Tes vêtements de l'autre fois, ta clé de BM qui traîne sur la table, dis-je en montrant l'objet du doigt.

— C'est pas à moi.

— À qui alors ?

Le serveur interrompt notre conversation en déposant nos boissons sur la table, ainsi qu'une assiette de leurs fameuses croquettes de morue.

— Euh… On a pas commandé de bouffe, lui dis-je.

— Ah non ? Désolé.

Le serveur retire prestement le plat, dont l'odeur était plutôt alléchante. Tout à coup, je regrette de lui avoir signalé son erreur.

— Ç'a l'air bon, par exemple. Est-ce qu'on peut les garder ?

— Euh… C'est que d'autres clients les attendent, vous comprenez.

— Ouin, mais vous pouvez nous les laisser quand même.

— Je peux vous en faire préparer d'autres, si vous voulez.

— Non, moi, c'est celles-là que je veux !

Je sais, j'agis comme une fillette trop gâtée et j'ignore ce qui me pousse à le faire. Comme si j'avais besoin d'attirer l'attention simplement pour le plaisir de la chose. Et ça ne semble pas plaire à mon ami.

— Juliette, arrête d'insister ! intervient F-X d'un ton ferme.

— Ben quoi ! Ça se demande, non ?

— Laisse tomber, je te dis !

— OK, OK, j'ai compris.

Percevant la tension entre nous deux, l'employé du bar se retire en nous avisant qu'il revient dans quelques minutes avec une autre assiette pour nous. Je me sens comme une petite fille qu'on viendrait de gronder.

— Tu sais, F-X, t'étais pas obligé d'être si bête.

— Excuse-moi, Juliette, c'est juste que, quand Ursula commence ses enfantillages au resto, ça finit plus. Pis ça me met à *boutte*. J'avais peur que tu fasses comme elle.

— Ursula, c'est ta blonde ?

— Ouais.

— Pis quoi ? Elle a pas d'allure au resto ?

— C'est ça. Elle est toujours en train de vouloir changer de plat, d'en retourner un autre parce que c'est trop cuit. Ou pas assez cuit. Ou qu'il n'y a pas assez de sauce.

— Ouin, méchante *pain in the ass*.

— Non, non, elle est juste comme ça au resto.

— J'espère pour toi. Donc c'est à elle, la BM ?

— Hum, hum.
— Ouin, elle est pas dans le trouble.
— Pas trop, non.
— Toi, t'as pas d'auto ?
— Oui, mais elle est au garage.
— Ouin, ça fait vieux couple, hein ? Ça doit faire longtemps que vous êtes ensemble.
— Ben non, juste un an.
— Ah bon. Et ça va bien ?
— Oui, oui, c'est OK.
— Excuse-moi, F-X, mais t'as pas l'air convaincu.
— Il le faut.
— Pourquoi tu dis ça ?
— Euh… parce que… ben…
— Quoi ?
— Parce que je me marie.

Cette information me saisit. Et sans trop que je comprenne pourquoi, elle me bouleverse légèrement. Je bois une longue gorgée de bière pour digérer la nouvelle.

— Ah bon… Félicitations, alors !
— Merci.
— C'est peut-être pas de mes affaires, F-X, mais c'est pas un peu précipité ? Ça fait juste un an que vous êtes ensemble.
— Oui, moi aussi, j'aurais voulu attendre un peu, mais Ursula a beaucoup de pression de sa famille. Elle est grecque et, dans sa famille, le mariage, c'est sacré.
— Ohhh… Fait que ça va être *big*, comme mariage ?
— Pas mal, oui… Un peu trop pour moi, à vrai dire.

Je le regarde et j'ai le sentiment qu'il regrette de s'être embarqué dans cette histoire. Est-ce que c'est la promesse d'engagement avec cette Ursula ou simplement la grosseur de l'événement qui l'inquiète ? Hum… Un peu des deux, peut-être.

— Mais… est-ce que tu l'aimes ?
— C'est sûr.

Oups… Réponse un peu trop précipitée pour être totalement franche. Mais bon, ce sont ses affaires, après tout !

J'imagine F-X vêtu d'un costume noir bien ajusté, d'une chemise blanche légèrement ouverte sur son torse et chaussé de souliers vernis. Il va teeeellement être un beau marié !

— Eille, je pourrais faire tes photos de mariage !

— Euh, je sais pas trop. Je pense qu'Ursula a déjà embauché un photographe.

— Ben là, tu vas lui dire que ta meilleure amie d'enfance fait les plus belles photos du moooooonde !

— C'est pas la modestie qui t'étouffe, Juliette Gagnon !

— Ben quoi ! Quand c'est vrai, dis-je avec un sourire coquin.

— OK, *deal* !

Je lève mon verre pour trinquer à mon nouveau mandat et il fait de même en me regardant droit dans les yeux. J'éprouve à nouveau des sentiments confus : l'immense bonheur d'avoir retrouvé F-X et la déception de le perdre au profit d'une riche Grecque qui m'apparaît hyper contrôlante et légèrement *crackpot* ! Tu parles d'un mauvais *timing* !

— F-X, veux-tu m'expliquer pourquoi tu me relances comme ça, juste avant ton mariage ?

— C'est un hasard.

— Un hasard ? Bizarre, ton affaire.

— Regarde, je m'ennuyais. C'est pas plus compliqué que ça.

— Ah, trop chou ! Toi aussi, tu m'as manqué.

Nos croquettes de morue arrivent sur la table, ce qui interrompt notre conversation remplie de tendresse. Pendant quelques instants, nous mangeons en silence, chacun perdu dans ses pensées. J'ai soudainement envie d'avoir un souvenir de ce moment.

— Eille ! On se fait-tu un *selfie* ?

— OK, bonne idée.

Mon iPhone à la main, je me lève pour me rendre de son côté de la table, puis je me ravise et me rassois.

— Ah non, je fais trop dur aujourd'hui. Une autre fois.

— Hein? Ben non, t'es super belle.

— Pff... N'importe quoi.

C'est au tour de F-X de venir me rejoindre. Il s'accroupit à mes côtés, se colle contre mon épaule et m'enlève doucement mon téléphone des mains. Il allonge le bras et place l'appareil devant nous, un peu plus haut. De sa main libre, il m'encercle fermement la taille et j'approche ma tête de la sienne.

— Prête?

Je hoche la tête, même si je suis loin d'en être certaine. La proximité de F-X, sa caresse à peine perceptible dans le creux de mes reins et l'odeur boisée de son parfum me troublent à un point tel que je suis incapable de ne pas trahir mes émotions. Mais je m'efforce de sourire le plus naturellement possible. Comme on le fait quand on se photographie avec son ami d'enfance.

21

STATUT FB DE **FRANÇOIS-XAVIER LAFLAMME**

Il y a 33 minutes, près de Montréal

Une idée pour un bon traiteur?
Ma blonde n'est pas satisfaite de celui
que j'avais choisi pour notre mariage. #fail

— Voyons, Juju! C'est clair qu'il te lançait un message.

— Mais non, tu t'imagines n'importe quoi.

Je suis venue au nouvel appartement de Clémence ce matin pour l'aider à emménager. Pas pour qu'elle se livre à des interprétations farfelues de ma rencontre avec F-X.

— D'après moi, il voulait que tu le sauves de ce mariage-là.

— Ben si c'est ça, il a pas de couilles!

— Il a pas de couilles ou il est encore en amour avec toi.

— Il peut pas être *encore* en amour, il l'a jamais été!

— Comment tu peux en être aussi certaine?

— Euh…

— Tu vois ? Tu le sais pas !

— Clémence, tu m'énerves !

— C'est parce que j'ai raison.

Tout en m'échinant à fermer un tiroir de cuisine que j'ai visiblement trop rempli de napperons, je réfléchis aux propos de mon amie. Et si F-X souhaitait se défiler de son mariage ? Naaah… Mauvaise hypothèse. Il serait venu me voir bien avant.

— Ça se peut pas, Clem. Il se marie dans deux semaines.

— T'es pas sérieuse ?

Elle vient à mon secours avec le tiroir, qu'elle débarrasse de quelques vieux napperons usés, pour les jeter à la poubelle. Satisfaite, je referme le boîtier aisément.

— Ben oui ! Si ce que tu dis est vrai, il aurait trouvé le moyen de me voir avant. Au lieu de toujours m'annuler.

— Qui ça ?

Marie-Pier, que personne n'avait entendue entrer, surgit dans la cuisine. Je sursaute et je me sens comme une petite fille prise la main dans le sac.

— Salut, Marie ! lance Clémence en courant l'embrasser.

Quelle merveilleuse amie ! Ma Clémence a compris que j'avais besoin de temps pour remettre mes idées en place et elle a tout de suite réagi en monopolisant Marie-Pier.

— Alors, comment se porte le bébé ? lui demande-t-elle tout en posant la main sur son ventre.

— Super bien. Et sa mère aussi, maintenant que les nausées sont vraiment finies.

De nouveau en pleine possession de mes moyens, je vais les rejoindre. J'embrasse chaleureusement Marie-Pier et je l'inonde de compliments : « Wow, t'es ben belle ! Ça te va bien, ce bleu-là. Un nouveau *gloss* ? J'adore… » Et blablabla et blablabla. Mais tout ça ne réussit pas à l'étourdir assez pour qu'elle en oublie sa question.

— Qui ça, qui t'annule tout le temps, Juliette ?

— Euh… Rien, rien.

— F-X ?

Décidément, elle est trop perspicace. Bien difficile de lui cacher quoi que ce soit. Mieux vaut mettre cartes sur table.

— Ouin, c'est ça.

— Il est bizarre, hein ? Veut nous voir, veut plus nous voir.

— Mettons.

— L'as-tu relancé dernièrement ?

Sentant la soupe chaude, Clémence s'éloigne pour aller ranger ses épices dans son nouveau garde-manger. Connaissant son amour pour l'ordre, je ne serais pas étonnée qu'elle les classe par ordre alphabétique… Quelle perte de temps !

— Juliette ? Tu me réponds pas ?

— Quoi donc ?

— T'es où, coudonc ? Je te demandais si tu avais tenté de revoir F-X.

— Euh…

Je jette un coup d'œil à Clémence pour qu'elle vienne à mon secours, mais elle préfère se consacrer à ses petits pots en inox. En clair : débrouille-toi comme une grande, ma belle. Je regarde Marie-Pier et c'est vrai qu'elle est magnifique avec ses rondeurs et son teint lumineux. Elle semble maintenant plus en paix avec sa grossesse. Et elle ne mérite pas que je la *bullshitte*.

— Marie, jure-moi que tu te fâcheras pas, OK ?

— Hein ? Pourquoi je me fâcherais ?

— Parce que… ben… euh… F-X…

— Ah, tu l'as revu ?

— Comment tu sais ?

— Ton air coupable, rétorque-t-elle en marchant vers le réfrigérateur, dont elle ouvre brutalement la porte.

— Tu veux quoi ? lui demande Clémence.

— Quelque chose à boire, s'il te plaît.

Clémence lui offre un nectar de mangue, un verre de lait de soya ou un jus de légumes faible en sel. Marie-Pier refuse tout et opte finalement pour un verre d'eau. Le silence se fait dans la pièce pendant qu'elle boit son eau à petites gorgées, et je sens un sentiment de culpabilité m'envahir de plus en plus.

— Écoute, Marie, je voulais pas te jouer dans le dos. C'est lui qui a insisté pour me voir.

— C'est correct, t'as pas de comptes à me rendre.

Même si elle utilise le mot « correct », je sais bien que c'est loin d'être le cas. Son ton tristounet et résigné témoigne de sa peine. Vite, rectifions le tir.

— C'est pas ce que tu penses. Imagine-toi donc qu'il…

— De toute façon, dit-elle en me coupant la parole, il t'a toujours préférée à moi. J'aurais bien dû me douter que ça finirait comme ça.

— Non, c'est pas ça.

— Des fois, Juliette, je me demande pourquoi je suis encore ton amie. Quand on était petites, tu me faisais de l'ombre. Au secondaire, pareil. Pis aujourd'hui, ç'a pas changé.

— Hein ? Qu'est-ce que tu dis là ? C'est pas vrai.

— Tu t'en aperçois même pas, en plus.

Marie-Pier est au bord des larmes et, moi, je suis stupéfaite par sa révélation. Jamais je n'ai voulu lui faire de l'ombre. Jamais.

— Les filles, intervient Clémence, vous allez pas vous chicaner pour ce gars-là. Il se marie, de toute façon.

— Pour vrai ? demande Marie-Pier.

— Ben oui, dis-je. Il voulait me voir pour que je fasse ses photos de mariage.

Cette nouvelle information semble calmer mon amie d'enfance, qui essuie une larme sur ses joues. Je suis encore secouée par ses propos sur notre amitié.

Un jour, je devrai avoir une discussion avec elle à ce sujet. Mais une autre fois. Quand elle ne sera plus enceinte et qu'elle n'aura plus envie de pleurer pour un oui ou pour un non.

Je raconte à Marie-Pier ma rencontre d'hier avec F-X. En omettant quelques passages, comme celui où nous avons évoqué des souvenirs intimes. En lui cachant aussi le frisson de désir que j'ai ressenti au moment de prendre la photo, et auquel je m'interdis de penser depuis. Finalement, je lui donne mon opinion sur l'homme qu'est devenu l'ado *cool* que nous avons connu.

— Il est rendu *straight* pas à peu près. Eille, il boit du scotch !

— C'est tendance, le scotch, Juju, tu savais pas ? m'informe Clémence.

— Ça fait mononcle pareil.

— Moi, je trouve ça classe.

— C'est ça. Classe, c'est pas *cool* !

Clémence hausse les épaules de découragement et retourne à son rangement. Elle en est maintenant à placer ses sels aromatisés.

— Moi, je pense que c'est à cause de sa blonde qu'il est devenu comme ça, dis-je.

— Ça se peut, répond Marie-Pier. Il était pas trop *straight* dans le temps, en tout cas.

— Non, pas vraiment.

Je me rappelle que F-X était toujours le gars qui portait les vêtements les plus *nice* de toute la poly. Et il le faisait avec une telle désinvolture qu'il était encore plus *hot*.

Perdue dans mes souvenirs d'adolescence, je n'entends pas mon iPhone sonner dans le fond de mon sac à main. C'est Marie-Pier qui m'en avise. Je m'empresse de sortir mon appareil et je réponds à ce numéro qui m'est inconnu. Et comme il s'agit peut-être d'un appel professionnel, j'adopte un ton formel.

— Oui, bonjour.

— Juliette Gagnon ? demande une voix féminine.
— C'est moi.
— Ursula Dimopoulos.
— Euh… oui ?
— La future femme de François-Xavier Laflamme.
— Oui, oui, je sais.

Je fais signe à mes deux amies de s'approcher, en leur disant silencieusement qui m'appelle. Tout comme moi, elles restent surprises. Je dépose mon iPhone sur la table et j'enclenche le haut-parleur. Toutes les trois, on écoute Ursula, dont le ton cassant me met immédiatement sur la défensive.

— François-Xavier m'a suggéré de t'engager pour faire nos photos de mariage.

— Oui, je lui ai proposé mes services.

— Il m'a dit que tu étais une amie d'enfance. C'est ça ?

— Exact.

— Bon. Je peux pas dire que ça fait mon affaire, mais comme François-Xavier m'a dit que tu n'avais pas beaucoup de contrats ces temps-ci…

— Hein ?

— … et qu'il faut bien aider ses amis dans la vie, j'ai décidé de te rencontrer pour voir si ça me convient.

C'est quoi, cette histoire de manque de contrats ? Ma carrière de photographe va trèèèès bien ! Non mais quelle mauviette, ce F-X ! Obligé de raconter des bobards à sa blonde pour la convaincre de m'engager. Qu'elle aille se faire foutre, cette Grecque à la con !

— Écoute, Ursula, j'ai pas vraiment besoin de ça pour vivre, tu sais.

— Il n'y a pas de honte à demander du travail, Juliette.

Je lève les yeux au ciel, exaspérée par cette prétentieuse. Mes deux copines, pour leur part, semblent trouver la situation très drôle.

— Laisse-la parler, murmure Marie-Pier.

— Mais tu comprendras, reprend Ursula, qu'avant de m'engager envers toi je dois en savoir plus.

— Tu peux voir ce que je fais sur mon site internet ou ma page publique Facebook : Juliette Gagnon Photographe.

— J'ai vu. Je concède que t'es bonne…

Oh my God ! Je vais l'étriper !

— … mais c'est la chimie entre nous deux que je veux tester.

Eh bien, moi, je n'ai pas du tout envie de vérifier si ça clique ou pas avec cette chipie. Je connais déjà la réponse, et c'est non.

— Écoute, Ursula, je pense que ça fonctionnera pas.

— Alors je te donne mon adresse, lance la future mariée en ignorant mes propos.

Non mais quel culot, tout de même ! Pendant qu'Ursula m'explique de long en large le chemin pour se rendre chez ses parents, je me retiens à deux mains pour ne pas lui raccrocher au nez. C'est Clémence qui m'incite à garder mon calme ; elle prend de grandes respirations en me faisant signe de l'imiter.

— Donc je t'attends. Je suis ici toute la journée.

Elle raccroche sans plus de cérémonie. Et moi, je me retrouve coincée à devoir aller dans le fin fond de Laval pour rencontrer une pimbêche qui, je le pressens, me rendra la vie infernale les prochaines semaines.

22

STATUT FB DE **URSULA DIMOPOULOS**

À l'instant, près de Laval

J'ai reçu la facture de ma robe : 5300 $. Pas pire deal, hein ?

Surtout quand c'est les parents qui paient☺

La porte d'entrée de l'immense bungalow de ce quartier huppé de Laval s'ouvre sur une jeune femme élancée aux cheveux noirs hyper lustrés et aux magnifiques yeux tout aussi foncés. Ursula est vraiment une femme superbe, à l'aplomb peu commun. C'est cependant très étrange qu'elle me reçoive en peignoir de satin à motifs léopard.

Une fois les présentations faites, Ursula me guide vers l'arrière de la maison où, me dit-elle, elle procède à l'essayage de sa robe de mariée en compagnie de sa cousine Madelina. Voilà donc l'explication du peignoir. N'empêche que je trouve ça déplacé quand même. Nous ne sommes pas intimes, à ce que je sache.

Je la suis jusqu'à une chambre ensoleillée, décorée dans les tons de blanc, avec un tapis zébré qui donne mal au cœur juste à le regarder. Une autre jeune femme pique une aiguille dans le corsage de la robe de mariée qui trône au milieu de la pièce, bien en place sur son cintre.

Je serre la main de Madelina et je remarque qu'elle ne semble guère dans son assiette. Cette fille-là vient de pleurer, c'est assez clair, merci.

— Ça, c'était ma chambre quand je vivais ici, m'explique Ursula en ajoutant que tous les préparatifs du mariage se font chez ses parents, comme le veut la tradition.

Elle papillonne autour de sa robe et me la décrit en insistant sur le bustier décoré de cristaux Swarovski.

Bon, d'accord, ses parents ont une grosse cabane, elle va avoir un mariage hors de prix, porter une robe qui doit valoir plusieurs milliers de dollars… Et alors ? Ne te laisse pas impressionner, Juliette, Ursula n'est pas meilleure que toi.

Parfois, quand je me retrouve face à quelqu'un dont les moyens sont nettement au-dessus des miens, je me compare et ça me fait sentir *loser*. Non pas que je n'aie pas été choyée par la vie, bien au contraire. Je n'ai jamais manqué de rien, mais il y en a toujours des plus riches que soi, n'est-ce pas ?

Une fille comme Ursula, ça possède sa première voiture à seize ans… et non à vingt-six, comme moi. Ç'a voyagé partout dans le monde, comme en témoignent les nombreuses photos encadrées sur les murs. Et ç'a subi une augmentation mammaire sans que cela crée un trou dans le budget. C'est ce que je me dis en regardant Ursula, qui vient d'enlever son peignoir. Sa voluptueuse poitrine, emprisonnée dans un soutien-gorge certainement de taille D, semble me narguer. OK, t'es de mauvaise foi, Juliette. Ce sont peut-être ses vrais seins, après tout. Ça existe, des filles gâtées par la nature.

Ursula enfile un jeans et un *top* en soie rouge sans manches pour ensuite m'inviter à m'asseoir à côté d'elle, sur le lit. Non mais quelles drôles de manières ! Elle agit comme si nous étions de vieilles copines, alors que je sens très bien qu'elle se méfie de moi. Sa façon de m'observer du coin de l'œil et de m'en mettre plein la vue avec ses attributs physiques et ses biens matériels me le confirment.

— Alors, Juliette, parle-moi de toi. Es-tu célibataire ?

— C'est quoi, un interrogatoire ?

Je regrette aussitôt mon ton agressif, même si j'estime qu'elle ne l'a pas volé. L'air outré d'Ursula m'incite à m'excuser. Inutile de commencer cette relation du mauvais pied.

— Désolée, Ursula. C'est juste que je suis pas habituée de me faire poser ce genre de questions-là pour un contrat.

— Dans ce cas-ci, c'est plus que professionnel. Comme t'es une amie de François-Xavier, je pense que c'est important qu'on se connaisse mieux, tu trouves pas ?

— Euh, oui, oui.

Madelina, qui était si discrète que je l'avais oubliée, nous informe qu'elle sort de la pièce quelques instants. La future mariée a envers elle un geste d'impatience qui me serre le cœur. Avec une cousine comme Ursula, Madelina n'a pas besoin d'ennemis.

— Mais vous devez pas être si proches que ça, reprend Ursula. Il m'avait jamais parlé de toi avant.

— En fait, c'est parce qu'on s'était pas vus depuis dix ans.

— Ouais, il m'a raconté qu'il t'avait croisée par hasard en faisant du *shopping*.

— Oui et après on est allés…

— Je sais tout ça, Juliette. J'ai trouvé que tu étais un peu opportuniste de lui donner rendez-vous à ton studio de photo…

— Quoi ?

— … mais j'ai compris que tu voulais vraiment faire nos photos de noce.

Je n'en reviens tout simplement pas ! Non seulement F-X me fait passer pour une photographe sans envergure, mais il n'a même pas le courage de raconter à sa blonde que nous avons pris un verre ensemble. C'est qu'elle doit être jalouse sans bon sens, miss Tzatziki !

— Ursula, je te le répète, j'ai pas besoin de ce contrat-là. Je le fais parce que F-X, c'est comme mon frère.

— Oui, oui, il dit la même chose. Que t'es comme sa sœur. Toi et l'autre, là… Marie-Claire.

— Marie-Pier.

— C'est ça. Elle est rousse, elle, hein ?

— Oui. Tu la connais ?

— Non, j'ai vu vos pages Facebook.

Décidément, Ursula s'est livrée à une véritable enquête. Ça me met hors de moi et je me retiens de lui dire ma façon de penser. C'est ce moment que choisit Madelina pour revenir dans la chambre. Ses yeux sont encore plus rouges que tantôt et elle tient un mouchoir de papier à la main.

— Ah non ! Pas encore ! lui lance Ursula, exaspérée.

Madelina hausse les épaules et s'effondre sur le lit, en éclatant en sanglots. Ursula me demande de les laisser seules quelques instants. Je franchis la porte de la chambre, mais, dévorée par la curiosité, je reste tout près pour suivre la conversation. J'entends la voix d'Ursula qui se fait rassurante.

— Écoute, Madelina, ça peut plus durer. Il faut que tu passes par-dessus.

— C'est dur.

— Tu sais bien qu'il reviendra pas. Ça fait six mois qu'il est parti avec sa prof de *spinning*.

— Oui, mais je l'aime encore.

Ahhh, pauvre Madelina, en peine d'amour ! Elle qui doit, en plus, participer aux préparatifs du mariage de sa cousine. De quoi lui briser le cœur en mille morceaux.

— Madelina, j'ai quelque chose à te dire.

— Quoi?

— J'aurais aimé mieux pas, mais tu me laisses pas beaucoup le choix.

— De quoi tu parles, Ursula?

— Tu sais, un mariage, ça doit être un événement heureux. Et je veux que le mien le soit. En fait, il doit être parfait.

Je colle mon oreille un peu plus près de la porte pour suivre la conversation. Où s'en va Ursula avec de tels propos?

— Il va l'être, promis. On travaille assez fort.

— Oui, mais toi, tu pourras plus être une de mes demoiselles d'honneur.

— Hein? Comment ça?

— Faut que tu comprennes que je peux pas me permettre qu'une de vous quatre ait l'air triste.

WHAT! Ursula *flushe* sa cousine parce qu'elle est en peine d'amour!

— Ben oui, mais c'est pas ma faute, se défend Madelina entre deux sanglots.

— C'est pas la mienne non plus. C'est plate, mais je veux pas que ça gâche mon mariage.

OK, j'en ai assez entendu! Je m'en vais. Pas question que je fasse des photos pour une *bitch* finie comme elle. Je leur dis rapidement au revoir tout en me demandant ce que F-X peut bien trouver à Ursula. Oui, elle est pétard, mais a-t-elle seulement un cœur? Faire ça à sa propre cousine, c'est carrément inhumain.

Je sors du bungalow et je monte à bord de ma voiture avec la ferme intention d'aller raconter à mon ami d'enfance qui est réellement la femme qu'il s'apprête à épouser.

*

— L'escalier ici n'est pas conforme.

— Ça m'étonnerait, on a vraiment suivi vos plans, monsieur Laflamme.

— Pas à la lettre, non. Va falloir vérifier.

J'observe F-X argumenter avec un collègue. Et je suis assez impressionnée. Il a beaucoup d'aplomb, mon ami d'enfance. Plus qu'avec sa blonde.

Je suis venue ici, sur le chantier de l'église Saint-Alexandre qu'on transforme en condos, dès que j'ai su que F-X s'y trouvait. Comme me l'a précisé la réceptionniste de son bureau, c'est lui, le maître d'œuvre de ce projet innovateur.

F-X tourne les talons et m'aperçoit. Surpris, il me fait signe de l'attendre une minute. Il discute encore quelques instants avec son partenaire et j'en profite pour le photographier à son insu avec mon iPhone. C'est qu'il est trop mignon avec son casque de construction blanc sur la tête. Toute fière de lui, je publie l'image sur Facebook, tout en prenant soin de l'identifier. Ce qui est possible maintenant que j'ai accepté sa demande d'amitié. J'y inscris un gentil message :

« Mon ami F-X en plein travail. Les condos dans l'église Saint-Alexandre, c'est son projet. Oh wow ! Avec – François-Xavier Laflamme. »

Instantanément, j'obtiens plusieurs « J'aime ». Satisfaite, je range mon appareil et je vois F-X se diriger vers moi. Ce faisant, il jette un coup d'œil à son cellulaire, pitonne rapidement sur son écran et me regarde d'un air découragé.

— Juliette ! Un jour, tu vas te mettre dans le trouble à photographier du monde et à *poster* ça sur Facebook sans leur permission.

— Ben voyons donc ! Je fais ça juste avec des gars qui sont trop *cute* avec leurs casques de construction.

F-X éclate de rire, enlève son casque à la manière d'un chevalier servant, en ajoutant une petite révérence.

— En quoi puis-je vous être utile, très chère amie de mon cœur ?

C'est à mon tour de pouffer de rire devant la déclamation de F-X, qui réveille en moi une foule de bons vieux souvenirs. Ceux d'un jeune François-Xavier Laflamme qui impressionnait toute la galerie en jouant dans la troupe de théâtre de l'école. Dans le rôle de Cyrano de Bergerac ou du pathétique Léopold, de Michel Tremblay, mon ami a toujours été fantastique sur les planches.

Là, je reconnais mon F-X. Celui qui sait m'émouvoir, me faire rire ou enrager. Pas celui qui semble résigné à se marier avec une folle finie.

— T'es libre pour le lunch ? Je t'invite !

— Wow ! En quel honneur ?

— Pour rien, pour jaser, c'est tout.

D'accord, ce n'est pas tout à fait vrai, j'ai un but bien précis derrière la tête, mais chaque chose en son temps. Je dirai à F-X qu'il s'apprête à commettre l'erreur de sa vie une fois devant un bon plat. Pendant qu'il ramasse son matériel, je compose le numéro de mon resto montréalais préféré, pour m'assurer qu'Emilio me réserve une table.

Emilio, c'est l'associé de mon papa. À eux deux, ils possèdent le meilleur resto italien de Montréal.

*

— T'as eu des nouvelles de ton père dernièrement, Juliette ? On peut pas dire qu'il vient souvent s'occuper de ses affaires !

Chaque fois que je mets les pieds ici, c'est pareil. Emilio se plaint des rares visites de papa à Montréal. Mais j'ai cessé de m'en faire avec tout ça, je sais très bien qu'ils ont une entente qui est loin de défavoriser Emilio.

— Panique pas, Emilio, ils viennent cet automne.

— *Molto bene.*

— Alors qu'est-ce que tu nous suggères aujourd'hui ?

— Les gnocchis à la ricotta.

— Parfait pour moi. Avec la salade de chicorée en entrée. F-X, tu prends quoi ?

— Même chose.

— Et deux verres de montepulciano.

— Euh, moi, je travaille cet après-midi, précise F-X.

— Un verre, ça te fera pas mourir.

— Comme tu veux, madame je-décide-pour-les-autres.

— Pff... N'importe quoi !

Emilio s'éloigne avec un petit rire en coin. Il a toujours aimé qu'on se moque de moi. Il le fait d'ailleurs régulièrement et je n'ai jamais compris si c'était affectueux ou pas. Mais on s'en fout ! L'important, c'est que je puisse venir manger ici à ma guise, sans payer l'addition.

Une fois notre vin sur la table et notre première gorgée avalée, j'attaque le sujet.

— Devine d'où j'arrive ?

— Euh... Je sais pas. Quelle drôle de question.

— Tu sais pas ? Vraiment ? Ursula t'a rien dit ?

— Non. Me dire quoi ?

— J'étais chez ses parents, ce matin.

Visiblement, F-X ne s'y attendait pas. Non seulement il est surpris, mais il est aussi très mécontent.

— Tabarnak ! Qu'est-ce qu'elle te voulait ?

— Me rencontrer. Ou plutôt me faire subir un interrogatoire. Elle te l'a pas dit ?

— Ben non. Je lui ai donné ton numéro pour qu'elle *deale* le contrat avec toi. Rien d'autre.

— Ouin, pis tu lui as dit que je manquais de travail. Ça, c'était assez ordinaire, merci !

F-X baisse les yeux vers la nappe blanche et s'attarde sur les couverts de longues secondes. Au moment où il relève la tête, son regard est rempli de tristesse et de culpabilité.

— Excuse-moi, c'était pas *fair*.

— Et pourquoi tu lui as caché qu'on était allés prendre un verre ? Elle est si jalouse que ça ?

— Plus que tu peux l'imaginer.

Le silence se fait, pendant qu'Emilio dépose nos entrées devant nous.

— *Buon appetito !* nous lance-t-il.

En savourant ma salade, je remarque que F-X a presque terminé son verre de vin. Pour un gars qui ne voulait pas boire…

— En veux-tu un autre ? Ton verre est pratiquement vide.

Mon ami hésite, regarde l'heure sur son cellulaire et se décide.

— Pourquoi pas ?

J'indique à Emilio de nous apporter deux autres consommations et je replonge dans le sujet Ursula en racontant l'humiliation qu'elle a fait subir à sa cousine. F-X n'en revient pas, mais il tente tout de même d'excuser sa compagne.

— Je pense que ça la stresse beaucoup, le mariage et tout.

— Oui, mais c'est pas une raison pour être aussi cruelle ! Pauvre Madelina.

— T'as raison.

F-X a l'air si accablé que je décide de laisser cette conversation de côté pour parler de choses plus joyeuses. Comme la nouvelle passion de ma nonna pour les jeux de cartes inventifs. L'anecdote lui fait retrouver le sourire et, moi, je retombe sous son charme quand il me relate à son tour une histoire touchante. Celle d'un coup de foudre survenu entre sa voisine de soixante-neuf ans et le cordonnier du bout de la rue, de dix ans plus jeune. Paraît qu'elle encourageait même son petit chien à mordiller ses chaussures pour pouvoir aller faire un tour chez le commerçant qu'elle convoitait.

Est-ce que ce sont les deux verres de vin ? La bouffe délicieuse ? L'ambiance chaleureuse du resto ? Les histoires de séduction ou simplement la complicité avec mon ami qui font que je me sens joyeuse ? Et que j'ai envie que F-X fasse l'école buissonnière avec moi ?

— As-tu un gros après-midi de travail ?

— Pas si pire, non.

— Des rendez-vous importants ? Des trucs que tu dois absoooooolument faire ?

À voir son air amusé, F-X comprend où je veux en venir. En première secondaire, il nous arrivait de nous sauver tous les deux du dernier cours de la journée pour aller flâner au parc La Fontaine. Parfois, Marie-Pier nous accompagnait, mais la plupart du temps nous étions seuls à nous asseoir sous un immense érable pour parler de tout et de rien. Ou juste pour relaxer avec un sentiment de totale liberté.

— Coudonc, tu travailles pas, toi ?

— Ben oui, mais beaucoup les week-ends.

— Qu'est-ce que tu proposes ?

— Sais pas. Un film ?

— Fait trop beau pour aller s'enfermer au cinéma, non ?

— Ouin, peut-être.

C'est vrai que cette journée de début de septembre est vraiment magnifique. Pas un nuage, un léger vent doux. Un temps idéal pour se baigner... préférablement dans une grande piscine sur le toit d'un immeuble. Et je sais exactement où aller pour ça !

*

— Malade, la vue, hein ?

— Ouais, répond F-X en contemplant le centre-ville de Montréal.

Nous sommes appuyés contre la balustrade de l'immense terrasse en bois traité située sur le toit de l'immeuble à condos qu'habite mononcle Ugo. Qu'il est adorable, mon sexagénaire préféré, de me permettre de venir me baigner quand je veux, qu'il y soit ou pas !

Convaincre F-X de s'accorder un après-midi de farniente avec sa vieille amie retrouvée n'a pas été trop difficile. À la fin de notre lunch, il s'est isolé pour passer des coups de fil – dont un à sa blonde, qui lui a raconté notre rencontre en se plaignant de mon impolitesse – pendant que je savourais un limoncello. Il est revenu tout sourire pour m'annoncer qu'il était totalement libre pour les prochaines heures.

Actuellement, F-X, vêtu d'un maillot de bain emprunté à Ugo, semble perdu dans le paysage.

— À quoi tu penses ?

— Tu vois l'immeuble là-bas ?

— Lequel ?

— La tour IBM, avec un mur courbé.

— Non, je vois pas.

F-X s'approche, colle son épaule contre la mienne et montre du doigt le bâtiment en question. Je perçois maintenant nettement l'immense tour de quelque cinquante étages. Toute vitrée, elle rappelle les édifices de New York.

— Ah oui ! Qu'est-ce qu'elle a de spécial, cette tour ?

— Elle est gigantesque, on s'entend. Pourtant, y a une impression de légèreté qui s'en dégage, un effet de suspension, même.

Bon là, c'est l'architecte qui parle. Moi, mon œil de photographe voit certes un gratte-ciel intéressant à capter, mais pas un immeuble suspendu à je ne sais quoi.

— Un jour, Juliette, c'est un projet comme celui-là que je vais réaliser.

La tranquille assurance de mon ami m'impressionne. Il a vraiment confiance en ses moyens. Et pourquoi n'en serait-il pas ainsi ? F-X a toujours été doué pour à peu près tout ce qui existe dans la vie.

— Et tu vas gagner tous les prix d'architecture imaginables !

— Et toi, tu vas être la photographe officielle du projet.

— Ouiiiiii ! On va faire une super *team*. Je vais exposer les photos de tes immeubles partout dans le mooooooonde et ça va te donner plein de contrats. Tu vas bâtir des édifices à Toronto, à New York et même à Tokyo !

F-X éclate de rire devant nos idées de grandeur et je l'imite.

— Mais pour l'instant, lance-t-il, tu vas prendre mes photos de noce, OK ?

L'évocation de son mariage avec miss Tzatziki me fait l'effet d'une douche froide et je perds immédiatement mon sourire.

— Ben là, tu m'as dit qu'elle m'avait trouvée impolie. Je peux pas croire qu'elle veut encore m'engager.

— Elle t'en veut pas. Elle est comme ça, Ursula. Elle se fâche et se défâche vite.

— Je sais pas si c'est une bonne idée, F-X.

— Pourquoi ? C'est quoi, le problème ?

Voilà le moment de lui exprimer mes sérieuses craintes quant à son choix de conjointe. Allez, courage, Juliette. Mais d'abord, allons nous asseoir. Je fais signe à F-X de me suivre jusqu'aux chaises longues où traîne mon sac de plage. Depuis le début de l'été, je laisse en permanence chez Ugo mon bikini turquoise culotte garçonne et quelques autres articles nécessaires à une baignade improvisée.

En m'allongeant sur la chaise de toile beige, je remarque que plusieurs textos sont affichés sur mon cellulaire. Je m'empresse de les lire. Le premier vient de Mikaël.

« Dsl pour ce soir. Pourrai pas être là. »

— Eille ! Fait chier, lui.

— Qui ça ?

— Mon *kind of* chum ! Il m'annule encore.

— C'est peut-être toi qui devrais l'annuler... définitivement.

— Mais non, c'est juste qu'il est très occupé.

Je suis terriblement déçue que Mikaël ne m'accompagne pas comme prévu à la nouvelle exposition de photos de presse du marché Bonsecours. Mais bon, peut-être qu'on pourra se voir après ? Je lui écrirai plus tard.

Le deuxième message vient de Sherley, qui m'informe qu'elle part pour le Festival western de Saint-Tite et qu'on prendra un verre après. Comme si ça m'intéressait... Elle ne comprend pas vite, la cowgirl du camping. Heureusement, elle a cessé de m'envoyer des photos osées.

— Pis, pour les photos du mariage, Juliette ?

— Tu y tiens vraiment ?

— Ce serait chouette, oui.

Je réfléchis quelques instants et je conclus que je n'ai pas du tout le goût d'assister à ce mariage qui m'apparaît de plus en plus étrange. Et pas seulement parce que miss Tzatziki est une vraie chipie. Je n'ai soudainement plus du tout envie de voir mon ami en costume de noce s'engager pour l'éternité. Cette image ne fait pas de sens dans ma tête.

— Écoute, F-X, je...

— S'il te plaît, Juliette.

Pour me convaincre, il affiche son air du gars à qui on ne peut rien refuser. Je détestais profondément qu'il me manipule de la sorte quand on était enfants. Le problème, c'est que j'ai toujours été incapable de camper sur mes positions. Et il semble que ce soit encore le cas aujourd'hui.

— Bon, OK. Mais juste parce que t'es mon ami.

— *Cool.* Merci.

Je lui fais un petit signe entendu et je ferme les paupières pour profiter du soleil sur mon visage. F-X me prend par surprise en déposant un baiser sur ma joue. J'ouvre les yeux et il est là, accroupi à mes côtés, tout sourire.

— Encore merci. Je suis vraiment content que t'acceptes.

Sa main posée sur le bord de ma chaise vient légèrement effleurer ma hanche. Troublée une fois de plus par sa proximité, je baisse le regard sur mes ongles dont le vernis mauve commence à s'effriter. Il reste là quelques secondes qui me paraissent interminables, à attendre je ne sais quoi. Puis, finalement, il se rassoit sagement sur sa chaise longue, comme le futur marié qu'il doit être.

Je relève la tête et je vois qu'il est toujours là, à m'observer. Et je comprends que, comme moi, il ressent des choses qu'on ne devrait pas éprouver avec un simple ami d'enfance. Un sentiment de désir. Confus, mais bel et bien réel. Aucun de nous deux ne peut le nier. Voici peut-être venu le moment de lui dire ce que je pense de son *fucking* mariage.

— F-X, tu sais, ton…

— Ça te tente-tu d'aller te baigner ? me lance-t-il en m'interrompant.

Contrairement à moi, mon ami ne semble pas mal à l'aise avec la tension sexuelle qui existe entre nous deux. Eh bien, moi, j'ai besoin d'un peu de recul pour évaluer tout ça. Trop de questions me viennent à l'esprit. C'est quoi, ces sentiments à la con qui m'animent ? Et Mikaël dans tout ça ? Sa place, elle est où ? Et pourquoi ça me tourmente autant de savoir que F-X va se marier ? Parce que c'est ça la réalité et elle me frappe maintenant en plein visage. Ça me bouleverse et pas seulement à cause de son choix de conjointe. Ouf… La tête va m'exploser !

— Vas-y, toi. Je vais lire un peu et j'irai te rejoindre.

— Comme tu veux.

Et le voilà qui s'éloigne vers la piscine, pique un plongeon tête première et ressort de l'eau tout ruisselant pour m'adresser le plus beau sourire du monde. Et moi, je me demande si je dois l'interpréter tout simplement comme le signe d'un ami heureux de retrouver sa vieille branche. Ou plutôt y voir le cri d'alarme d'un gars qui ne veut plus se passer la corde au cou… *Oh my God* que c'est compliqué, la vie !

*

— Bon, faudrait bien y aller, hein ?

— Ouais, faudrait bien, répond F-X d'un ton peu convaincu.

Nous venons de passer de très belles heures à nous taquiner dans l'eau comme quand nous étions gamins, à nous raconter de vieilles histoires de notre enfance et à nous donner des nouvelles de nos familles respectives. Je n'ai pas osé crever la bulle qui nous a enveloppés l'après-midi en lui reparlant du 17 septembre – date prévue pour son mariage.

J'ai cessé de me poser des questions et j'ai profité du moment présent. Tout en essayant de ne pas prêter attention à la sensation de chaleur qui s'est propagée dans mon corps, au fil de la conversation. J'ai mis ça sur le compte du soleil éblouissant et non d'une idiote fantaisie sexuelle. Parce qu'il est idiot, ce fantasme. Idiot et rien d'autre.

Je range ma revue de filles dans mon sac de plage et me prépare à quitter la terrasse quand F-X me propose une dernière saucette.

— Ah non, j'ai eu ma dose. Mais gêne-toi pas pour moi.

— OK. Donne-moi cinq minutes.

— Prends ton temps, je vais t'attendre chez Ugo.

Je descends au condo du dix-neuvième étage, pendant que F-X profite encore un peu de la piscine en faisant quelques longueurs. J'adore le nid douillet d'Ugo et Bachir. Chaque fois que j'y entre, un sentiment de paix m'envahit. Toute la pression et tout le stress que je m'impose dans la vie disparaissent d'un coup. Pouf ! Comme par enchantement. Le décor zen et aéré, d'un blanc lumineux, me fait toujours cet effet. Ici, je me sens à l'abri.

À l'heure actuelle, je suis seule dans l'immense condo et j'en profite pour me laver les cheveux. Si je m'écoutais, je resterais des heures sous la douche pluie, à laisser l'eau chaude couler sur ma tête, mon visage et mon corps. Et je m'inventerais une histoire. Elle mettrait en scène une Juliette en train de se noyer dans une mer déchaînée et un Roméo qui viendrait la secourir en nageant vigoureusement, affrontant tous les dangers. Et ce Roméo aurait les traits de François-Xavier Laflamme. Mais comme j'ai peu de temps devant moi, je me contente de faire défiler dans ma tête la bande-annonce de mon film. Quelques images suggestives qui alimentent mon désir et que je chasse en terminant ma douche à l'eau froide. Brrr… Quel excellent remède!

Le corps enroulé dans une lourde serviette blanche de la collection d'Ugo, je sèche mes longs cheveux en penchant ma tête vers l'avant. Tellement plus efficace comme méthode.

Tout à coup, je sens des doigts frapper dans mon dos. Et même si le geste est délicat, je sursaute et me retourne précipitamment. F-X se tient devant moi, déjà rhabillé.

— Ahh, tu m'as fait peur, dis-je en éteignant l'appareil.

— Excuse-moi. Tu m'entendais pas à cause du séchoir. Où veux-tu que je mette ça?

Il me montre le maillot d'Ugo tout détrempé, qu'il tient à la main.

— C'est beau, je m'en occupe.

Je dépose mon séchoir et je prends le vêtement. Je tourne le dos à F-X et, sur le bout des pieds, je tente de suspendre le maillot sur le haut de la douche en verre. Je m'y essaie à quelques reprises. Incapable d'y arriver, je me donne un élan pour sauter quand je sens la serviette se dénouer et glisser le long de mon dos. *Shit!*

Je tente de la rattraper, mais je ne suis pas assez rapide. La serviette tombe au sol, me laissant complètement nue. Je me fige quelques secondes, me demandant si F-X est toujours derrière moi ou s'il a quitté la pièce tout de suite après m'avoir remis le maillot. Et même si la situation est embarrassante, j'espère secrètement qu'il est là, à m'observer. Mais je n'ose pas me retourner comme ça, complètement dévêtue. Je fléchis les genoux pour récupérer mon drap de bain quand je sens une main me le tendre.

— Tiens, me dit simplement F-X sans aucune trace de malaise dans la voix.

Gênée, je m'empresse d'enrouler la serviette autour de mon corps, je prends une grande respiration et je fais face à F-X. Son regard trahit tout le désir qu'il éprouve et ravive le mien d'un seul coup. Je ne peux m'empêcher de penser que nous sommes sur le point de faire une gaffe monumentale, mais, pour le moment, je m'en fous. J'ai trop envie de lui pour réfléchir à la suite.

Il s'approche tranquillement, fait lentement glisser son doigt sur mon épaule nue, remonte le long de ma gorge jusqu'à mon visage et effleure mes lèvres.

— Embrasse-moi, lui dis-je sans détour.

F-X pose sa bouche sur mon épaule, qui suit le même trajet que son doigt. Ses lèvres se retrouvent tout près des miennes. Il hésite quelques secondes, me laissant mourir de désir à petit feu. Je n'en peux plus ! C'est assez, la torture.

Violemment, je plaque ma bouche contre la sienne, tout en posant fermement ma main sur son entrejambe. *OMG!* À travers son jeans, je sens tout le plaisir que je vais avoir, ce qui me fait redoubler d'ardeur.

Mon geste on ne peut plus clair semble avoir fait passer F-X à la vitesse grand V. Il m'embrasse avec toute la passion qui l'anime et j'ai tellement envie qu'il me prenne, là, tout de suite, que j'en ai les jambes molles. F-X arrache ma serviette et je m'attaque à son t-shirt.

Puis, soudainement, tout s'arrête. F-X rabat son chandail sur son ventre et se distance.

— Excuse-moi, Juliette. Je peux pas faire ça.

— Pourquoi ?

— Je suis pas libre, tu le sais.

— Pis ça. Je m'en fous ! Ça te tente autant que moi, allez.

— C'est pas correct. Je me marie dans deux semaines. Je peux pas lui faire ça.

— Elle le saura pas.

— Non, mais moi je vais le savoir.

Mon excitation se transforme en frustration, puis en colère. Je reprends ma serviette au sol, que je noue une fois de plus autour de ma poitrine.

— Veux-tu que je te dise ? Je comprends pas pantoute ce que tu fais avec une *bitch* pareille !

— Juliette, s'il te plaît.

— Pas de « Juliette, s'il te plaît » ! Ta crisse de miss Tzatziki, elle va te rendre la vie infernale. Elle va te contrôler au *boutte*.

— Mais non.

— Mais oui ! Tu vas être super malheureux avec elle.

F-X reste silencieux. Ma dernière phrase semble l'avoir secoué. Ses yeux se remplissent de larmes et il murmure :

— Je le sais.

Toute ma colère s'évanouit devant l'aveu de mon ami d'enfance.

— Oui, mais pourquoi tu la maries ?

— Parce qu'elle est enceinte.

23

STATUT FB DE **MARIE-PIER LAVERDIÈRE**

Il y a une heure, près de Laval

Mon amie Juliette a des idées un peu étranges, parfois...
En plus, elle connaît rien aux grossesses.
Fucking compliqué de lui expliquer les vraies affaires.

— Je te promets rien, Juliette. C'est pas parce que je suis moi-même enceinte que je vais deviner si miss Tzatziki l'est aussi !

— Essaye, au moins... *Pleaaaaaase.*

— Oui, oui, je vais faire mon possible.

Je regarde Marie-Pier avec des yeux de biche pour qu'elle adhère à mon idée. Depuis que F-X m'a annoncé qu'Ursula attendait leur enfant, les pires doutes m'assaillent. Je suis convaincue qu'elle le mène en bateau. Je me rappelle très bien le *body* de déesse qu'elle m'a exposé en pleine figure... un corps qui n'a rien à voir avec celui d'une femme enceinte.

J'en ai parlé à F-X, l'autre soir, juste avant que nous prenions chacun notre chemin avec notre désir refoulé. Il semblait dépassé qu'Ursula puisse l'avoir piégé, mais il n'était pas complètement fermé à cette hypothèse. D'autant plus qu'il m'a avoué qu'elle lui avait un peu tordu le bras pour former un couple avec lui. De son côté, il aurait préféré en rester au statut d'amants qu'ils avaient au début de leur relation, mais il a cédé devant son insistance. C'est clair que, des deux, c'est elle qui est le plus amoureuse.

Je lui ai donc promis de faire la lumière sur le sujet. J'ai cru voir une étincelle de reconnaissance dans son regard.

J'ai tout raconté à Clem et à Marie-Pier. Tout, sans rien omettre. Ni même le baiser passionné que nous avons échangé. Je m'attendais à ce que mon amie d'enfance se fâche, m'accuse une nouvelle fois de lui faire de l'ombre, éprouve de la jalousie. Mais non. Elle a décidé, elle aussi, qu'il fallait sauver F-X.

« Et puis si vous finissez ensemble, Juliette, tant mieux pour vous deux », m'a-t-elle lancé en me prenant au dépourvu.

Marie-Pier m'a expliqué qu'elle avait voulu séduire F-X pour se prouver qu'elle était encore belle et désirable, malgré sa grossesse. Mais qu'au fond elle n'était pas du tout prête à avoir un homme dans sa vie et désirait se focaliser sur sa prochaine vie de maman. J'ai poussé un énorme soupir de soulagement même si, pour moi, rien n'est clair quant à ma relation avec F-X. Et pour lui non plus, d'ailleurs. Il m'a avoué m'avoir relancée dernièrement par pure intuition. Parce qu'il avait l'impression d'avoir laissé une porte ouverte entre nous et qu'il voulait la fermer. C'était son intention au départ. Mais aujourd'hui, il n'est plus certain de rien.

Et moi, j'éprouve des sentiments ambigus envers lui. Amitié, désir, amour… Tout ça est confus dans ma tête. Tout ce que je sais, c'est que, quand il est là, je suis bien. Très bien même. Et que la nuit, il m'arrive de rêver à lui. Ou à Mikaël. Pas simple, ma vie.

Présentement, je suis stationnée avec Marie-Pier devant l'imposante maison des parents d'Ursula, afin de lui faire une visite-surprise. Pas convaincue au départ, Marie-Pier semble maintenant prête à mettre à exécution mon plan d'enfer.

— Marie, à *go*, on y va, OK ?

— OK.

— Un, deux, trois, *go* !

Nous sortons du quatre-quatre de Marie-Pier pour aller sonner à la porte des Dimopoulos. C'est Ursula elle-même qui vient nous répondre. Des rouleaux chauffants sur la tête, des mules à plumes blanches aux pieds et vêtue encore une fois d'un peignoir, mais cette fois-ci bleu électrique.

Son œil gauche est maquillé dans les tons de mauve, tandis que celui de droite l'est dans les teintes de doré. Chacun de ses ongles affiche une couleur de vernis différente, et le dos de sa main droite est barbouillé de cinq ou six lignes de rouge à lèvres. Visiblement, c'est la séance d'essais et erreurs du maquillage pour le grand jour.

— Juliette, je ne t'attendais pas.

— Je voulais te présenter Marie-Pier. Tu sais, on a parlé d'elle l'autre jour.

— Ah oui, la troisième roue du tricycle.

Quelle insolente, cette miss Tzatziki ! Si je m'écoutais, je la giflerais de toutes mes forces.

— Ça me fait plaisir, lui lance hypocritement Marie-Pier en lui tendant la main.

Que j'adore mon amie et son aplomb à tout casser ! Au jeu du « faire semblant », elle a toujours été imbattable.

— Moi de même, répond Ursula en gardant sa main pour elle.

Je comprends qu'elle veut préserver le vernis de ses ongles, mais elle pourrait tout au moins s'en excuser, au lieu de prendre cet air hautain. Je déteste cette pétasse prétentieuse!

Marie-Pier fait mine de n'avoir rien vu et lui propose ce dont nous avons discuté en chemin pour justifier notre présence dans le fin fond de Laval.

— Ursula, si t'as besoin de chauffeurs supplémentaires pour tes invités, ma famille est dans le domaine de l'automobile. Mes deux frères et moi, on pourrait t'accommoder.

— Ah bon? Eh bien, entrez, qu'on en discute.

Nous la suivons jusqu'à sa chambre, où une jeune femme l'attend devant sa coiffeuse en nettoyant un pinceau à maquillage. Elle nous présente son amie Pandora. Décidément, elle n'a que des Grecques dans son entourage. Pourquoi diable ne s'est-elle pas amourachée d'un Grec? Bizarre...

— Vous voulez boire quelque chose? nous propose Pandora.

— Moi, ça va. Mais toi, dis-je en me tournant vers Marie-Pier, tu devrais peut-être prendre un bon verre d'eau, hein? Ça fait un moment que t'as rien bu, non?

— Bonne idée, me répond-elle.

Mon but ici est d'amener Ursula à me questionner sur mes propos un peu étranges, mais comme elle semble plutôt s'intéresser aux cosmétiques étalés sur sa coiffeuse, j'y vais plus radicalement.

— Faut surtout pas que tu te déshydrates, Marie. Dans ton état.

— T'as raison, Juliette.

— Bon, alors un verre d'eau. C'est tout? conclut Pandora.

— Hum, hum, dis-je.

Pendant que Pandora s'éloigne, je rage intérieurement de ne pas avoir capté l'attention d'Ursula, laquelle me fait de plus en plus horreur. Égocentrique sur toute la ligne! D'autant plus que si elle avait bien regardé mon amie, elle aurait remarqué le petit ventre rond sous sa blouse bouffante.

Je jette un regard exaspéré à Marie-Pier, qui, silencieusement, m'implore de me calmer. Elle relance la future mariée.

— Alors, que penses-tu de ma proposition ?

Ursula daigne finalement lever les yeux de son précieux maquillage.

— En fait, j'ai tous les chauffeurs dont j'ai besoin, mais j'ai autre chose à te proposer.

— Ah oui ? Quoi donc ?

— Tu vois, j'ai eu un léger problème avec une de mes demoiselles d'honneur. Elle est, disons, indisposée.

Ah, la chipie ! Quelle farce ! Madelina est en peine d'amour, pas indisposée ! Je me retiens à deux mains de lui cracher toute ma haine à la figure. Respire, Juliette, respire !

— Et, poursuit Ursula, j'aimerais que tu la remplaces.

— Moi ? s'étonne Marie-Pier.

— Oui, toi.

— Pourquoi ? On ne se connaît pas.

— T'es l'amie d'enfance de François-Xavier, non ?

— Oui, mais...

— Et puis t'es rousse. Ça va super bien compléter le quatuor. J'ai une brune, une noire, une blonde et, là, j'ai ma rousse.

— OK, mais c'est pas un peu...

— Dans la robe ocre, en plus, tu vas être magnifique.

Je suis stupéfaite ! Et Marie-Pier aussi, si je me fie à son air éberlué. Non mais, quelle mascarade ! Cette femme utilise les gens comme bon lui semble, sans tenir compte de leurs désirs. C'est limite scandaleux. Je décide d'intervenir.

— Je ne crois pas que ce soit une bonne idée. Marie est enceinte, c'est beaucoup trop stressant pour elle.

Tout à coup, les yeux d'Ursula se remplissent d'émerveillement. Elle s'approche et pose ses mains sur le ventre de Marie-Pier.

— Ah ben ça, c'est incroyable. Tu vas être mon porte-bonheur !

— Hein ? Comment ça ?

— Moi aussi, je suis enceinte ! C'est le ciel qui t'envoie.

Hein ? C'est quoi, ces conneries ? Porte-bonheur ? Le ciel ? Elle n'est pas seulement exécrable, cette femme, elle est folle.

— Plus rien ne peut nous arriver maintenant, hein ?

Ursula murmure d'autres inepties. Les yeux fermés, elle semble presque en transe. Je capte quelques mots ici et là : « sécurité… ange… amour éternel… douleurs de l'enfantement… »

OMG ! Ça ne va pas bien dans sa tête ! Je regarde Marie-Pier d'un air angoissé. Tout comme moi, elle a compris qu'Ursula est loin d'être une femme équilibrée. Son comportement en est même inquiétant. Je fais signe à Marie que je suis dépassée, elle m'indique qu'elle va tenter quelque chose.

— Tu sais, Ursula, cette croyance qui dit que toucher le ventre d'une femme enceinte porte bonheur, c'est peut-être pas vrai.

La voix douce de ma copine n'a aucun effet sur la future mariée. Toujours en symbiose avec le ventre de Marie-Pier, elle ne nous entend pas. C'est le retour de Pandora dans la pièce qui la ramène sur terre.

— Ursula ! Qu'est-ce qui se passe ? demande-t-elle d'une voix autoritaire.

Miss Tzatziki sursaute et détache ses mains du ventre de mon amie, qui s'éloigne de quelques pas.

— Pandora, j'ai mon porte-bonheur. Tu imagines ? Mon mariage va être parfait, parfait, parfait.

Pendant qu'Ursula informe sa copine que Marie-Pier vient d'être promue demoiselle d'honneur et qu'en raison de sa grossesse elle sera la première des quatre à défiler devant elle, je fais signe à Marie qu'il nous faut déguerpir d'ici au plus vite. Soulagée, elle acquiesce.

Nous nous éloignons discrètement vers la sortie de la chambre quand Ursula rattrape Marie-Pier par le poignet.

— Tu vas essayer ta robe tout de suite, lui ordonne-t-elle.

— Écoute, Ursula, je suis pas très à l'aise avec tout ça.

— Quoi donc ?

— Être ta demoiselle d'honneur, ça me semble trop précipité.

Ursula reste silencieuse pendant quelques secondes. Elle paraît contrariée à un point tel que j'ai l'impression qu'elle va exploser. Elle pousse un long soupir avant de regarder Marie-Pier droit dans les yeux et de lui parler d'un ton désespéré.

— Tu peux PAS me refuser ça. T'as pas le droit.

Derrière elle, Pandora indique à Marie-Pier qu'il vaut mieux ne pas s'opposer à la volonté d'Ursula. Elle mime quelque chose qui pourrait ressembler à une crise de folie et je comprends qu'elle craint pour la santé mentale de la future mariée. Prise au piège, Marie-Pier n'a d'autre choix que de se prêter au jeu.

— Toi, Juliette, va l'attendre dans l'auto, m'ordonne-t-elle.

Paniquée, je regarde Marie-Pier, n'osant pas la quitter. Mais celle-ci me rassure du regard. C'est tout de même envahie d'un profond sentiment de culpabilité que je la laisse entre les mains de cette sorcière.

*

— F-X, c'est Juliette.

— Et Marie-Pier.

Depuis le Bluetooth du véhicule de mon amie, nous appelons le futur marié pour lui faire un rapport de notre désastreuse visite chez Ursula.

— Salut, les filles. Comment ça va ?

— Bof ! Mettons qu'on est sous le choc un peu, là.

— Hein ? Comment ça ?

J'informe tout d'abord F-X que nous sortons de la maison des parents de sa blonde, puisque nous avions décidé de le tenir à l'écart de notre plan. Marie-Pier lui fait part de nos intentions de départ, lui apprenant du coup qu'elle aussi est enceinte.

— Ah ben, félicitations, Marie. Je suis très content pour toi.

— Ursula aussi était très contente, mais pour une tout autre raison.

Mon amie lui raconte comment miss Tzatziki a disjoncté en apprenant la nouvelle de sa grossesse. C'est au tour de F-X d'être sous le choc. Il l'écoute attentivement.

— Inutile de te dire que ça me tente pas pantoute de faire sa demoiselle d'honneur ! Mais je sais pas comment refuser.

— Ben voyons donc, ç'a pas de sens, commente F-X.

— Si tu veux mon avis, ta blonde va vraiment pas bien.

— Vous êtes certaines que c'est pas de la manipulation ? Elle en est capable, vous savez.

— Écoute, on est pas des spécialistes en santé mentale, mais y a quelque chose qui tourne pas rond, c'est clair.

— Marie a raison, dis-je. Elle a l'air super fragile. On jurerait qu'elle peut craquer n'importe quand.

— Tant que ça ?

— Hum, hum. Et je pense que c'est vrai qu'elle est enceinte.

— En tout cas, si elle ne l'est pas, elle y croit dur comme fer, ajoute ma copine.

Le silence se fait dans l'habitacle. Tous les trois, on prend conscience de la situation. F-X n'échappera pas à son mariage avec Ursula Dimopoulos.

J'éprouve soudainement une indescriptible tristesse et je tourne mon regard vers la fenêtre pour cacher les larmes que je sens monter à mes yeux. Je suis bouleversée à la pensée que la vie de mon ami sera plus que difficile avec cette femme qui, au fond, me fait pitié. Et je ressens aussi un inexplicable chagrin à l'idée que, lui et moi, ça n'ira pas plus loin.

C'est finalement F-X, la voix résignée et triste, qui reprend la conversation.

— Merci, les filles. Vous êtes vraiment *sweet* d'avoir fait tout ça pour moi.

— De rien, répond Marie-Pier.

— Juliette, tu me rappelles plus tard, OK ? J'aimerais ça qu'on se parle.

— Oui, oui.

— Bye, F-X, conclut mon amie avant de fermer son appareil.

Toutes les deux perdues dans nos pensées, nous roulons pour retourner dans notre quartier, bien à l'abri de cette folie.

— Puis, tu vas le rappeler ? me demande ma conductrice.

Le regard plongé sur la rivière des Prairies qui coule à ma droite, je réfléchis à la suite des événements. J'en viens à la conclusion qu'il vaut mieux essayer d'oublier F-X et le laisser à sa vie.

— Non. Je vais prendre ses câlisses de photos de mariage, pis après je vais faire comme lui.

— C'est-à-dire ?

— Le faire disparaître pour les dix prochaines années.

Bien décidée à me convaincre moi-même que c'est mieux ainsi, je hausse le volume de la musique pour signifier à Marie-Pier que la conversation est finie. Et j'essaie de me concentrer sur ce qu'il y a de concret dans ma vie : ma relation avec Mikaël. Même si elle n'est pas parfaite, il est libre, lui.

Sentant ma peine, Marie-Pier cherche ma main. Elle l'attrape et la serre très fort dans la sienne. Son geste m'apporte un peu de réconfort et nous restons comme ça de longues secondes, sans avoir besoin de parler. Parce qu'il n'y a plus rien à dire, parce que tout est terminé.

24

STATUT FB DE CLÉMENCE LEBEL-RIVARD

À l'instant, près de Montréal

Mes deux amies vont me faire pleurer de fierté tellement elles sont belles dans leurs robes qu'elles portent pour un mariage. Je les adore !

— Ostie de robe trop serrée, j'étouffe là-dedans !

— T'en as pas pour longtemps, Marie. Courage.

C'est le grand jour. Celui du mariage de F-X et je n'ai qu'une seule envie : que la journée se termine au plus vite. Tout comme Marie-Pier, d'ailleurs.

Avec l'aide de Clémence, la première demoiselle d'honneur vient d'enfiler sa robe en soie couleur ocre, pendant que je revêts ma propre tenue. Sur les conseils de Clem, j'ai choisi une robe rose pâle, toute simple avec sa taille cintrée et sa jupe légèrement évasée, ainsi qu'une paire de ballerines fuchsia pour un peu plus de punch.

Nous sommes toutes les trois dans mon appartement, où la tension est bel et bien réelle. Ni Marie ni moi-même n'avons envie d'assister à la mise en scène d'aujourd'hui. Mais il le faut bien, nous l'avons promis à notre ami d'enfance.

Depuis notre visite chez les parents d'Ursula, j'ai tenu ma résolution et je n'ai pas reparlé à F-X. Par contre, je l'ai lu. Il m'a envoyé un long message sur FB, dans lequel il disait regretter qu'on ne se soit pas revus avant.

« J'ai souvent pensé à toi pendant toutes ces années, mais je croyais qu'entre nous ce n'était pas possible. Aujourd'hui, je sais que ce n'est pas vrai. Ce que je croyais être une amourette d'adolescence est peut-être beaucoup plus que ça. Je m'en veux de ne pas t'avoir relancée avant. Si je n'avais pas fait le con et attendu tout ce temps, qui sait où nous en serions aujourd'hui… » Et blablabla, et blablabla… Bien beaux, tous ces mots, mais ça ne nous avance pas plus !

Je dois avouer que, moi aussi, j'ai imaginé une vie avec F-X. Faite de complicité, de fous rires et de passion. Je me suis demandé si c'était lui, finalement, mon Roméo. Celui que j'attends depuis des années. Mais à quoi bon se torturer l'esprit de la sorte ? Dans moins de deux heures, François-Xavier Laflamme ne sera officiellement plus sur le marché des célibataires.

Bip !

La sonnerie de mon téléphone m'annonçant l'arrivée d'un texto me sort de mes réflexions. Ça doit venir de Mikaël, il texte toujours avec moi vers midi. Pendant que je fouille dans mon immense cabas à la recherche de mon cellulaire, je songe à ma relation avec le bel humoriste.

Ces derniers jours, nous nous sommes vus à quelques reprises… surtout pour baiser. Hier, je lui ai finalement dit que ça ne me convenait plus. Je lui ai annoncé que je souhaitais être plus qu'une amante pour lui, que je voulais qu'on fasse des trucs ensemble, qu'on tente de devenir un couple. Et pas seulement dans des messages textes.

Contre toute attente, il s'est dit d'accord et il a même accepté de venir bruncher chez nonna demain. Ugo et Bachir y seront aussi, et j'ai très hâte qu'il rencontre mon petit monde. La prochaine étape, ce sera un 5 à 7 avec mes deux meilleures amies. Tout ça me ravit et je me dis que je vais peut-être commencer à me laisser aller dans cette relation et à en profiter vraiment. Parce que, jusqu'à maintenant, j'avoue que j'étais plutôt sur les *breaks* devant son manque d'engagement.

J'attrape mon téléphone et je constate que j'ai raison. C'est Mikaël qui m'écrit.

« On peut remettre le brunch de demain ? J'ai un empêchement, dsl. »

— *WHAT ?* ne puis-je m'empêcher de crier.

— Qu'est-ce qui se passe ? me demande Clémence.

— Là, j'en ai vraiment plein mon casque !

— De quoi ?

— De Mikaël.

— Bon, qu'est-ce qu'il a fait encore ?

— Il ne vient pas demain chez nonna.

Clémence me prend par la main et m'invite à m'asseoir avec elle sur mon divan, qu'elle doit auparavant débarrasser de quelques traîneries, dont l'étui de mon nouvel objectif dissimulé sous un t-shirt mauve. Enfin, je l'ai retrouvé ! En sacrant toujours contre sa foutue robe, Marie-Pier s'approche à son tour. Toutes les deux m'encerclent.

— Là, Juju, faut que ça arrête, allègue Clémence.

— Oui, c'est assez. Tu vois bien qu'il te niaise, ajoute Marie-Pier.

— Vous pensez ?

— Ben là, c'est clair ! s'écrient-elles en chœur.

— Ça se peut qu'il ait un empêchement. Un truc pour le boulot peut-être ?

— Un dimanche midi ? s'interroge Clémence.

— Pourquoi pas ?

— Ouvre-toi les yeux. Ça mène à rien, cette histoire.

— Au moins, j'ai quelqu'un. Avec F-X qui se marie, s'il faut que je perde Mikaël en plus…

— Je veux pas te dire quoi faire, Juju…

— Mais tu vas me le dire quand même.

Clémence rit tendrement et poursuit :

— Tu devrais le laisser et essayer de trouver quelqu'un qui t'aime vraiment.

— Ouin, mais tout à coup que je trouve pas ?

— Ça, ça se peut pas. Ça arrivera peut-être pas demain, mais ça va venir, c'est sûr.

— Tu penses ?

— Clem a raison, intervient Marie. Pis on est pas si mal toute seule, tu sais.

— Ouin, toi, t'es pas vraiment toute seule. T'as ton bébé. Et toi, Clem, t'as les deux M. Alors que moi…

— T'as juste à acheter un chat.

— Je peux pas, je suis allergique !

— Un chien, alors !

J'imagine un beau labrador noir au poil lustré – mon chien préféré –, trônant dans mon appartement. Nahhh, ça n'a aucun sens ! Il m'en faudrait un plus petit, mais j'aurais trop peur de tomber sur un spécimen qui jappe tout le temps comme celui de ma patronne. Penser à Danicka m'apporte une nouvelle réflexion.

— C'est sûr que si je le voyais plus, je n'aurais pas toujours peur que ma *boss* découvre que je couche avec l'ex de sa fille.

— Une autre bonne raison de le crisser là.

— Peut-être, oui.

Je me fais doucement à l'idée de mettre un terme à ma relation avec Mikaël. Ça me chagrine, mais en même temps j'éprouve un profond soulagement à l'idée de ne plus être toujours en mode attente. Attendre son prochain texto, attendre qu'il se libère, attendre qu'il se décide à s'engager… J'en ai assez !

— Prends exemple sur Clémence, suggère Marie-Pier en se tournant ensuite vers elle. Tu regrettes pas d'avoir laissé Arnaud, hein, Clem ?

— Pas du tout. Et vous savez quoi ?

— Non, quoi ? dis-je.

— Je pensais que ça allait être l'enfer, la garde partagée. Mais non. Les gars s'en accommodent super bien, et j'ai finalement du temps juste pour moi.

— Ouais, ça, tu l'as pas volé, j'avoue.

Clémence et Arnaud ont trouvé un terrain d'entente qui facilite la vie à tout le monde. Chacun leur tour, une semaine sur deux, ils habitent la maison familiale de Saint-Hilaire. Le reste du temps, mon amie se la coule douce dans son appartement situé à quelques coins de rue d'ici, tandis qu'Arnaud crèche on ne sait où et on ne veut pas le savoir.

— La semaine dernière, je suis allée me faire masser un soir. J'avais pas fait ça depuis des années. Tu imagines toute la liberté !

— Prochaine étape, faut te trouver un chum.

— Pff... Pas avant un bon bout de temps, crois-moi !

— Bon, Juliette, tu te décides, pour Mikaël ? me relance Marie-Pier.

J'hésite quelques secondes, ce qui donne le temps à mon amie de me rappeler que nous allons être en retard pour le mariage de F-X si je continue à tergiverser.

— Bon, OK, je le *flushe*.

— *Yessss !* Bonne décision. On va te laisser seule pour que tu puisses lui parler.

— Pas besoin, je vais le traiter comme lui le fait. Je vais casser par texto.

Malgré l'air surpris de mes deux copines, j'empoigne mon cellulaire et je tape quelques mots sur l'écran.

« Mikaël, on va arrêter ça là, OK ? C'est clair qu'on veut pas la même chose. Ça marchera jamais. Sans rancune xx »

J'appuie sur « envoyer », triste mais libérée d'un poids immense que je traînais depuis déjà trop longtemps.

25

STATUT FB DE JULIETTE GAGNON

À l'instant, près de Laval

Est-ce que je vais survivre aux prochaines heures ? Pas certaine…

Oh my fucking God, qu'il est beau !

Depuis la chaire où je me suis installée pour capter quelques images d'en haut, j'observe mon ami d'enfance qui vient d'arriver dans l'église. Devant l'autel, il attend que sa future épouse fasse son entrée dans un défilé qui sera, je le sais, spectaculaire. F-X y est allé pour la totale. Il est vêtu d'un magnifique smoking, qu'il a rehaussé d'une touche de rouge en y ajoutant un petit foulard qui sort de la poche avant de sa veste. Un brin de fantaisie pour couper le classicisme du costume. *Cool*.

Je zoome sur son visage pour essayer de voir ses sentiments à cet instant même. Moi, je serais tellement énervée que je ne tiendrais pas en place deux minutes.

Mais lui semble calme et serein. Je prends quelques photos de F-X, qui scrute l'enceinte de l'église, où les derniers invités se pressent pour aller s'asseoir.

Puis, tout à coup, il lève la tête vers la chaire. Son regard se plante directement dans mon objectif. Pendant de longues secondes, il reste immobile et j'ai même l'impression qu'il a cessé de respirer. Il est là, à me fixer et à me déstabiliser par ce mélange de désir et de tristesse que je devine dans ses grands yeux verts... Ah non ! T'as fait ton choix, F-X, assume-le ! Oublie-moi ! Oublie le couple formidable que nous aurions pu être, toi et moi. Il est trop tard, maintenant. Nous avons laissé filer notre chance. On se retrouvera dans une autre vie, peut-être.

Moi aussi, je le contemple derrière mon objectif qui me sert d'écran entre nous deux. Pas question de m'abandonner aux émotions qui tentent de prendre le dessus sur ma raison.

Je dois réfléchir en photographe et non pas en amoureuse éconduite... Parce que c'est la question qui me vient à l'esprit maintenant que mon ami se marie. Suis-je amoureuse de F-X ? En fait, est-ce que je l'ai toujours été ? Je comprends que, parmi tous les chums que j'ai eus dans ma vie, c'est un peu lui que je cherchais. Cette complicité qui nous a unis pendant tant d'années n'était peut-être pas seulement celle de deux amis d'enfance. Sans trop que je sache pourquoi, je sens les larmes me monter aux yeux. Non, non, non ! Ressaisis-toi, Juliette ! Fais tes photos le plus professionnellement possible. Tu iras pleurer plus tard dans ton lit s'il le faut mais pas ici. Pas dans une église bondée de gens venus célébrer l'amour.

Pour me donner du courage, je détourne mon objectif et je le braque vers le fond de l'église, où les demoiselles d'honneur se préparent à s'avancer dans l'allée. Au son de la musique, le cortège se met en marche, ce qui me permet de me concentrer sur mon métier.

Défilant la première comme l'a exigé Ursula, Marie-Pier est splendide. Sa robe hyper ajustée dévoile ses rondeurs de plus en plus évidentes et je songe, encore une fois, que j'ai trop hâte de voir le bout du nez de Bébé Laverdière. Elle avance avec grâce et un discret sourire de circonstance, lequel est parfaitement composé, dois-je admettre.

Suivent les trois amies et cousines – esclaves serait un mot plus juste – de la mariée. Elles ont, elles aussi, fière allure. Je prends quelques photos puis regarde du côté des invités, qui ont fait les choses en grand.

Robes de soirée, immenses chapeaux ornés de foulards colorés, de perles ou de plumes verdoyantes pour les femmes, smokings et cravates chics pour les hommes, et robes en dentelle à crinoline pour les fillettes. Si on ajoute à ça la décoration chargée de l'église, tout en roses rouges et en banderoles blanches et bleues, ainsi que le soleil brillant de cette mi-septembre qui se reflète sur les vitraux, j'ai de quoi m'amuser longtemps. Tout ça fait des photos on ne peut plus vivantes. Quétaines, mais vivantes.

Soudainement, mon regard est attiré vers quelque chose d'incongru dans l'avant-dernière rangée. Un truc qui ne cadre pas du tout dans un mariage grec. Un chapeau de cowboy, sous lequel se cache un visage familier. Mon cœur se met à battre la chamade comme ce n'est pas permis. Ne me dites pas que Sherley est revenue de son festival western pour me hanter jusqu'ici ! Noooooooon !

Allez, relève la tête que je m'assure de ton identité, maudite folle ! Et comme si elle m'avait entendue, la femme au chapeau de cowboy me laisse découvrir son visage. Et c'est bien elle ! La cowgirl du terrain de camping. Celle qui s'imagine qu'on va finir nos jours ensemble. Mais qu'est-ce qu'elle fait ici ? Son air légèrement perturbé n'a rien pour me rassurer et je prie pour qu'elle ne soit pas venue à

Laval dans le but de me déclarer publiquement son amour.

Je n'ai guère le temps de songer aux conneries que prépare peut-être mon amante d'un jour, puisque la musique de la marche nuptiale résonne dans l'église.

Les regards se tournent vers le fond de l'allée, et tous retiennent leur souffle. La voilà, la star de la journée. Ursula, la plus splendide des mariées que j'aie jamais vues, s'avance au bras de son père, un petit homme lourdaud qui, malheureusement, gâche le portrait.

Les longs cheveux noirs de la mariée, agrémentés de fines perles blanches, sont relevés en un imposant chignon. Avec son visage parfaitement maquillé, ses frêles épaules dénudées, sa taille fine et sa robe encore plus spectaculaire que dans mon souvenir, elle pourrait facilement faire la une d'une revue spécialisée dans les mariages.

Au moment où je la photographie tandis qu'elle offre un sourire charmant et confiant, sans aucune trace d'angoisse ni de nervosité, je peux voir pourquoi F-X a été attiré par cette femme. Elle possède une aura peu commune.

La mariée se trouve au milieu de l'allée quand je décide qu'il est temps de redescendre pour obtenir des angles différents. Faisons vite avant qu'elle soit à l'autel. Je dévale l'escalier de la chaire d'un pas alerte, heureusement chaussée de ballerines qui ne font pas de bruit. Au moment où j'atteins la dernière marche, la courroie de mon appareil photo, que je tiens de ma main droite, se coince dans un petit crochet installé sur la rampe en bois.

Déstabilisée, je refuse de lâcher mon Canon. Mes deux pieds partent dans le vide et j'atterris sur les fesses, en laissant échapper non seulement mon appareil, mais mon sac d'équipement. Celui-ci s'ouvre et le contenu se répand partout sur le parquet de bois, dans un grand fracas. Sonnée par la douleur que je ressens au coccyx et éprouvant la honte de ma vie, je ferme les yeux quelques instants.

La musique de la marche nuptiale continue, mais j'entends aussi un murmure dans l'église. Des gens accourent vers moi et je sens une main qui rabat ma robe sur mes genoux. J'ouvre les yeux et je vois F-X et un autre homme penchés sur moi, l'air vraiment inquiet.

— Ça va ? T'es correcte ? me demandent-ils.

Correcte ? Non, pas vraiment. Je viens de gâcher LE moment d'Ursula, celui où tous devraient la regarder, elle, et non pas moi. Et surtout pas son futur mari. Quelle horreur !

— Ça va aller, dis-je, même si je me suis rarement sentie aussi mal.

Je me croise les doigts pour que rien ne soit cassé.

— T'es certaine ? insiste F-X.

— Oui, oui. Retourne à ta place, s'il te plaît. J'en ai fait assez comme ça.

— Avant, je vaïs t'aider à te relever.

— NON !

Je suis déjà tellement mal à l'aise du chaos que j'ai causé que je n'ai pas pu m'empêcher de crier pour qu'il m'écoute. Je refuse de perturber la cérémonie encore plus. Surtout que je vois Marie-Pier, venue elle aussi à ma rescousse. Manquerait plus que l'apparition du chapeau de cowgirl ! Bon, ça suffit, relève-toi, Juliette, et fais une femme de toi. Soudain, une voix aiguë résonne dans l'église.

— Eille ! Avez-vous fini ? C'est MON mariage, ma journée à moi. À personne d'autre !

Visiblement, Ursula est en colère. Toujours penché sur moi, F-X me regarde, l'air de dire : « Oups… je suis mieux d'y aller. » Il me sourit avec complicité avant de reprendre sa place.

Affaiblie aussi par le peu de nourriture que j'ai mangé aujourd'hui – quelle idée de déjeuner d'un petit gâteau Vachon et de sauter le dîner –, je me relève péniblement. Je garde les yeux fixés sur mes accessoires photo que je m'empresse de ramasser. La musique de la marche nuptiale s'arrête et, une fois de plus, j'entends la voix d'Ursula, plus haut perchée que jamais.

— On recommence mon entrée. C'est pas vrai qu'une imbécile de photographe va gâcher la plus belle journée de ma vie !

*

« L'imbécile de photographe » aurait bien envie d'utiliser Photo Booth pour déformer les traits de la mariée. Mais comme je suis professionnelle et que je ne veux pas causer de soucis à mon ami d'enfance, je me contente de ruminer ma rage intérieurement et de faire ma job du mieux que je peux.

J'ai perdu tout mon capital de sympathie pour Ursula. Enceinte ou pas, souffrant de problèmes de santé mentale ou pas, elle ne mérite pas mon attention.

Nous avons dû tout reprendre depuis le début, cortège inclus, à cause de ma maladresse. Marie-Pier a su cacher son mécontentement de devoir rejouer son rôle de demoiselle d'honneur et Sherley s'est rapprochée de quelques bancs pour être plus près de moi. Je l'ai fusillée du regard au moment où elle s'est avancée, mais je crois qu'elle était trop loin pour saisir mon avertissement.

Après la lecture des textes choisis par les mariés, dont un en grec auquel je n'ai rien compris, nous en sommes maintenant à l'étape cruciale des vœux. Pour être certaine de faire les meilleures images possible, je me suis placée tout près du prêtre, devant F-X et miss Tzatziki, laquelle a retrouvé le sourire. Un sourire qui manque toutefois de naturel.

— Ursula Dimopoulos, voulez-vous prendre pour époux François-Xavier Laflamme ici présent et promettez-vous de l'aimer, de le chérir, de l'honorer et de lui être loyale dans la santé et la maladie jusqu'à la fin de vos jours ? demande le prêtre.

Même si je n'aime pas Ursula et que ce mariage ne me réjouit pas, je ne peux m'empêcher d'être touchée par ce moment magique. Je suis émue par le regard amoureux qu'elle porte sur F-X et que je m'empresse de capter. Pendant un instant, je rêve que c'est à moi qu'on pose cette question. Celle à laquelle j'ai tant hâte de répondre : « Oui, je le veux. » Mais c'est Ursula qui prononce les mots tant désirés.

Sans bruit et surtout sans me faire remarquer, je me déplace de quelques mètres. C'est au tour de F-X de s'engager.

— François-Xavier Laflamme, voulez-vous prendre pour épouse Ursula Dimopoulos ici présente et promettez-vous de l'aimer, de la chérir, de l'honorer et de lui être loyal dans la santé et la maladie jusqu'à la fin de vos jours ?

Mon objectif bien fixé sur le visage de F-X, je ne saisis pas immédiatement ce qui survient à ce moment précis de la cérémonie. Il me faut quelques secondes pour réaliser que mon ami hésite à répondre à la question. Son regard, maintenant angoissé, se pose sur le célébrant, puis sur Ursula et à nouveau sur le prêtre.

Je comprends que F-X cherche une porte de sortie. Que, dans le fin fond de son cœur, il ne veut pas s'unir à cette femme qu'il n'aime pas vraiment. Est-ce qu'il va lui dire non ? L'humilier devant toute sa famille et ses amis ? Il ne peut pas lui faire subir ça. Elle ne survivrait pas.

Dans la grande église, le silence de F-X commence à inquiéter les invités, et aussi la future mariée, furieuse. Elle affiche un air presque méprisant. Et c'est là que le déclic se fait dans ma tête. Pourquoi F-X devrait-il sacrifier sa vie pour cette *bitch* finie ? Il n'est pas obligé de la marier, il peut très bien assumer ses responsabilités envers le bébé tout en ne vivant pas avec elle. Et ça, c'est si bébé il y a.

J'enlève l'appareil photo de mon visage et j'essaie d'accrocher le regard de F-X, mais il semble perdu dans son monde. Je me rapproche encore plus du prêtre et je prie de toutes mes forces pour que mon ami entende le message silencieux que je veux lui livrer. Ses yeux rencontrent finalement les miens et je sens tout le réconfort que cela lui apporte. « Fais pas ça, F-X, on va s'organiser tous les deux, tu vas voir. Je suis là, avec toi. » Voilà ce que j'essaie de lui dire. Il me sourit et mon cœur bondit dans ma poitrine. Il a compris, j'en suis convaincu.

F-X se tourne vers Ursula et répond enfin à la question du prêtre. C'est alors qu'un trop-plein d'émotions s'empare de moi. Je sens mes jambes se dérober sous mon corps et je m'écroule au sol. La dernière image que j'aperçois, c'est celle de F-X qui tente de me rattraper. En vain.

Remerciements

À Yves, pour avoir été là, du premier au dernier chapitre, que tu as gentiment accepté de me laisser terminer pendant nos vacances de Noël… jusque dans l'avion qui nous ramenait à Montréal.

À Laurence, ma belle-fille adorée, pour m'avoir inspiré le personnage de Juliette. Y a beaucoup de toi dans cette fille !

À toutes mes amies dans la vingtaine qui m'ont aidée à créer le personnage de Juliette, à lui donner son style, ses expressions… ma propre vingtaine étant malheureusement déjà très loin. ☺

À mon éditrice, Nadine Lauzon, qui a sacrifié une partie de son congé de maternité pour suivre la romancière angoissée que je suis dans la création des aventures de Juliette.

À l'équipe de Groupe Librex pour m'avoir fait confiance dans ce nouveau projet et m'avoir rassurée quand le doute s'installait.

À mon agente, Nathalie Goodwin, pour ses judicieux conseils dans le développement de mes projets d'écriture, autant pour les livres que pour la télé.

À tous les producteurs de bonheur (pâtissiers, chocolatiers, fabricants de crème glacée, confiseurs, etc.) qui œuvrent au Québec, merci de créer de si délicieux desserts. Vraiment, vous nous gâtez !

Et, finalement, à toutes les lectrices et à tous les lecteurs des quatre tomes de *La Vie épicée de Charlotte Lavigne*. Votre présence sur les médias sociaux et dans les salons du livre, vos encouragements à continuer ma carrière d'auteure et votre profond amour pour la maman de Juliette m'ont décidée à écrire la vie de sa fille.

Suivez les Éditions Libre Expression sur le Web :
www.edlibreexpression.com

Cet ouvrage a été composé en Minion 12/14
et achevé d'imprimer en avril 2014 sur les presses
de Marquis imprimeur, Québec, Canada.

certifié

procédé sans chlore

100 % post-consommation

archives permanentes

énergie biogaz

Imprimé sur du papier 100 % postconsommation,
traité sans chlore, accrédité Éco-Logo et fait à partir de biogaz.